Un país desconocido

Un país desconocido

*Invitación a explorar el mundo de nuestros mayores
y a acercarnos entre generaciones*

MARY PIPHER, PH.D.

Traducción
Elvira Maldonado

GRUPO
EDITORIAL
norma

Barcelona, Bogotá, Buenos Aires, Caracas, Guatemala,
Lima, México, Miami, Panamá, Quito, San José, San Juan,
Santiago de Chile, Santo Domingo

Edición original en inglés
ANOTHER COUNTRY
Navigating the Emotional Terrain of Our Elders
de Mary Pipher, Ph.D.
Una publicación de Riverhead Books
375 Hudson Street, New York, NY 10014
Copyright © 1999 por Mary Pipher, Ph.D.

Impreso por Imprelibros S. A.
Impreso en Colombia — Printed in Colombia

Edición, Patricia Torres
Diseño de cubierta, Mónica Bothe
Armada electrónica, Andrea Rincón G.

Este libro se compuso en caracteres Berkeley.

ISBN 958-04-5488-4

A Jim

Y quisimos mucho la tierra...
pero no nos fue posible quedarnos en ella.

— LOREN EISELEY

Nota de la autora

Algunos nombres de lugares, especialmente los de los hogares geriátricos y los de los hospitales, no son los reales. Algunos de mis entrevistados querían que sus nombres aparecieran en el libro, otros no. Unos cuantos solicitaron cambiar pequeños detalles que los identificaban, y yo respeté sus deseos. Todos los pacientes son personajes ficticios; con esto busco respetar su privacidad.

Contenido

En el lago Louise

EN EL MES DE MAYO JIM Y YO SALIMOS DE EXCURSIÓN por el sendero Moraine del Parque Nacional de Banff. Atravesamos un valle fluvial rodeado por montañas, que estaban cubiertas de nieve, y nos adentramos por caminos zigzagueantes hasta llegar a orillas del lago Annette, que estaba cubierto por una capa de hielo. Comimos chocolatinas y manzanas mientras contemplábamos el espectáculo de las nubes acariciando las montañas. Lanzamos piedras al lago, cuya capa de hielo se rompió fácilmente y dejó brotar el agua azul turquesa.

En nuestro descenso vimos un oso blanco, cabras y venados. Contemplamos los milagrosos mirlos acuáticos, pájaros de color marrón que se sumergen en los riachuelos helados para pescar y luego salen a la superficie y se posan sobre las rocas a cantar. Temíamos a los osos pardos, especialmente el número diez, al que los guardabosques apodaban el "Volkswagen". Afortunadamente no tuvimos que enfrentarlo.

Apenas entrada la noche, aunque nuestros músculos estaban adoloridos, nos dispusimos a cenar en el albergue Lago Louise, un lugar muy especial para la familia de Jim. Cuarenta años atrás, él, su hermana y sus padres disfrutaron de un maravilloso té con pasteles en el jardín del Lago Louise, después de haber atravesado el país acampando en parques nacionales y comiendo en buenos restaurantes. El relato de ese día se convirtió en un hito en la historia de la familia Pipher, un evento que todos ellos han contado una y otra vez. Aun yo, que no estuve allí, llegué a hacerme una imagen clara y vívida de todos y cada uno de los detalles de ese día. Era un relato casi fantástico debido a la elegancia, la belleza natural y la fortuna que para ellos significó.

Desde el salón Edelweiss contemplamos el lago en el atardecer. Dos días antes estaba congelado, pero esa noche las aguas se movían libremente y, gracias a los reflejos del sol, se podía disfrutar de una magnífica gama de colores, que iba del azul rey al verde profundo. El lago hacía de espejo, lo que nos permitía contemplar el reflejo del glaciar Victoria, los campos helados del monte McLeod y las montañas Rocosas del Canadá, envueltas en nubes rosadas.

El salón tenía decoraciones de tonos oscuros y muy elegantes, con muebles de roble y adornos de plata, oro y porcelana blanca. El camarero era solemne y respetuoso. Yo pedí sopa de calabaza y trucha; Jim, cordero. Éramos los huéspedes más jóvenes pues los otros, en su gran mayoría, tenían de setenta años en adelante debido principalmente, como Jim lo precisó, a que las personas jóvenes no se podían dar el lujo de venir a este lugar. Una mujer muy elegante y de porte señorial me recordó a Phyllis, mi suegra. Un caballero con chaqueta gris verdosa fumaba pipa, y el aroma me hizo pensar en mi suegro.

Hablamos del primer viaje de Jim a este lugar, del exquisito gusto de su madre y de la exigencia de su padre en lo que a los códigos del vestir se refiere. Jim recordó el color del agua de aquel día, hace muchísimos años, puesto que el sol brillaba intensamente en el atardecer. Mirando el lago traté de imaginarme a Jim de niño, corriendo por las riberas, seguido por su padre que iba vestido con una exquisita elegancia informal. También imaginé a Pam, su hermana, en un cochecito de pedales, y al lado Phyllis, envuelta en su vaporoso traje de verano.

Estábamos haciendo un maravilloso peregrinaje a este lugar sagrado, pero vino a mi mente el recuerdo de mis suegros, quienes no estaban pasando un verano tan maravilloso ese año. No habían podido salir de Nebraska pues Phyllis estaba demasiado enferma como para viajar y ninguno de los dos podía ya caminar por las montañas. Era poco posible que volvieran a ver el Lago Louise o un mirlo acuático. Pensé en mis padres, que nunca tuvieron un día como éste, en un lugar paradisíaco, caminado y riendo para concluir con una cena opulenta en un restaurante de lujo. A mi madre le habría encantado esta cena, pero había muerto hacía cinco años. Mi padre habría podido pescar truchas en el río Bow, pero había muerto veinticuatro años atrás. El azul del agua cambió con los reflejos del sol que la volvieron verde.

A medida que me hago mayor, cada vez que ceno en lugares como éste tengo una fuerte sensación de que hay más personas en la mesa conmigo. Cuando puedo disfrutar un momento tan maravilloso como éste, lo comparto con mis padres, con los padres de Jim, con la tía Betty, que nunca en su vida gastó más de cuatro dólares en una comida; con mi abuela de Colorado, cuya vida en la granja fue bastante dura y quien murió sin llegar a ver siquiera las montañas Rocosas del Canadá.

En el salón Edelweiss, busqué a estos seres amados. No teníamos suficiente espacio en la mesa para todos los fantasmas. Allí estaba Jim, un niño flacuchento de unos diez años, y Phillys, una delgada y elegante joven esposa. Estaba también papá con su uniforme militar y mamá con su maletín de médico, traje muy profesional y tacones altos. Mis propios hijos, que ahora viven lejos, estaban también allí. Primero eran niños tirando piedras al agua y luego eran los adultos que son ahora, brindando por nuestra cena y relatándonos sus éxitos. Juntos recorrimos el sendero hasta el Lago Moraine para ver los mirlos zambullirse en el agua.

Pedimos postre y café. Ahora el lago tenía el color del acero y las montañas lucían majestuosas y oscuras. Recordé la frase de Michael Ventura: "El tiempo no se anda con bromas". El tiempo era nuestro adversario, el enemigo frente al cual siempre perdemos. El grizzly número diez nos alcanzaría finalmente.

Mientras algunas personas estamos disfrutando de la ribera del Lago Louise, otras están en una sala de espera aguardando un informe médico que les causará dolor. Y otras más, que todavía no han nacido, podrán estar aquí en nuestro lugar dentro de cien años, bebiendo té y comiendo galletas bajo el sol. Como me dijo un hombre ya mayor en un cementerio: "Unos vienen y otros se van".

Pero el tiempo es también nuestro amigo. En ese inmenso mar de los recuerdos, el tiempo desaparece y todos estamos juntos en aquel lugar en el que el tiempo deja de existir. Podemos quedarnos tranquilos y ver cómo nuestros mundos se entrecruzan. Los viejos vuelven a ser jóvenes, los niños crecen y tienen otros niños. Los muertos regresan a escalar y a pescar. Nuestros niños van gateando hasta el regazo de los abuelos. Todos nos sentamos juntos a la mesa. Podemos verlo todo. Podemos hablar unos con otros. El lago está en calma.

Introducción

Desperté en otro país, en donde no hay norte ni sur.
Adormecidos nos confundimos unos con otros, como copos de nieve al viento.
Todos nosotros, todos.

— LINDA HOGAN

SIEMPRE HE SENTIDO ESPECIAL PREDILECCIÓN por las personas mayores. Los recuerdos más felices de mi infancia están relacionados con mis abuelos. A excepción de mi abuelo paterno, que pasó la mayor parte de su vida en un hospital mental, los otros fueron una referencia segura en mi mundo infantil. Pienso en Glessie May, mi abuela paterna, una mujer robusta de cabello oscuro que vivió de vender cosméticos en el condado Christian, en Missouri. Cuando sembrábamos maíz en su huerta, mi trabajo era enterrar una especie de hongo azul muy pequeñito que hacía las veces de fertilizante, junto a cada semilla. Solíamos caminar juntas en los bosques buscando frutos salvajes y hongos. La casa de Glessie no tenía instalaciones sanitarias, pero cuando íbamos a visitarla se las ingeniaba para prepararnos pollo frito con salsa, galletas frescas y pasteles — todo esto sólo para el desayuno. Al despedirnos me abrazaba contra su pecho amplio y fuerte, y le rogaba a mi padre que volviéramos a vivir en los Ozarks, tierra a la que pertenecíamos.

Mi abuelo Page era un granjero fuerte y calvo que se vestía siempre con un mono y un sombrero de fieltro. Todas las mañanas, después del desayuno, iba a la oficina del correo y luego a la taberna a tomar una cerveza y a jugar una partida de damas con sus amigos. Dos veces al día se tendía sobre la cama con los brazos debajo de la cabeza para que mi abuela le pusiera unas gotas en los ojos. Solía dar gracias antes de comer y cuando terminábamos enterraba las sobras en el jardín. Después de la siesta, íbamos con él en su camioneta a alimentar el ganado. Me contaba historias de sus animales —todos ellos tenían nombres y personalidades definidas— y relatos de las tormentas y otros desastres ocurridos en Kit Carson, Colorado.

En las tardes de verano hacía fuego en su parrilla y asábamos salchichas y melcochas. Disfrutábamos del atardecer sintiendo cómo la tierra se iba enfriando y observábamos las luciérnagas alumbrar la noche. (Años más tarde compré una casa que resultó un desastre, sólo porque tenía un asador que me recordó aquellas noches). Después de la cena, en el invierno, el abuelo solía sacar una mesa y jugábamos partidas de dominó, damas o cartas. Al final de la velada comíamos pasteles y galletas, los niños bebían leche y los adultos, café bien cargado.

La abuela Page necesitaba estar al aire libre. Caminaba al atardecer para gozar de la puesta del sol. Cuando su carga de trabajo se reducía, leía durante horas. Siempre que íbamos a visitarla nos preparaba guisos de carne, pollo con pasta hecha en casa, panes, crema de arvejas y papas. Lavábamos los platos juntos y después nos sentábamos bajo los árboles a escuchar los pájaros y observar las ardillas grises.

Nuestra familia era desordenada y ruidosa, pero la casa de los abuelos era calmada y tranquila. Allí había un orden y un ritual. Siempre había galletas de jengibre en el tarro de galletas y enormes pilas de la revista *Selecciones*. También nos enseñaban muchas cosas. La abuela nos decía siempre: "No mires la paja en el ojo ajeno sino la viga en el propio". Ése era su refrán preferido, pero también nos repetía: "No hagas a los demás lo que a ti no te gusta que te hagan" "No juzgues y no serás juzgado".

Tantas veces le decía el abuelo a la abuela que la amaba, que la gente le hacía bromas por ello. Los amigos y los vecinos decían que su mujer lo tenía totalmente dominado, pero mi abuela no era una mujer dominante. En mi opinión, el viejo era un sabio pues no haber amado locamente a Agnes Page habría sido una verdadera tontería.

Mi abuelo murió hace casi treinta años, cuando yo estaba en la universidad. Todavía vienen a mi memoria las imágenes de mis abuelos cuando me voy a dormir. Son imágenes cálidas que me ayudan a despedirme de cada día. Glessie era rústica y franca; los abuelos Page eran bien educados y un tanto puritanos. Aunque tenían defectos, no tengo ni un solo recuerdo desagradable de ellos. Nunca les oí ningún comentario fastidioso ni egoísta.

Mi profesora de cerámica, la señora Van Cleave, era una inmigrante de casi setenta años y de pelo totalmente blanco. Yo iba a su casa después del colegio. En ese entonces yo era una adolescente flaca y desgarbada; me sorprendía y molestaba la crueldad y estupidez de muchos de mis compañeros de colegio. Todas las tardes, a eso de las tres, cuando llegaba a la casa de la señora Van Cleave, yo estaba tan furiosa y crispada que apenas podía hablar.

Ella me recibía con un té caliente servido en una taza de porcelana, con galletitas de limón en un plato pintado a mano. Íbamos a la habitación del fondo de la casa donde tenía el taller. Sentadas una junto a la otra moldeábamos la arcilla, recubríamos los tiestos y los decorábamos. Casi nunca hablábamos, pero el olor del aceite de plátano, de la arcilla y de la trementina me hacían perdonar. Mi cuerpo se relajaba y yo sentía alivio.

Hoy, al escribir este libro, tengo cincuenta años: nací inmediatamente después de la Segunda Guerra Mundial. Si pudiéramos dividir la edad en estaciones de veinte años cada una, empezando con la primavera, podría decirse que estoy justamente en el otoño de mi vida. La próxima estación será el invierno. Si mis padres vivieran, yo estaría a cargo de ellos. Lo más probable es que dentro de veinte años mis hijos se hagan cargo de mí.

Wallace Stegner escribió: "Después de los sesenta eres consciente de cuán vulnerables son todas las cosas, incluso tú mismo". Aunque aún no he llegado a esa edad, empiezo a percibir ciertos indicios. Para enfrentar situaciones angustiantes hago acopio de información, preveo posibles problemas y trato de analizarlos a fondo. Creo que en parte estoy analizando las problemáticas relacionadas con el envejecimiento para tranquilizarme a mí misma. Quiero estar preparada. Quiero almacenar provisiones para el invierno, al igual que las ardillas grises de Colorado.

Para este libro entrevisté y atendí en mi consulta principalmente a personas de más de setenta años, en su gran mayoría caucásicas y afroamericanas, casi todas de clase media rural y en algunos casos de origen citadino o inmigrantes. Algunas de ellas indigentes y otras con sólidos recursos económicos. Sé que hay algunos casos extraordinarios, incluso milagrosos, de personas de cien años que trotan y hasta hacen patinaje artístico, y los respeto enormemente, pero decidí centrar mi trabajo en personas del común, que se ven enfrentadas a las limitaciones normales de su edad. Sentí que eran ellas quienes podían enseñarme más cosas. No pretendo ser la vocera de todos los ancianos, pero espero haber expresado una buena parte de las situaciones que ellos afrontan.

Hay algo en común en todas las personas que entrevisté: sus vidas han atravesado todo el siglo. Ya estaban por aquí cuando Henry Ford diseñó las líneas de producción en serie, cuando se inventó el pan tajado y cuando se abrieron las primeras salas de cine. Fueron las últimas generaciones que crecieron en culturas comunitarias y se desarrollaron en ambientes pre-freudianos.

Me interesaba mucho conocer detalles de ese mundo cuya base era una vida comunitaria que prácticamente ha desaparecido. También quería comprender el mundo de los ancianos, ése que llegaremos a habitar algún día. Ellos saben enfrentar situaciones que destrozarían a personas más jóvenes. Por ejemplo, podríamos preguntarles: "Sin contar con el hecho de que todos tus amigos y allegados se están muriendo o están enfermos, ¿cómo te sientes?"

Creo que sería incapaz de conservar una buena salud mental si tuviera que enfrentar las situaciones por las que pasan la mayoría de las personas mayores. Es decir, ésas que vivió la tía Betty cuando escribió: "La mayoría de las personas a las que conocí se han ido ya". Los viejos padecen problemas físicos, sufren la pérdida de sus amigos y parientes y la proximidad de su propia muerte. La mayoría viven estas situaciones con valor y dignidad, e incluso con humor. Quise saber cómo lo hacen.

Muchos de mis amigos y clientes tienen padres muy mayores y enfermos. Deben estar pendientes de sus médicos, su movilización, su economía y sus hogares. Algunos los han llevado a hogares especializados o han tenido que contratar personas para que los cuiden. Otros tienen el problema de no tener quién cuide de ellos. Cuando oyen sonar el teléfono, temen lo peor.

Los padres ancianos han sido siempre una preocupación para los adultos, pero la situación que estamos enfrentando hoy es única. Nunca antes las distancias que separaban a los seres queridos habían sido tan grandes. Nunca antes los viejos habían llegado a ser tan viejos. Hace poco llamé a una de mis tías que estaba hospitalizada: le iban a practicar una cirugía programada. Tardé más de una hora en lograr comunicarme con ella. Su teléfono estaba ocupado, pues sus hijos, sus hermanos y sus sobrinos la llamaron de todos los rincones del país. Cuando por fin logré hablar con ella me dijo que estaba muy molesta puesto que el laxante que le prescribieron era demasiado fuerte y no le había dado tiempo para llegar al baño. Su "accidente" la hacía sentir muy mal y la cirugía la asustaba mucho.

A miles de kilómetros de distancia, todo lo que pude decirle era que la quería. Oí su voz distraída que apenas logró decirme: "Yo también te quiero mucho", pero lo que verdaderamente le interesaba eran sus problemas inmediatos. Después de la llamada tomé conciencia de su situación. Tenía una hija que vivía cerca y que iría a acompañarla inmediatamente saliera del trabajo, y que sin duda estaría pendiente de los más mínimos detalles. Después de la cirugía, en la habitación de mi tía no cabrían las flores, pero en este preciso momento no tenía quién la llevara al baño y eso era lo que estaba necesitando, alguien que estuviera con ella en "ese preciso momento".

Hay muchas personas mayores habitando un mundo diseñado para los jóvenes. No pueden conducir un auto, no pueden desplazarse en los centros comerciales ni en los aeropuertos, no saben cómo relacionarse con los médicos, que siempre están de prisa. Muchas no pueden subir ni bajar escaleras, no pueden leer libros con letra pequeña, no pueden leer los menús en los restaurantes poco iluminados. Hay tecnologías sofisticadas que prolongan su vida, pero la mayoría deben gastar todos sus ahorros para poder acceder a ellas. Algunas tienen que decidir entre medicamentos o comida. Los avances tecnológicos actuales, como la diálisis y los transplantes de órganos, prolongan la vida pero dan origen a otros problemas crónicos. Hay quienes viven más de cien años, pero después de haber perdido su red de amigos, sus vecindarios e incluso sus cuentas bancarias.

Escucho a mis clientes y a mis amigos hablar de las dificultades que tienen para tomar decisiones apropiadas en lo relacionado con sus parientes mayores. Casi todos quieren hacer lo correcto, pero los hijos adultos suelen tener vidas complicadas con trabajos de tiempo completo, largos desplazamientos de la casa al trabajo y muchas responsabilidades familiares. Es posible que se encuentren muy lejos de las personas que requieren su tiempo y su atención, y también es posible que carezcan de los recursos suficientes para cuidar de sus seres queridos.

A medida que avanzo en la escritura de este libro, pienso en Heather, que me llamó anoche para consultarme su problema. Inmediatamente terminó sus estudios de postgrado, consiguió un puesto en una universidad importante en la Costa Este. Infortunadamente, está a miles de kilómetros de distancia del lugar donde vive su madre, que padece un cáncer terminal. Abordó el tema con el jefe del departamento y él le respondió: "Espero que no vaya a tomar una decisión infantil". Heather estaba pensando en no aceptar el trabajo. "Esto me pone muy mal. Mi carrera va muy bien, pero no puedo abandonar a mi madre". Por último, me preguntó si yo no sabía de algún trabajo en Nevada.

Pienso en Betsy, que trabaja fuera de casa, tiene dos hijos pequeños y además este invierno ha tenido que encargarse de sus padres, que viven lejos de ella. En el otoño tuvo que despedir a un galeno incompetente en plena emergencia médica. No sabía con seguridad si la decisión que tomó fue heroica o fatal. Varias veces hubo necesidad de hospitalizarlos y en diferentes lugares. Betsy se vio obligada a instalar líneas telefónicas especiales para que sus padres pudieran, al menos, hablar el uno con el otro. Cuando su padre murió, tuvo que sacar a su madre de un centro de rehabilitación y llevarla en medio de una nevada tremenda hasta el lugar donde se celebró el funeral. "No he podido ni leer un periódico ni ver una película; ni siquiera he tenido tiempo de cortarme el pelo en estos últimos seis meses", me dijo Betsy. Estaba considerando la posibilidad de empezar a tomar antidepresivos.

He escuchado relatos de los conflictos de las dos generaciones. Relatos sobre frustraciones, culpa e ira. Los viejos con frecuencia se sienten abandonados y poco comprendidos; los hijos consideran que sus esfuerzos no se reconocen, sienten el estrés de la situación y experimentan sentimientos de culpa. Los resentimientos surgen de asumir como personales problemas que son culturales o fruto de los cambios de época. No estamos preparados para que el envejecimiento sea un proceso fácil de vivir.

Estamos en crisis. Carecemos de espacio, de estructuras sociales, de tradiciones y sabiduría que hagan manejables y placenteros los últimos años de nuestra vida. Nadie quiere morir en manos de extraños. Nadie quiere que sus padres tengan que preocuparse por el dinero o que sufran durante sus últimos años. Sin embargo, esto sucede a diario. Hay una enorme distancia entre lo que nos parece correcto y lo que es práctico.

Cuando se pueden hacer todos los arreglos para que las familias permanezcan unidas, continúan presentándose conflictos ocasionados por las diferencias entre las maneras de ser y las distintas concepciones del mundo. Las generaciones ven el mundo con ópticas muy diferentes y esto dificulta la comunicación y las relaciones. Un padre puede sufrir porque su hija quiere recordar el pasado y "abrir viejas heridas". Ella quiere poder procesar lo sucedido y él quiere "dejar las cosas como están". Un hijo quiere saber cuál es el estado de salud de su madre y ella "no quiere que él se preocupe". Él dice: "Mi mayor preocupación es no saber qué está pasando".

Lo que intento hacer es trazar un mapa que nos permita explorar ese terreno desconocido que nos separa de los mayores, con el fin de posibilitar la comprensión entre ambas generaciones. Los últimos años en una relación son muy importantes. La tristeza y el conflicto son ineludibles, pero se puede evitar mucho dolor con mejor información, mayor empatía y una planeación adecuada.

Mi madre estuvo hospitalizada once de los doce últimos meses de su vida. Tenía diabetes, con todo lo que esto implica: sufrió una peritonitis, presentó insuficiencia cardíaca y del hígado, tuvo vómitos, escalofríos y calambres en las piernas debido a una deficiencia de potasio. Estaba confinada a la cama, estaba hinchada y tuvo daño cerebral. También tenía cáncer en la piel y osteoporosis. Se le fracturó un brazo al caerse de la cama y una vértebra en una ocasión en la que intentó levantar una maleta pequeña.

Por momentos tenía alucinaciones. Pasó toda una noche atendiendo partos y gritándoles a las enfermeras: "No deje caer ese bebé. Lave el piso. Lave el piso". Otras noches ordenaba que le trajeran una olla grande y muchas cebollas y tomates pues estaba preparando espaguetis para una multitud. Había ocasiones en las que veía billetes pegados al cielo raso o pasaba ratos largos conversando con sus padres o con su marido, muertos hacía muchos años.

Tuvo momentos buenos y malos, hasta que empezó a decaer definitivamente. Durante todos esos meses tremendos en los que nunca pudo disfrutar de una brisa fresca, ni ver el sol, ni gozar de una buena comida, ni dormir sin dolor, nunca se quejó. Disfrutaba de una copa de helado, de un masaje en la espalda o de escuchar un cuento. Sonreía cuando reconocía rostros amigos.

Yo era la hija mayor y vivía a tres horas de distancia, pero tenía dos hijos adolescentes, un libro en proceso y un trabajo de tiempo completo. Durante meses fui a visitarla al hospital cada quince días; después iba todos los fines de semana. Recibía las llamadas de los parientes y de los médicos y trataba de manejar su dinero, su atención médica y su casa.

A lo largo de ese año, sin importar en dónde estaba, siempre me sentía culpable. Si estaba con mi madre, no estaba atendiendo a mis hijos ni a mis pacientes. Si estaba trabajando, no estaba cuidando de mi familia. Cuando estaba con mis hijos, pensaba en mi madre hospitalizada. Me deprimí y me volví irascible. Empecé a reñir con mi marido y mis hijos no gozaron de la supervisión y del apoyo que necesitaban. Llegué incluso a ganarme una multa por exceso de velocidad.

Mi madre nunca pensó en la muerte y no tenía sus asuntos en orden. Su dinero y sus papeles eran un desastre. Solía insistir para que se le diera de alta; se iba sola a casa, pero luego tenía que volver en peores condiciones. No quiso ir a vivir más cerca de sus hijos, aunque odiaba vivir sola. Sus decisiones poco equilibradas y su falta de organización me complicaron muchísimo la vida.

Me debatía entre la culpa y la ira. Cuando me irritaba por alguna de las decisiones que había tomado decidía confrontarla. Cuando llegaba a visitarla, la encontraba vomitando o tan débil que no podía ni levantar la cabeza. Entonces el enojo desaparecía, me sentía una hija espantosa y trataba de ser más cariñosa. Inmediatamente después me enteraba de otra decisión disparatada.

El último año de mi madre fue espantoso. La sensación de náuseas y el dolor no la abandonaron casi nunca. Murió sola; cuando murió, yo experimenté una mezcla extraña de sentimientos: me sentía agotada y sin fuerzas, pero también avergonzada por no haber hecho más por ella. Tuvimos muchas charlas agradables, pero muchas cosas no se dieron como yo hubiera deseado. Pasé un año de fatiga, angustia y tristezas. Luego perdí a mi madre.

Fue un año entero en el que me sentí sola y abandonada. Mientras mis amigos hacían excursiones para esquiar, iban a fiestas y a cine, yo me preocupaba porque no iba a alcanzar a llegar al supermercado, ayudar a mis hijos en sus tareas, o atender a un paciente muy necesitado. No fui lo que se llama una buena compañía para las fiestas: todo lo que tenía para contar era triste. Cuando hablaba de los problemas de mi madre me sentía abrumada y aburría a los demás. Llegué a preguntarme si alguna vez volvería a ser feliz.

Una de las razones que me movió a escribir este libro fue ayudar a otras personas para que, en una situación similar a la mía, se sientan menos solas. Quiero ampliar la información acerca de la situación de las personas mayores y sus familias. Quiero recabar más datos acerca de los lazos sociales y psicológicos que permiten que los viejos y los jóvenes mantengan una relación agradable. Unidos podemos abrir paso a una cultura en la que sea más fácil hacer lo correcto.

Los últimos años pueden ser difíciles, pero también pueden ser liberadores. Al ocuparnos de nuestros padres, les enseñamos a nuestros hijos a ocuparse de nosotros. Al observar a nuestros padres envejecer, aprendemos a envejecer con valor y dignidad. Si manejamos la edad correctamente, los viejos y los jóvenes podemos ayudarnos mutuamente a crecer.

En este libro hay algunos relatos desgarradores, pero espero haber logrado captar el humor y la fortaleza moral de estas generaciones mayores, así como todas sus tristezas y dificultades. Espero haber logrado transmitir su tendencia a reír y a disfrutar, a resistir y a seguir adelante con optimismo. Por último, espero que el lector sepa encontrar la sabiduría y la alegría que proviene de conectarnos con la generación de nuestros padres.

Quiero animar a los adultos para que busquen a sus parientes mayores y restablezcan los lazos con ellos. Vivimos en una cultura fragmentada y muchos hemos perdido contacto con la familia. Es un hecho el que nuestra cultura nos proporciona pocos elementos que promuevan estos contactos. Cuando uno dice que va a una reunión familiar o tiene visita de algunos parientes durante una semana, casi todos los amigos lo miran con lástima. Las familias suelen considerarse molestas y aburridas, como si quisieran siempre robarnos tiempo valioso.

Mis cinco tías fueron muy importantes en mi niñez. Grace y Henrietta, mis tías de Missouri, me llevaron a pescar y me enseñaron a treparme en los árboles. Mi tía Agnes, de Colorado, cocinaba los domingos para todos nosotros— y éramos veinte. Mi tía Margaret hablaba de literatura y de teatro, y mi tía Betty me ayudaba a recoger arándanos para preparar pasteles. En los primeros años de mi vida de casada estaba demasiado ocupada con mi trabajo y con los niños. No tenía tiempo para ellas y mientras que permanecí alejada se hicieron viejas.

Las entrevisté para este libro y esas entrevistas sobre su vida de ahora y de antes son una de las mejores cosas que me han ocurrido en la vida. Me dieron la oportunidad de conocer muchos detalles acerca de mi familia y de mí misma. Las charlas con ellas fueron totalmente diferentes a las que sostengo con la gente de mi edad. Me proporcionaron otra perspectiva de este siglo y de mi ciclo vital. Hice acopio de información muy valiosa sobre cómo envejecer y cómo enfrentar la proximidad de la muerte. Como lo dijo Alex Haley: "La muerte de un viejo es como el incendio de una biblioteca". Las visitas a mis tías me dieron la oportunidad de leer algunos libros antes del incendio.

También pasé mucho tiempo en hogares geriátricos y en residencias para ancianos. El personal administrativo y de servicio que tuve la oportunidad de conocer casi siempre me pareció bien dispuesto, aunque a veces los sentí sobrecargados de trabajo. Encontré residentes encantados con sus instalaciones y la interacción de estas instituciones con el mundo exterior me pareció mucho más activa de lo que yo esperaba. Vi niños visitándolos, grupos escolares que iban a cantarles o a leerles a los viejos, amigos y parientes que iban a verlos con frecuencia. Sin embargo, los contactos entre viejos y jóvenes no me parecieron suficientes. Muchos residentes pasaban meses, en ocasiones años, sin escuchar la risa de un niño ni haber podido tener un bebé en brazos.

Muchos de los residentes de estas instituciones, e incluso aquéllos que vivían en sus propias casas o apartamentos, no tenían casi ningún contacto con nadie diferente a otros viejos o a las personas encargadas de su cuidado. A la vez, tenemos niños pequeños necesitados de caricias y niños mayores que necesitan aprender ciertas habilidades, recibir consejo y orientación de los mayores. Tenemos pandillas callejeras de muchachos de diez años y guetos de ancianos que día a día están más alejados del mundo. Niños que se entretienen con animales virtuales, mientras que muchas ancianas se pasan las horas mirando desde su ventana hacia la calle vacía. Los abuelos se sienten solos e inútiles, mientras que sus nietos, a kilómetros de distancia, carecen del amor y la atención que necesitan desesperadamente. Estamos ante un panorama demasiado inconsecuente.

Cada generación goza de sus propios valores para compartirlos con otras generaciones. Espero que este libro sirva de inspiración para interrelacionar a las generaciones. Espero que los adultos llamen, escriban o vayan a ver a sus tías o tías abuelas. Me encantaría que los nietos y los abuelos pasen los veranos juntos e incluso encuentren fórmulas que les permitan vivir cerca unos de otros. Espero que este texto sirva de inspiración para muchas personas a fin de que programen reuniones de familia y actividades que faciliten la integración de unos con otros. Sueño con actividades comunitarias que atraigan a la familia entera, con representantes de todas las edades, y no con actividades organizadas para grupos de edad definida. Quisiera que las escuelas llegaran a ser lugares en los que trabajen y jueguen personas de todas las edades. En fin, espero que construyamos un mundo mejor.

Primera parte

El paisaje de la edad

CAPÍTULO 1

Otro país

El problema es que la vejez sólo les interesa a los viejos.
Es como un país cuyo idioma desconocen los jóvenes,
y a veces también los adultos.

— MAY SARTON

LA IDEA DE CONCEBIR LA VEJEZ y la muerte como una visita a otro país es muy antigua. Thomas Cahill, en su libro *De cómo los irlandeses salvaron la civilización,* cita a San Patricio cuando afirma: "Vuestros anhelos por fin serán satisfechos: vais llegando a casa. Mirad, vuestro barco está listo". La ancianidad, especialmente los últimos años de la vida, no es otra cosa que la búsqueda, tanto figurada como literal de un lugar en el universo. Los ancianos buscan su lugar existencial. Se preguntan: "¿Para qué sirvió mi vida?" "¿Supe aprovechar el tiempo?" "¿Qué fui para los demás?" "¿De qué puedo enorgullecerme si miro hacia atrás?" "¿Amé a quienes debía?" Lo que están anhelando es encontrar un hogar y una comunidad donde estén cómodos y sean útiles y amados.

Esta búsqueda es el problema fundamental de los últimos años de la vida. Los miembros de la familia quieren ayudar, pero habitamos en una cultura en la que la travesía hacia ese otro país es dura para todos. Estamos dispersos y nuestras vidas son muy agitadas y por fuerza estrictamente programadas. Tenemos pocos mapas que nos ayuden a recorrer las nuevas tierras.

Cada día estamos más cerca de estructuras con nuevos núcleos familiares, distintas posibilidades de trabajo, diversas formas de vivir la vejez, opciones de vida desconocidas y nuevos sistemas de salud. Robert Frost escribió a principios del siglo veinte: "El hogar no es otra cosa que ese lugar al que irremediablemente te llevarán cuando sientas la necesidad de él". Esto se ha vuelto menos verdadero en los últimos cincuenta años.

Las familias de hoy enfrentan a la vez los problemas tradicionales del envejecimiento y los dilemas contemporáneos. No tenemos rituales que nos guíen. Los asiáticos, los indígenas y las culturas afro-americanas tienen tradiciones muy ricas para el cuidado de los ancianos, pero nadie está preparado para la institucionalización de estos cuidados. En síntesis, no estamos preparados para el hoy.

El siglo veinte nos ha deparado muchos cambios demográficos. La expectativa de vida en 1900 era de cuarenta y nueve años, hoy es de setenta y seis. Una de cada cuatro familias debe atender a un pariente anciano. Como dice James Atlas en "La generación del sándwich", en *The New Yorker*, muy pronto y por primera vez en la historia muchas parejas en edad madura tendrán a todos sus padres vivos, mientras que tienen sólo uno o dos hijos. Atlas lamenta la distancia que separa a los padres de los hijos: "La libertad geográfica implica dispersión". Escribe sobre las dificultades que plantea tener que ocuparse de los padres y de los hijos al mismo tiempo: "De repente tienes que ir al rescate de aquellos que alguna vez consideraste seres superiores. Ver que tus padres son tan vulnerables es muy difícil. El tiempo que les dedicas se lo robas a tus hijos. Quisieras pasar más tiempo con ellos, pero el día sólo tiene veinticuatro horas".

El mundo en el que habitamos carece de prototipos que nos ayuden a enfrentar la existencia de tantas personas mayores. La medicina ha aliviado y complicado las cosas a la vez. Muchas personas viven más y más saludables, pero quienes no gozan de salud también viven más tiempo. Hay miles de personas prácticamente en coma, cuya vida se prolonga en instituciones especializadas para pacientes terminales. Los cuerpos duran más que los cerebros, que los sistemas de apoyo o que las cuentas de ahorros. No tenemos los recursos, ni los rituales, ni las instituciones que ayuden a nuestros viejos a sentirse reconocidos y apreciados.

Existe una gran necesidad de comprender y establecer una cultura de la vejez, puesto que la mayoría de nuestros contemporáneos tienen parientes ancianos. Somos como la carne de cañón, el producto de un momento de explosión demográfica que se ha vivido en los últimos cincuenta años. Lo que les pasa a algunos les está pasando a millones de personas al tiempo. Precisamente ahora nuestros padres están entrando en la ancianidad.

Por supuesto, todo lo que hagamos por ayudar a los mayores redundará posteriormente en nuestro beneficio. Muy pronto el mundo enfrentará una avalancha de ancianos, es decir, todos nosotros. Dentro de unas pocas décadas todos los dilemas y soluciones relacionados con el cuidado de nuestros ancianos se aplicarán a nuestra propia vida. La ternura, la indiferencia, la ignorancia y la sabiduría pasarán de una generación a otra. Cuanto más amemos y respetemos a nuestros mayores, mejor enseñaremos a nuestros hijos a amarnos y a respetarnos. Cuanto más logremos acotar los problemas de hoy, podremos dar forma a mejores estructuras organizacionales y culturales que permitan enfrentar las necesidades de nuestra generación.

En la actualidad no sabemos cómo hablar de nuestros problemas. No tenemos un lenguaje apropiado para cultivar la interdependencia. Las formas tradicionales de atender a los mayores ya no funcionan y no se han inventado unas nuevas. Las decisiones relacionadas con la vivienda, el dinero y la salud son complicadas y carecemos de información suficiente. No podemos saber con certeza cuánto tiempo tendremos salud nosotros o nuestros padres, qué pasará con la economía o cuánto nos costará la atención médica que necesitemos.

Nuestra confusión se agrava con un nuevo tipo de ignorancia. Hasta muy entrado el siglo veinte, las generaciones interactuaban unas con otras; sin embargo, hoy no estamos diseñados para tener mucho contacto con los ancianos sino hasta que somos relativamente viejos nosotros mismos. Vivimos en lo que Robert Bly denomina las "sociedades grupales" y hemos sido educados poniendo una distancia entre los mayores y nosotros. No se nos enseñó cuán interesantes pueden ser. Desconocemos sus necesidades y ellos las nuestras.

Muchos ancianos viven en comunidades aparte. Algunos deciden vivir lejos de los jóvenes, pues no les gusta su ruido e impertinencia, y se van aislando lentamente. Tenemos la inclinación a agruparnos por edades. Tendemos a propiciar que nuestros niños de tres años jueguen con los de tres años, que los adolescentes se junten con adolescentes y que los ancianos de ochenta estén con ancianos de ochenta. Pueden pasar muchos meses sin que los niños y los adolescentes tengan contacto alguno con los ancianos. La cultura de los pares en la adolescencia es particularmente nociva, pero también es nociva la cultura de aislar a las personas mayores.

Una buena parte de nuestro malestar social proviene de esta división por edades. Si hay un grupo formado por diez adolescentes de catorce años, se enfrentarán unos contra otros. Formarán una cultura al estilo "señor de las moscas", con su competitividad, angustia social y egoísmo. Pero si hacemos un grupo de diez personas entre los dos y los ochenta años, éste se ordenará siguiendo las leyes de una cierta jerarquía que nutre y enseña a todos. No habrá competencia porque cada persona tendrá su propio lugar. Cada quien tendrá un aporte único para ofrecer. Se profundizarán los valores y la experiencia será más rica. Necesitamos volver a acercar los grupos de edades por el bien de nuestra propia salud mental y social.

Los cambios más grandes que hemos vivido en este siglo son haber pasado de una cultura pre-psicológica a una post-psicológica, y de una cultura comunitaria a una individualista. La mayoría de las personas que hoy son mayores crecieron rodeadas por una familia en la que compartían habitaciones con muchos hermanos y tenían abuelos y tías abuelas que vivían con ellos o en los alrededores. Crecieron con sus vecinos y su distracción provenía de los encuentros con otros. Tienden por tanto a ser gregarios y comunitarios, lo que significa que buscan apoyo y consuelo en los demás.

Hay verdaderas diferencias culturales entre las generaciones que dan lugar a lo que he denominado problemas en el área del tiempo. Las distintas generaciones tienen actitudes diferentes frente a todas las manifestaciones de la vida, desde el concepto de autoridad hasta la forma de expresar los sentimientos, pasando incluso por la censura a las películas. Mi generación parece disfrutar con ciertas actitudes sacrílegas, escépticas e irónicas.

La generación de nuestros padres fue pre-irónica. Por supuesto había algunas personas que manejaban la ironía, pero no la mayoría. La ironía implica distancia entre las palabras y el mundo, un cierto distanciamiento frío que es un fenómeno de finales de siglo. Hay una teoría según la cual la ironía se extendió durante la Primera Guerra Mundial, cuando los soldados se dieron cuenta de la brecha existente entre sus propias experiencias y la percepción de los civiles. Freud también contribuyó al surgimiento de la cultura de la ironía. Le dio a mi generación la noción de que a una idea le subyace otra, que nuestras actitudes obedecen a motivos inconscientes. La publicidad también presenta sus mensajes en forma tal que da pie al pensamiento irónico. Hay un mensaje aparente y un mensaje subliminal que habla de algo totalmente diferente. En la actualidad todos aprendemos a pensar con ironía, pero muchas personas ancianas crecieron creyendo que no había nada detrás de las apariencias.

Todas las personas son diferentes, sean jóvenes o viejas. Sin embargo, hay ciertas afirmaciones que se aplican a los mayores como grupo. Ellos se dividen por los intereses, por la historia, por la salud física y por las actitudes relacionadas con la salud mental y los traumas compartidos. Tienen en común tres grupos grandes de experiencias: han formado parte activa de los eventos del siglo veinte, han enfrentado los mismos obstáculos en su desarrollo y ahora viven la vejez.

Nacieron antes de la televisión, los automóviles y la electricidad. Los más ancianos han atravesado ya siete de los ocho estadios del desarrollo de Erik Erikson. La edad adulta representa para ellos el pasado distante. En su gran mayoría han sido padres y abuelos. Han perdido a sus padres, a sus hermanos y a sus amigos. Han visto cómo personas fuertes y vigorosas se han vuelto débiles y otras inteligentes han perdido sus capacidades.

Somerset Maugham, en su libro *The Summing Up*, observa que en la vejez las pasiones decrecen. La mayoría de las personas mayores pierden interés por el sexo y se vuelven menos competitivas y menos envidiosas. Muchas han llegado a la conclusión de que la vida es dura para todos. Tienden a ser más amables y más comprensivas de lo que fueron cuando jóvenes. Muchas son como Gladys, cuya historia relato en seguida, es decir, dulces como la miel. Por lo general las personas mayores disfrutan con las expresiones de afecto ya sean verbales o físicas y, a diferencia de los jóvenes, no pretenden ser capaces de prescindir del amor.

GLADYS (90 años)
"La televisión es mi mejor amiga".

GLADYS ME FUE REMITIDA por su médico general cuando ella le habló de "su ojo chiflado". Cuando estaba sola tenía alucinaciones, veía insectos, ardillas y comida en descomposición. Los personajes de la televisión hablaban con ella y a veces se salían de la pantalla y ocupaban su sala. Ella sabía que esto no era normal, pero pensaba que sus ojos le estaban jugando bromas.

Roger, su hijo, la trajo a mi consulta. Estaba exquisitamente vestida, con un traje color malva, una blusa de seda rosada, collar y pendientes rosados. Sus ojos azules eran vivaces y su piel suave y empolvada estaba surcada por líneas delicadas. Invité a Roger a participar en la sesión, pero él declinó la invitación con cortesía, diciendo que quería que su madre disfrutara de entera privacidad. Mientras caminaba con Gladys hacia mi oficina, Roger se sentó a leer un libro de James Lee Burke que llevaba en el bolsillo.

Le pregunté a Gladys si sabía por qué había venido a la consulta y ella me respondió: "¿Acaso no es usted una especialista en problemas de los nervios?"

"Soy psicóloga", le respondí. Gladys hizo un gesto de confusión, pero yo añadí: "Escuchamos los problemas de la gente y les ayudamos a buscar soluciones".

"Eso suena estupendo", dijo ella en tono amable. Le ofrecí té y le pregunté qué le sucedía. Me dijo que su marido había muerto cuando ella tenía sesenta años y que Roger era hijo único. "Me hubiera gustado haber tenido hijas", dijo en tono triste.

Cuando Gladys se retiró del hospital en el que trabajaba como cocinera, Roger y su esposa, Nelly, la invitaron a trasladarse a Nebraska. En los predios de su vivienda le construyeron una casita muy pequeña con calefacción y le instalaran una televisión con pantalla gigante. Hasta la muerte de Nelly, Gladys había sido muy feliz allí. Al mencionar a Nelly desapareció el brillo de sus ojos y pareció encorvarse. Me dijo que Nelly había sido una esposa maravillosa para Roger y una magnífica nuera. Juntas enlataban duraznos, preparaban ensaladas y salsa de tomate casera, e iban los sábados a las ventas de baratijas. Gladys dijo con orgullo: "Nelly sabía restaurar muebles, podía hacer un vestido en la mañana y arreglar la tubería en la tarde. Cuando estaba por ahí, siempre había alguna actividad".

Nelly había muerto de cáncer de seno hacía dos años. Al hablar de la muerte de Nelly, Gladys sacó un pañuelo de su cartera y se secó los ojos, pues la amaba y se había quedado muy sola. Roger tenía su propio trabajo en la vía del ferrocarril y a veces debía permanecer lejos durante varios días. Cuando él estaba en casa, le gustaba trabajar en su taller y arreglar el jardín. Le hizo unos muebles muy hermosos a Gladys, pero comía con ella muy pocas veces. Era una de esas personas que creía que cada cual debía ocuparse de lo suyo. Era muy bromista pero, en palabras de Gladys, "cuando no le apetece responderme, no lo hace".

Gladys extrañaba también a su nieta María, quien vivía en Los Ángeles con su marido y su bebé. Las amistades de Gladys se habían quedado en Dakota y ahora se les dificultaba incluso escribirle. Casi siempre estaba en casa, pues el pueblo donde habitaba no tenía transporte público y no le gustaba pedirle a su hijo que la llevara a ninguna parte. Evitaba a toda costa molestar a Roger, que "trabaja tanto que se merece un poco de paz cuando está en casa".

Gladys me dijo que Nelly iba a verla temprano en la mañana para tomar un café juntas y "conversábamos toda la mañana. Yo le ayudaba a desgranar las arvejas o a cortar el maíz. Nos sentíamos culpables cuando no teníamos qué hacer. Ahora los días se pasan lentamente y en la noche me siento cansada y me pregunto por qué, si no he ido a ninguna parte ni he visto a nadie. ¿Qué he hecho para cansarme tanto?"

Su entretención era ver televisión. Me dijo, sin sarcasmo alguno: "La televisión es mi mejor amiga. Tengo sesenta canales".

Al hablar de la televisión Gladys mencionó "su ojo chiflado". Sabía que las cosas que veía no eran reales y que no le pasaba lo mismo cuando estaba ocupada. "Como hoy", dijo tomando mis manos entre las suyas, "cuando estoy con alguien, mis ojos no se sobrepasan".

Me encantó que su doctor me la hubiese remitido en lugar de darle tranquilizantes o medicamentos antipsicóticos. Tuve el presentimiento de que podíamos solucionar su problema. Programamos otra cita y la acompañé a donde estaba Roger. Él se puso de pie de inmediato y con galantería la ayudó a ponerse el abrigo.

Cuando se fueron pensé en su actitud de no pedir mucho. Se mostraba agradecida con Roger por haberla llevado en su coche y conmigo por haberle dedicado cuarenta y cinco minutos de mi tiempo. Como muchos otros ancianos, prefería enloquecer silenciosamente con tal de no molestar a nadie. Pensé en Roger, un hijo preocupado por la comodidad física de su madre, pero no tan consciente de sus otras necesidades y sin saber cómo ayudarla sin entrometerse. Además, Roger tenía sus propios problemas, era un hombre solo y triste, cuyo trabajo le exigía desplazamientos constantes. Era bien posible que también se sintiera deprimido.

Gladys me recordó a otra paciente que al hablar de su soledad había dicho: "No hay lugar para los ancianos". Éste era, en esencia, el problema de Gladys. Tenía un corazón fuerte y una buena memoria. Si Roger pudiera ayudarla a tener algún tipo de contacto con otras personas, con seguridad podría "pasarla bien" en sus últimos años. Estaba segura de que con más actividad, Gladys dejaría de tener alucinaciones. Invité a Roger y a Gladys a participar juntos en la siguiente sesión.

SEGUNDA SESIÓN

Roger aceptó entrar a mi oficina junto con su madre. Se veía un poco inquieto, pero decidido a hacer algo por Gladys. Ella le hizo una caricia en el brazo y me contó que después de nuestro primer encuentro Roger la había llevado a la iglesia. Él, encogiéndose de hombros, dijo: "Mamá estaba tan alegre después de hablar con usted que me di cuenta de que necesitaba salir con más frecuencia".

Le pregunté cómo veía a su madre en general y me dijo: "Se siente muy sola desde que Nelly murió". Se le hizo un nudo en la garganta al decir esto y continuó: "En realidad los dos estamos muy tristes. Quizá yo debería sacarla con más frecuencia, pero cuando llego a casa lo que quiero es quedarme allí".

Gladys intervino inmediatamente para decir que Roger hacía cuanto podía y él pareció estar de acuerdo. Me explicó que Roger tenía montones de trabajo esperándole cuando regresaba de sus viajes, y de nuevo insistió en todos los esfuerzos que él hacía para que su casita fuera cómoda.

La situación no era nada fácil: un hombre maduro y viudo y su madre relativamente inestable, pero yo veía dos personas cariñosas y amables. Roger era un hombre orgulloso e independiente. No quería pedir ayuda de nadie ni admitir que no podía hacer todo lo que Gladys necesitaba. Creía que un buen hijo debía ser capaz de atender completamente a su madre, pero empezaba a desfallecer y a darse cuenta de que no podía hacer todo lo que se había propuesto. Gladys iba desmejorando, quizá especialmente debido a su soledad e inactividad. A pesar de todo, me di cuenta de que ninguno de los dos quería culpar al otro.

Gladys me mostró fotografías de la fiesta de cumpleaños cuando llegó a los 90: ésta había sido la reunión más grande en la historia de la familia. Llevaba un vestido de seda gris y un ramo de flores. Nelly falleció antes de la fiesta, pero Gladys dijo: "Ella me ayudó a prepararlo todo. Las invitaciones las enviamos en su última semana de vida". María había venido a ayudar. Hicieron mentas juntas y organizaron las tazas con las nueces y el ponche. Amalia, su mejor amiga, viajó en bus desde South Dakota. "Hubo más de cien personas", dijo con orgullo.

"Mi madre tiene muchos amigos", intervino Roger haciéndole un guiño. "Tiene un arma secreta: sus pasteles".

Gladys se rió y mencionó su trabajo en el hospital. Había días en los que preparaba hasta veinte pasteles. Su especialidad eran los de limón con merengue, pero también preparaba uno de chocolate que era para relamerse — el favorito de Roger. Le pregunté si todavía preparaba pasteles y tortas y me respondió, con cierta tristeza, que ya no porque no podía leer las instrucciones de las etiquetas. Gladys ahora tenía que comer casi siempre comidas y pasteles precocidos. "Añoro mi cocina, especialmente en los días de fiesta".

Por lo general, Roger comía cuando sentía la necesidad. Su trabajo no le permitía tener un horario regular y pensaba que las comidas rápidas y precocidas le ahorraban trabajo a su madre. Le pregunté a Gladys si cocinar para Roger le ocasionaba problemas y ella respondió: "En absoluto, si pudiera ver".

Gladys dijo que el problema de sus ojos no había desaparecido, pero que había disminuido un poco. Tuvo un día muy malo y fue el de la muerte de su antiguo jefe en South Dakota, pues además Roger no la pudo llevar al funeral. Ese día vio conejos y comadrejas corriendo por su sala.

Cuando Gladys habló del funeral, Roger, mirándose las manos, musitó que sentía mucho no haberla podido llevar. Estuve de acuerdo en que era una lástima y luego le pregunté si últimamente él había tenido alguna ocasión de divertirse. Eso le sorprendió enormemente y dijo: "Yo no sabía que los psicólogos se preocupaban por temas como éste".

Estaba segura de que estos dos vivirían mucho más felices si lograban solucionar algunos detalles. Si Roger se sacrificaba demasiado para cuidar a Gladys, podría sentir cierto resentimiento. Él necesitaba tiempo para sí mismo y a la vez tener la seguridad de estar siendo un buen hijo. Pensé en el justo medio del budismo. Los heroísmos extraordinarios por lo general no se prodigan. Vivimos mejor si logramos un cierto equilibrio entre darnos a los demás y preocuparnos por nosotros mismos. Por otra parte, si Gladys no salía de su aislamiento, sin duda alguna se iba a perturbar cada vez más. No siempre es fácil lograr un relativo equilibrio cuando dos personas viven juntas: es necesario que las dos sean conscientes de que tienen que dar algo. Quería encontrar alguna forma para que Gladys se distrajera un poco y quitarle así un poco de presión a Roger.

Sugerí que trataran de conseguir una adolescente que fuera a acompañar a Gladys, al salir del colegio. Quizá podría también ayudarle con la cocina, leyendo las recetas y las etiquetas de los empaques, mientras que Gladys ejercía su reinado culinario. También animé a Roger para que comiera al menos una vez por semana con su madre, a lo que él respondió bromeando: "Pero con la condición de que me prepare el pastel de chocolate". Por otra parte, le insinué a Gladys que invirtiera algo de su dinero en llamar a Amalia y a María al menos una vez por semana.

DÉCIMA SESIÓN

Gladys había venido a verme por espacio de cuatro meses y como su problema había mejorado, ahora la veía con menos frecuencia. Hoy vino con Catalina, la chica que Roger contrató para que la acompañara. Tenía diez y siete años, era muy agradable y parecía estar muy orgullosa de sus obligaciones. Me contó que habían estado preparando galletas de jengibre para nuestra sesión.

Catalina se quedó en la sala de espera haciendo sus tareas y yo preparé té. Las galletas estaban deliciosas, incluso me recordaron mi infancia y las galletas de mi abuela. Cuando elogié a Catalina, Gladys me interrumpió para decirme: "No tiene idea de todo lo que hace. Es muy buena trabajadora y enormemente aseada. Me lee las recetas y escoge las apropiadas. Le estoy enseñando a hacer conservas. La semana pasada me ayudó a preparar una buena cantidad de peras en su jugo; le di unas cuantas, además de la paga correspondiente. El verano próximo le voy a enseñar a preparar salsa de tomate".

Catalina había cambiado totalmente la vida de Gladys. Las seis horas que pasaban juntas cada semana le daban la ocasión de hablar con alguien. Por otra parte, Gladys no sólo disfrutaba de sus comidas sino que podía compartirlas con Roger, quien ahora iba a comer con ella varias veces por semana. También estaba saliendo con una mujer que conoció una vez que llevó a su madre a la iglesia. Gladys me dijo emocionada: "Ella me cuenta cosas de Roger que él nunca pensaría siquiera mencionar".

Cuando le dije lo mucho que me gustaba que hubiera dos nuevas mujeres en su vida, ella me dijo: "Eso no es todo. Ahora hablo con Amalia todos los domingos en la noche, María me llama una vez por semana y he hecho nuevas amistades en la iglesia".

Le hablé entonces de un estudio que comprueba que las personas mayores no sienten la soledad cuando tienen al menos tres contactos regulares con otras personas. Su aislamiento era el culpable de sus problemas, pero ahora que había más personas en su vida el televisor había dejado de ser su único compañero y por lo tanto yo no creía que fuera a tener más problemas.

Gladys siempre extrañará a Nelly. La animé a tener su foto cerca y a arroparse con el edredón que le había tejido (hasta el momento lo tenía guardado en un clóset). Escribí una nota a Roger felicitándolo por la forma en la que había asumido el cuidado de su madre. Nos abrazamos al despedirnos, algo que suelo hacer en mis terapias con los viejos. Acompañé a Gladys hasta la sala de espera y oí que le decía a Catalina: "Pasemos un momento por el supermercado para comprar un poco de jengibre".

El relato de Gladys es muy útil para identificar algunas de las dificultades que surgen cuando "todos tienen buenas intenciones", pero siguen siendo personas comunes y corrientes que además viven en una cultura que no les proporciona mucho apoyo. Gladys no quería ser una carga y Roger no sabía cómo ayudarla. No quería entrometerse en su vida y no tenía cómo proporcionarle a su madre el contacto social que ella necesitaba.

Afortunadamente Gladys y Roger estaban dispuestos a buscar ayuda. Les sugerí seguir en contacto con otras personas y no tratar de asumir todos los problemas en silencio. También animé a Roger a ser más realista, a aceptar que él solo no podía hacerse cargo de la atención de su madre. Le advertí que seguramente tendría que enfrentar frustraciones y malos entendidos. El hecho de que su madre fuera mayor no quería decir que fuera una santa y aunque él fuera bondadoso no dejaba de tener malos momentos. Incluso los jóvenes tienen sus malas rachas. La vejez plantea muchas dificultades, tristezas y frustraciones. Muchas cosas no funcionan.

Traté de hacerle ver a Roger que los sentimientos de culpa no le ayudaban; lo animé a hacer lo que en realidad podía y a buscar ayuda cuando la necesitara. Lo principal es que logré hacerles ver que ambos tenían necesidades que no debían guardarse para sí mismos y que tampoco debían reprimir. Así pues, como tenían el dinero y las posibilidades para organizarse, Gladys llegó a curarse de esa soledad terminal. Fue posible sacarla del abismo de la desesperación. Roger logró ser un buen hijo y Gladys pudo tener un hogar en el cual ser útil y además relacionarse con otros.

LOS VIEJOS ESTÁN SEGREGADOS no sólo físicamente —debido a sus circunstancias y a su salud precaria— sino también por su visión del mundo. Su idioma es diferente. En general el lenguaje blasfemo e irreverente de los jóvenes les impresiona enormemente. También los segrega el ritmo vital. Al hacer las entrevistas para este libro, aprendí a dejar que el teléfono sonara quince veces y a esperar cinco minutos en las puertas de las casas después de haber timbrado. Tuve que frenar mi ritmo para poder trabajar con ellos. Su conversación es menos lineal, suelen hacer pausas y repetir. Para aclarar algo echan mano de anécdotas, los recuerdos dan paso a otros recuerdos. Los pormenores son reforzados y les encantan. Al hablar de los muertos, recurren hasta el más mínimo detalle.

Al caminar con ellos tenía que ir lentamente, llevarlos de la mano en los cruces de calles o cuando el andén era muy liso. Casi siempre son los primeros en llegar a las celebraciones y los últimos en irse. Muchos necesitan ayuda para ponerse de pie, otros no salen de noche. Como saben que sus huesos son frágiles y pegan más lentamente cuando se rompen, temen tropezar y caerse. Muchos viven en casas de dos pisos, con la habitación y el cuarto de baño en el segundo. Así, una fractura de cadera puede significar la pérdida de su independencia.

Doris Grumbach escribió: "Oigo menos, no veo claramente, pierdo peso y estatura, soy a la vez impasible, atontada e inepta. Mi edad es mi jaula. Sólo la muerte puede liberarme".

Ni en la salud ni en la enfermedad hay equidad. A pesar de la creencia tan arraigada en nuestra capacidad individual para controlar el destino, las per-sonas no siempre reciben lo que merecen. Hay no fumadores que padecen cáncer, hay quienes han desterrado las grasas de su vida y tienen problemas cardíacos. Simone de Beauvoir demostró su comprensión de la situación cuando escribió: "Los años no pesan lo mismo sobre todos los hombros".

Bernice Neugarten, de la Universidad de Chicago, plantea una diferencia entre los viejos-jóvenes y los viejos-viejos. Piensa que la pérdida del cónyuge, la jubilación y también los cambios en la condición física son determinantes en la división entre viejos-jóvenes y viejos-viejos. Mi percepción es que la salud traza la línea divisoria: mientras una persona disfruta de buena salud está dentro de la categoría de los viejos-jóvenes, ya que puede conservar sus rutinas e incluso añadir algunas nuevas y placenteras. Si se pierde al cónyuge, quedan los amigos y la familia. Las personas jubiladas pueden viajar, hacer trabajos voluntarios, realizar actividades creativas o jugar cartas o golf. Mientras que una salud precaria lo cambia todo.

Los viejos-jóvenes están básicamente entre los sesenta y los setenta años. Cuando hay problemas de salud, generalmente hacia los setenta y cinco años, los viejos-jóvenes pasan a formar parte de los viejos-viejos. Hay una descripción de Susan Sontag que ilustra la diferencia entre estas dos franjas de edad:

"Cuando nacemos tenemos dos tipos de ciudadanía: la del reino de los sanos y la del reino de los enfermos".

Hace poco le conté a una de las dependientas de la tienda de mi barrio que estaba escribiendo un libro acerca de la vida de los viejos y me dijo con mucha seguridad que la debía entrevistar a ella. Helena parecía tener unos sesenta años y se veía fuerte. Le respondí espontáneamente que no consideraba que ella fuera realmente vieja, que mi interés principal se centraba en los viejos-viejos, es decir, aquéllos que estaban enfermos y tenían que enfrentar muchas pérdidas. Su respuesta fue: "El mes pasado me hubiera llamado joven, pero me descubrieron un cáncer de ovario, así que hoy soy vieja".

Para este libro entrevisté tanto a los viejos-jóvenes como a los viejos-viejos. Me resultó bastante interesante observar que los viejos-jóvenes disfrutan su edad. Se divierten con muchas cosas, entre otras los nietos y la posibilidad de estudiar y desarrollar nuevas habilidades. Los viejos-jóvenes tienen tiempo para leer, jugar cartas, cuidar a sus mascotas y visitar a los amigos. Mi amiga Sally toca el violín una hora diaria. Cuando la tía Betty era vieja-joven, caminaba seis kilómetros todas las mañanas y una vez viajó a China con su grupo de amigos de la iglesia.

Muchos viejos-jóvenes aprecian las cosas más sencillas. Como escribió la poeta Issa: "Cumplo cincuenta años. De ahora en adelante todo lo que pueda disfrutar es pura ganancia". A medida que la gente se hace mayor el tiempo, y no el dinero, pasa a ser el bien más preciado. Se vuelven personas agradecidas.

Los viejos-viejos son más complicados. Van por una ruta llena de dolor, baja energía, poco apetito y sueño precario. Su vida está marcada por la muerte de amigos y parientes, la pérdida de costumbres placenteras y, lo que es peor, de su autonomía. Una de las ironías más crueles de la vejez es que cuando mueren los seres queridos es preciso buscar nuevos amigos y nuevos hogares. Es un momento muy duro para "tratar de solucionar problemas cambiando de lugar"; sin embargo, en ocasiones tales cambios son inevitables.

Las personas mayores empiezan a hacerse muchas preguntas. ¿Con quién vivir? ¿Deberían quedarse donde viven aunque ven cómo se dis-persan sus amigos, o deberían ser ellos los que se van? ¿Qué cambios les permite hacer su situación económica? ¿Ayudarán ellos con los niños o por el contrario van a molestar? ¿Qué hacer? ¿Salir corriendo para evitar la inclemencia del invierno y alejarse de los nietos? La búsqueda de un nuevo hogar se hace más angustiante debido a nuestra desconfianza frente a las instituciones para ancianos. Muchas personas preferirían morir a vivir en un hogar geriátrico. Y sin embargo, llega el momento en que ya no pueden cuidar de sí mismas.

Hay una necesidad primaria de cercanía física en la familia, necesidad que en la actualidad con mucha frecuencia no puede satisfacerse. Los hijos adultos quieren acoger a sus padres en sus grupos, incluso en sus casas, pero temen por la felicidad de éstos. Es posible que su organización familiar no coincida con las necesidades de los mayores y también que sus propios hijos requieran de toda su energía disponible. Es posible que tengan trabajos de tiempo completo y que no tengan cómo proporcionarles a los mayores el cuidado diario que necesitan.

Los hijos adultos le tienen miedo a las tensiones familiares. Quizá se llevan tan bien con sus padres gracias a la distancia que los separa. ¿Qué pasará cuando la distancia desaparezca? Es posible que la familia nunca haya convivido muy de cerca. ¿Qué implicará la cercanía forzada? Y a la vez, ¿quién está dispuesto a invertir varias horas de viaje para poder ver a sus padres necesitados?

Los sueños se convierten en pesadillas. Una madre se desplaza de un extremo a otro de la provincia para estar cerca de su hija, a quien poco tiempo después, la empresa traslada a otra ciudad muy apartada. Una hija acoge a su madre en casa, pero la madre lo arruina todo porque se dedica a molestar al nieto y no le deja a la hija un momento de libertad. La madre no tiene amigos y se siente molesta cuando su hija quiere estar con otras personas. Cuando la hija intenta hacerse la fuerte y enfrentarla, la madre decide no volver a comer.

Uno de los problemas más graves es que las situaciones que funcionan para los viejos-jóvenes ya no sirven para los viejos-viejos. Los viejos-jóvenes pueden adorar su casita en la montaña o en el campo, pero los viejos-viejos necesitan tener cerca a un pariente. Por lo general, una crisis marca el paso del reino de los sanos al reino de los enfermos. Muere uno de los cónyuges, a la esposa le da cáncer o el marido se queda ciego. Es un momento terrible para hacer cambios importantes, pero no hacerlos puede ser aún más grave.

Las opciones casi nunca son sencillas. Es necesario ser prudentes, pensar y hablar mucho sobre las posibles soluciones. Lo mejor es tener un tiempo de prueba antes de tomar decisiones a largo plazo. Suelo sugerir a las personas mayores arrendar antes de comprar, ensayar a vivir con otra persona antes de hacer un compromiso formal.

En mi opinión, los entornos lujosos, las opciones de diversión, la belleza natural y el buen clima son menos importantes que la gente. Un compositor llamado Greg Brown dijo en una ocasión: "Uno no puede tomarse una taza de café con el paisaje". Creo que el factor determinante en la búsqueda del lugar adecuado para vivir debe ser la gente, pues lo fundamental es estar rodeados de amor y respeto. Por ello, lo más importante es poder estar cerca de los amigos y de la familia.

RANDY Y DORIS (58 y 86 años)

"Descubrí lo interesante y fuerte que es mi madre".

LA EXPERIENCIA DE RANDY CON SU MADRE es una buena muestra de la complejidad de nuestra interdependencia. El padre de Randy murió cuando Doris tenía algo más de sesenta años. Doris había sido un ama de casa de tiempo completo, no sabía conducir un coche ni cambiar un cheque. Obviamente, al principio se sintió totalmente abrumada por la pena y por su falta de preparación. Randy le sugirió que se fuera a vivir en la misma ciudad que él para poder ayudarla con sus finanzas, transporte y demás necesidades. A la muerte de su padre, Randy tenía tres hijos adolescentes y un negocio que le exigía mucho trabajo, lo que hacía de su invitación una oferta generosa. Sin embargo, para su sorpresa su madre rehusó aceptarla. Después de unos pocos meses de andar algo despistada, reaccionó. Decidió tomar clases de conducir y se inscribió en un club de ejercicio físico y en un grupo de trabajos manuales. Más o menos un año después vendió su casa en Cleveland y se trasladó a un condominio en Florida.

Para Randy fue una sorpresa muy agradable constatar la actitud independiente de su madre. La apoyó decididamente, aunque Florida quedaba a más de 2000 kilómetros de distancia. Hasta sintió un poco de alivio pues temió que su madre no habría sido feliz con el apoyo emocional y social que él estaba en condiciones de brindarle, si ella se hubiera ido a vivir a su ciudad.

La nueva organización funcionó estupendamente durante unos veinte años, es decir, los años en los que su madre era una vieja-joven. Doris no se volvió a casar pues, como le dijo a Randy, creía que un hombre que buscaba una mujer de su edad quería una enfermera o una billetera, y ella no estaba dispuesta a ofrecer ninguno de los dos servicios. De hecho tenía dinero y ahora lo manejaba a la perfección. Pudo darse el lujo de trasladarse a un magnífico condominio en la playa. Junto con unas amigas formó el club de las "Chicas de Oro", programa de la televisión que veían todas las tardes. Randy se sentía muy feliz de tener una madre independiente, socialmente activa y que vivía lejos de él.

Pero llegó el momento en el que Doris entró a formar parte de los viejos-viejos. Empezó a presentar una serie de problemas crónicos: un desarreglo de la tiroides, diabetes y asma. En el invierno le dio neumonía y la tuvieron que hospitalizar. El plan de salud al que pertenecía no le permitía a su médico ir a verla al hospital. En lugar de esto se le asignó un médico de planta, que estaba sobrecargado de trabajo y tenía poco tiempo para establecer relación con los pacientes. El nuevo doctor le cambió los medicamentos y Doris empezó a dar muestras de incoherencia e inestabilidad física. Randy trató de atender la situación telefónicamente, pero el deterioro mental y físico de Doris se aceleró. Randy tuvo que viajar a Florida.

Cuando vio a su madre casi entra en shock. Parecía diez años mayor y no sabía en qué año ni en dónde estaba. Randy logró que el nuevo médico entrara en contacto con el médico de Doris, por lo que se pudo constatar que un mes antes ella no estaba en ese estado de confusión. Su médico sugirió regresar a los medicamentos que tomaba antes de sufrir la neumonía; inmediatamente se hizo esto, Doris recuperó su claridad mental.

Randy se sintió satisfecho pero muy molesto: "Si no hubiera venido a vigilar las cosas, se habrían llevado a mi madre a una unidad de enfermos de Alzheimer por el resto de sus días y le habrían embutido precisamente las drogas que la estaban confundiendo".

Se quedó con ella casi una semana. Doris ya podía salir del hospital, pero no estaba en condiciones de regresar a casa. Todos los hogares geriátricos de la zona estaban llenos, y era imperativo tomar algunas decisiones. ¿Debería quedarse en Florida en alguna institución hasta que pudiera regresar a su condominio? Tanto Doris como Randy tenían muchas dudas de que ella volviera a estar como antes de ingresar en el hospital. ¿Debería Doris ir a vivir con Randy y su esposa? Sus hijos ya estaban establecidos y la pareja tenía muchos proyectos entre manos. Randy no tenía muchos deseos de llevarse a su madre a vivir con ellos, pero se sentía culpable. Ella había llevado a sus padres a vivir en su casa cuando ya no pudieron vivir solos. Él iba a ser la primera generación en negarse a hacerlo. En realidad no había dicho nada, pero sabía que su madre podía leer sus pensamientos.

Doris tampoco quería ser un estorbo para Randy y su esposa. Se sentía muy orgullosa de su vida en Florida. Le gustaba el clima y quería a sus Chicas de Oro, aunque, a decir verdad, la mayoría habían muerto o se habían ido a vivir a instituciones. Por otra parte, se sentía vulnerable. Antes de que Randy llegara había perdido totalmente el control de la situación, no tenía a nadie que hablara por ella. Su enfermedad y su falta de claridad mental en medio de extraños habían sido la peor experiencia de su vida. No le costaba nada intuir que pronto se enfermaría de nuevo. El sistema de salud al que pertenecía no era confiable y su salud era frágil. Temía irse a vivir a una institución nueva, especialmente si no estaba en la lista de las más recomendadas.

Finalmente Doris decidió irse a vivir a la misma ciudad de Randy, pero no en su casa, sino en una institución relativamente cerca de ellos. El traslado fue estresante tanto por razones médicas como financieras, pero las cosas iban mejorando. Randy y su esposa viajaban bastante y tenían sus propios proyectos, pero cuando estaban en la ciudad la visitaban todos los días. Randy se encargó de la supervisión de sus cuidados médicos y de su dinero. A veces esto le planteaba dificultades, pero era mejor sentirse sobrecargado que culpable y angustiado por no estar atendiendo adecuadamente a su madre.

A Randy le sorprendió ver cómo disfrutaba las visitas que le hacía a Doris. Me dijo: "Descubrí lo interesante y fuerte que es mi madre". Hablaban de las viejas épocas y Randy se dio cuenta de que ella era la única persona que se acordaba de su maestra de preescolar, del entrenador de su liga infantil, de su novia en sexto grado y de cómo le gustaban los sándwiches de mantequilla de maní. Doris le contó lo bueno que era su padre para el básquet, que era alérgico a los huevos y se reían mucho al pensar en las peculiaridades de los abuelos. De repente todas estas cosas parecían importantes e interesantes. Doris extrañaba el mar y las pocas amigas que le quedaban, pero agradecía tener quién la cuidara. Su momento favorito en el día era cuando Randy entraba en su habitación.

Esta familia tomó una serie de decisiones difíciles, sin tener recursos óptimos ni información adecuada. Los traslados son difíciles aun en condiciones ideales, pero son peores cuando no disponemos del lenguaje adecuado para abordar los problemas interpersonales que nos plantea la vejez. Por supuesto que una persona enferma y con ochenta y seis años es dependiente. Necesita alguien que la cuide, controle su estado si está hospitalizada y pague sus cuentas si no está en condiciones de hacerlo. Sin embargo, Doris temía interferir en la vida de Randy; él no quería pedirle a su esposa sacrificios, ni tampoco estaba seguro de saber asumir su compromiso con su madre. Sortearon las dificultades con un respeto tal de las autonomías mutuas que casi dejan a Doris abandonada al otro lado del país, lejos de todos los que la querían.

Los problemas de Doris y de Randy son bastante comunes. La falta de instituciones verdaderamente adecuadas para los ancianos suele plantear dificultades. Las opciones para los viejos-jóvenes quizás no sean las mejores para los viejos-viejos. Muchos viejos-jóvenes prefieren buscar apoyo social en sus amigos, pues esto les asegura cierta autonomía. Los ancianos con frecuencia necesitan tener la familia cerca. Por otra parte, pocas personas tienen los recursos y la capacidad de hacer nuevos planes cuando se enferman y están cerca de los noventa años.

Pocas personas se dan cuenta de lo importantes que son las relaciones con nuestros parientes mayores. Fuimos educados para la segregación. Cuando empecé a escribir este libro tenía los mismos prejuicios culturales acerca de los ancianos que la mayoría de las personas de mi edad y más jóvenes que yo. Por ejemplo, siempre era fácil identificar a un viejo que no conducía correctamente e interrumpía el tráfico, pero no me daba cuenta de todos los que lo hacían bien. Me daba cuenta de lo mucho que se repetían, pero no me daba cuenta cuando era yo misma quien lo hacía. El tiempo que he pasado con ellos me ha servido para liberarme de muchos prejuicios.

En los últimos meses he recibido más afecto y ánimos, y he tenido más oportunidades de reírme con los viejos que con mis amigos más jóvenes. He escuchado muchos chistes flojos, pero también algunos estupendos. La tía Henrietta me dijo: "Cuando uno llega a la edad en que tiene dinero para quemar, el fuego ya se ha extinguido". Un hombre en la celebración de sus bodas de oro nos contó el secreto del éxito de su matrimonio. Al despertarse todas las mañanas, se miraba en el espejo y se decía: "Tú tampoco eres precisamente un premio".

Las mujeres siempre me brindaron comida y té o café. Muchas resultaron ser buenas conversadoras, pues nacieron en una época en la que la conversación se valoraba enormemente. En algunos casos su belleza espiritual me dejaba sin aliento. Muchas poseían lo que Hemingway llamaba "detectores de mentiras incorporados y a toda prueba". Por otra parte, casi siempre tenían sus prioridades bien organizadas y, después de haber compartido un tiempo con ellas, también yo he reorganizado las mías de manera más sensata.

Si bien disfruté las entrevistas, también vi mucho sufrimiento. Vi personas esperando llamadas y visitas de cumpleaños que nunca llegaban. Me encontré con personas a las que sus médicos o asistentes no atendían adecuadamente. Vi a muchos que tuvieron que enfrentarse a cirugías sin nadie que los acompañara, y a otros comiendo cenas de hospital el día de Navidad, o llorando porque deseaban salir a dar un paseo y poder ver las flores del campo. Vi ancianos sufriendo por no poder tener cerca a un niño.

Estas cosas son inevitables en algunos casos, pero también se puede evitar mucho sufrimiento. Algunos parientes jóvenes tenían vidas que los mantenían alejados. Los malos entendidos hacían incómodas las reuniones. Por ejemplo, cuando María ya no pudo preparar las comidas de los domingos, sus hijos dejaron de ir a verla. Ella no se sentía capaz de pedirles que fueran, pues ya no podía darles comida. Y sus hijos, al saber que ella se había "jubilado de la cocina", no querían que se sintiera mal por no poder prepararles algo para su visita. Ninguno supo cómo reorganizar la vida y así transcurrió un año en el que hubo muy poco contacto entre unos y otros, pero con mucho resentimiento. Asistieron a una terapia familiar que logró poner las cosas en su sitio. La familia decidió hacer turnos para encargar la comida de los domingos y María dice ahora con orgullo: "Lo más importante es que estamos juntos".

Por cada anciano triste que conozco, sé de muchos felices que disfrutan con su familia y sus amigos jóvenes. Pienso en mi tío cuando les enseñaba a sus bisnietos a construir pajareras. Pienso en mi vecina que habla con los niños cuando arregla el jardín. Siempre mantiene un tarro con galletas disponible para todos los vecinos.

Pienso en una paciente cuya nieta era ciega. Le enseñó a Marissa a aprender braille y le leía durante horas cuando era pequeña. Consiguió un trabajo de medio tiempo para tener dinero suficiente como para pagarle cursos especiales a Marissa. Mi paciente se iba de vacaciones con Marissa y su madre, y acompañaba a la niña hasta la escuela todos los días. En el discurso de graduación, Marissa agradeció a su abuela el haberle ayudado a hacerse fuerte y segura de sí misma. "Nací ciega, y eso fue desafortunado. Pero nací teniendo abuela, y ésa fue mi fortuna".

Mi convivencia con los ancianos me ha enseñado muchas cosas acerca de la supervivencia. He aprendido a ser más tranquila, a aceptar mejor las cosas, a agradecer lo que tengo. No sé si alguna vez tendré el valor y la bondad de la mayoría de las personas que he conocido, pero al menos he recibido muy buenos ejemplos. Tengo en mi cabeza imágenes de valor y dignidad en situaciones terriblemente adversas.

Mientras que escribía este libro recibí llamadas y cartas sobre personas maravillosas en distintas familias, barrios e iglesias. Muchas personas parecían no darse cuenta de que hay ancianos maravillosos por todas partes y consideraban que su experiencia era única. De todos ellos he aprendido que muchos de nosotros le debemos lo que somos a una persona mayor, pero estas historias no son las que suelen contarse. En nuestro marco cultural, los héroes son personas jóvenes, atractivas y lejanas.

Afortunadamente muchos sí encontramos la manera de acercarnos a los ancianos. Tuve una amiga, Maeve, una artista siempre dedicada a buscar la verdad lejos de casa, con grupos esotéricos y ajenos a ella. En una ocasión, precisamente un verano cuando se disponía a partir hacia Europa, su abuela enfermó y la familia le pidió que cuidara de ella. Inicialmente protestó, pero como no había nadie más que lo pudiera hacer, no pudo negarse. Se trasladó a Kansas, en donde vivió con su abuela seis meses hasta que ésta murió. Maeve se encargaba de darle la atención médica, cocinarle y bañarla. Por primera vez en la vida tuvo que preocuparse por otra persona tanto como se preocupaba por sí misma, y esta experiencia le cambió la vida más que cualquier terapia, gurú o grupo. Le permitió crecer y le enseñó a amar a los otros.

Podemos aprender mucho de los viejos. Ellos nos pueden enseñar cuán importantes son el tiempo y las relaciones con los otros, además del significado de la gratitud. Nos pueden enseñar a soportar el sufrimiento y a ser pacientes. Nos pueden ayudar a poner nuestros sufrimientos y problemas en la perspectiva correcta. Tengo una caricatura del *New Yorker* que se llama "La angustia del Yuppie". En ella vemos a un hombre diciendo: "¡Qué horror! Salpiqué con capuchino mi chaqueta de cuero". Para los ancianos que han vivido crisis, conflictos y muertes de amigos y familiares, la definición de una tragedia es un poco más amplia.

Freud le enseñó a nuestra generación la importancia del amor paterno, pero nadie nos ha enseñado la importancia del amor de y por los abuelos. Especialmente cuando nos hacemos mayores, los vínculos familiares y la necesidad de afecto corre en las dos direcciones. Estas relaciones ayudan a nuestros hijos, a nuestros padres y a nosotros mismos, tanto en el presente como en el futuro. Solamente ocupándonos de nuestros padres podemos esperar la ayuda de nuestros hijos más tarde y sólo si éstos aprenden a amar a los viejos ahora, estarán capacitados para responder positivamente después.

CAPÍTULO 2

Xenofobia:
Nuestros miedos nos dividen

Pocos llegaron a los treinta.
La vejez era un privilegio
de rocas y de árboles.
La infancia tenía
la misma duración que entre los lobos.
Había que apresurarse para alcanzar la vida
antes de que el sol
hiciera su curso hacia el ocaso,
antes de la primera nevada.

— WISLAWA SZYMBORSKA

SEGREGAMOS A LOS ANCIANOS POR MUCHAS RAZONES: prejuicio, ignorancia, falta de alternativas, y porque hacemos parte de una cultura que rinde
culto a lo joven y carece de patrones para cuidar de los viejos. Ellos son distintos de nosotros y eso nos pone nerviosos. La xenofobia es la aversión o despre-
cio a lo extranjero; ahora somos xenófobos frente a nuestros ancianos.

Un antropólogo aprendería mucho sobre nuestra cultura estudiando las tarjetas de felicitación y saludo que se ven en las papelerías o los supermercados. Como otros elementos de la cultura popular, éstas sirven a la vez como espejo y modelo de nuestra realidad. Expresan lo que sentimos por la gente en sus diferentes funciones y simultáneamente nos dicen qué debemos sentir. Un día fui a la papelería de mi barrio a echar un vistazo.

En realidad hay dos tipos de tarjetas relacionadas con los viejos. Uno expresa la relación entre abuelos y nietos. No se necesita una agudeza especial ni una profunda preparación antropológica para percibir el amor y el respeto que hay entre estas dos generaciones en nuestra cultura. Las tarjetas de los nietos a los abuelos dicen: "Quisiera sentarme en tus piernas", o "Eres muy divertido". Las de los abuelos a los nietos expresan orgullo y amor.

Luego están las tarjetas de felicitación por los cumpleaños. En éstas se encuentran comparaciones entre la edad y el proceso de maduración del vino o se resaltan las compensaciones. "La edad trae sabiduría; claro que esto no siempre compensa lo que se pierde". Tenemos la tendencia a hacer chistes sobre lo que nos inquieta. "¿Ya escogiste tu banco en el parque?" Hay muchos chistes sobre la pérdida de la capacidad auditiva, sobre la incontinencia urinaria y sobre la disminución en la capacidad y el interés sexual. Hay tarjetas que hacen referencia a nalgas caídas, canas y arrugas, y tarjetas en las que se dice que preferimos un buen chocolate, o pasar una buena noche, a tener sexo: "Sabes que te estás haciendo viejo cuando alguien te pregunta por los placeres y tú piensas en dormir".

No hay nada de malo en hacer bromas acerca del envejecimiento. A veces es mejor reír que llorar, especialmente frente a los procesos irreversibles. Pero es claro que las bromas revelan nuestros temores ante la vejez en esta cultura hecha para los jóvenes. A veces evitamos a los mayores para no enfrentar nuestros propios temores ante el envejecimiento. Si la muerte no nos ronda, no tenemos que pensar en ella.

La nuestra es una generación sin futuro, criada en el eterno presente de la televisión y la publicidad. Nos hemos dejado convencer de que si nos cuidamos adecuadamente siempre tendremos buena salud. Los enfermos, los hospitales y los funerales atentan contra nuestros sueños de invulnerabilidad; nos obligan a pensar en el futuro.

Carolyn Heilbrun dijo: "Sólo cuando pasamos el meridiano de los cincuenta empezamos a pensar que la sentencia inexorable de la muerte también tiene que ver con nosotros". Antes de los cincuenta, si gozamos de buena salud, la actitud más común es la de negar totalmente la muerte, creer que hay tiempo suficiente, que el panorama es infinito. Pero cuando vamos a los hospitales o a los funerales, nos vemos obligados a enfrentar la muerte y, a decir verdad, no nos gusta nada este llamado de atención.

En mis primeras visitas a los ancianatos, tuve que contenerme para no salir corriendo. Lo que más me inquietaba era imaginarme a mí misma en un lugar de esos. No quería ir allí ni física ni simbólicamente. Hace poco estuve en la sala de espera de un oftalmólogo y casi todos los que me rodeaban tenían bastones blancos; eso me hizo pensar en la proximidad de la muerte. Pensé en esa frase de Bob Dylan que dice: "Todavía no ha anochecido, pero la oscuridad se aproxima".

Sabemos que los viejos-viejos van a morir pronto. Cuanto más cerca estemos de un anciano y cuanto más nos involucremos en su cuidado, más dolor nos va a causar su sufrimiento. La muerte en abstracto es más fácil de afrontar. Es duro visitar a un tío en un ancianato y darnos cuenta de que no sabe quiénes somos y hasta ignora quién es él. Es duro ver a la abuela sufriendo o dopada con morfina. A veces nos duele tanto que preferimos mantenernos lejos de quienes más nos necesitan.

Nuestra cultura refuerza estos temores individuales. Llamar viejo a algo tiene implicaciones peyorativas, como por ejemplo: ese sombrero es viejo, o esa persona tiene ideas viejas. Dar el calificativo de joven es un cumplido: su pensamiento es joven o actúa juvenilmente. Se considera descortés preguntarle la edad a una persona mayor. Cuando nos encontramos con alguna amiga a quien no habíamos visto en mucho tiempo, el mayor elogio es decirle: "A ti no te pasa el tiempo". Todos los tabúes alrededor del envejecimiento nos hablan de que envejecer es vergonzoso.

La mayoría de las personas a las que entrevisté se sentían incómodas cuando se abordaba el tema de la edad y molestas si se les decía viejas. La respuesta casi siempre es "no me siento viejo", cuando lo que están queriendo decir es "no me siento ni actúo como el estereotipo". También querían evitar que se les ubicara en una clase socialmente indeseable. En esta cultura es tan desagradable que lo llamen a uno viejo como que le digan gordo o pobre. Es natural que los mayores intenten evitar el ser identificados con un grupo que no es valorado socialmente.

EN SU LIBRO *LA VEJEZ*, Simone de Beauvoir escribe acerca de la Francia de 1600, cuando el promedio de vida estaba entre los veinte y los veinticinco años. El trabajo extenuante, las precarias condiciones higiénicas y la mala nutrición hacían que las personas vivieran pocos años. Quienes sobrevivían más tiempo con frecuencia dejaban sus casas a sus hijos. De forma similar, en Irlanda los viejos eran llevados a una habitación que denominaban "la cámara occidental" y los hijos adultos se apropiaban de la casa.

De Beauvoir encontró una amplia gama de respuestas culturales en relación con los abuelos. En algunas culturas sometidas a condiciones climáticas muy difíciles, con frecuencia se abandonaba a los viejos para que murieran solos. En Groenlandia, los viejos de la cultura Amassalik se suicidaban para no ser un estorbo. Los Hmong que ya no podían mantener el ritmo de la tribu eran abandonados en los caminos con algo de comida y opio. Pero en la mayoría de las culturas la relación entre nietos y abuelos ha sido de gran ternura y amor. Los mayores han sido considerados personas serenas, desprendidas y sagradas.

En algunas sociedades primitivas los viejos eran valorados como fuente de conocimiento. Los Aleuts tenían gran respeto por sus mayores, quienes les enseñaban a pescar. Los Navajos reverenciaban a los cantantes de edad, puesto que eran ellos los encargados de recordar todas las historias de la tribu. Los Kikuyu tenían refranes como el siguiente: "Un viejo no escupe sin motivo" o "Los viejos no mienten". De Beauvoir encontró también una estrecha relación entre el trato comprensivo de los viejos y el amoroso de los jóvenes. Los hijos criados con amor tendían a amar a los viejos.

Los Okinawan tienen un gran respeto por los mayores. Éstos permanecen en sus casas, se relacionan con los amigos y las familias, y hacen cierto tipo de trabajo durante unas cuantas horas al día. Una mujer de noventa años todavía vende pescado. Los amigos se aseguran de comprarle algo para que ella pueda mantener su rutina y sentirse útil. Alguna vecina de ochenta años pasa por su casa para hacer tortas de papa y limpiar la entrada. Muchas personas viven más de cien años y conservan una salud sorprendentemente buena. La edad promedio de muerte para las mujeres es de ochenta y cuatro años. Entre los que permanecen en la isla es extraordinario que se presenten casos de cáncer, diabetes, osteoporosis o trombosis, pero cuando se desplazan a otros lugares presentan las mismas tasas de mortalidad de las otras culturas.

Joe Starita, autor de *The Dull Knifes of Pine Ridge,* menciona las diferencias entre la percepción que tienen la mayoría de los norteamericanos respecto a los viejos y la de los Lakota. Para estos últimos, si los viejos no mantienen relación con los jóvenes, la cultura se desintegrará. Los viejos cuentan historias que educan a los jóvenes y mantienen viva su cultura. Como su sabiduría es profundamente valorada, los viejos son las personas más amadas. A mayor edad, mayor sabiduría, lo que equivale a mayor respeto.

A diferencia de estas culturas, y al no disponer de mejores lugares o de un mayor apoyo social, los ancianatos son lo único que tenemos para los viejos-viejos en nuestra sociedad hoy por hoy. Son instituciones muy difíciles de administrar; acogen cientos de personas débiles que necesitan tratamientos individuales y que requieren atención las veinticuatro horas del día, los siete días de la semana. Con frecuencia no se dispone del dinero suficiente para contratar personal calificado o la cantidad de empleados que realmente se necesitan. Además, algunos de los visitantes intentan demostrar el afecto por sus parientes criticando todo lo que se hace en estas instituciones. Como me dijo un amigo: "En verdad, nuestra relación con los ancianatos no es una relación de amor/odio sino de odio/odio".

Muchas personas experimentan sentimientos de culpa y generan actitudes defensivas cuando llevan a alguno de sus padres a un ancianato, especialmente cuando éste se resiste, que es lo que sucede casi siempre. Por supuesto, a la gente tampoco le gusta ir a un hospital, pero cuando uno va allí al menos tiene la esperanza de regresar a casa cuando le gane la batalla a la enfermedad. Los ancianatos no ofrecen tales victorias. Los viejos van allí sin esperanzas y allí se quedan hasta que mueren. La recompensa por años de dedicación para quienes trabajan en ellos es asistir al funeral de los residentes.

Los ancianatos son una de las pruebas fehacientes del fracaso de una sociedad en lo que respecta a las políticas sociales y culturales para los viejos. Es sorprendente que algunos de ellos logren funcionar razonablemente bien bajo estas situaciones adversas. Hay muchos héroes en los ancianatos entre los pacientes y el personal que los atiende. Hay algunas instituciones que están progresando y esto es bueno, porque estamos necesitando desesperadamente mejores lugares para las personas mayores.

CUANDO PENSAMOS EN LOS VIEJOS, la primera imagen que viene a nuestra mente es la de los abuelos. Veo a mi abuela con su delantal de flores y a mi abuelo con su overol y su sombrero de fieltro. Pero los viejos de hoy no se parecen casi a los abuelos de los años cincuenta. Los viejos-jóvenes trabajan con computadoras, viajan, estudian y hacen gimnasia al menos hasta que entran a formar parte de los viejos-viejos. A causa de los cambios económicos y demográficos, así como de las modificaciones en los sistemas de salud, los viejos-viejos se ven obligados a tomar ciertas decisiones existenciales que no tuvieron que enfrentar nuestros abuelos.

Sabemos menos sobre los viejos de lo que en realidad creemos saber. No hay suficiente información sobre sus necesidades psicológicas, sociales y espirituales. Se nos facilita la empatía con los niños puesto que también fuimos jóvenes: tenemos algunos recuerdos de lo que nos pasaba y de cómo nos sentíamos. Sin embargo, no hemos tenido ninguna experiencia que nos permita comprender a los viejos.

En general, hay una tendencia a asumir que los mayores se parecen más a nosotros de lo que realmente se parecen. Subvaloramos las diferencias entre los adultos y los niños y hacemos caso omiso de las distintas maneras de ser y los puntos de vista de nuestros mayores. Los viejos-viejos enfrentan problemas físicos, sociales y psicológicos totalmente distintos de los nuestros.

Casi todos amamos a nuestros parientes mayores y quisiéramos hacer lo correcto con ellos, pero muchas veces no sabemos qué es lo correcto. Por ejemplo, nos gusta comprarles cosas pero lo que ellos quieren es nuestro tiempo. Una vecina cumplió ochenta años hace pocos días y pensé mucho en qué regalarle pues vive en un apartamento pequeño y tiene muchísimas cosas. No puede leer, ni comer dulces, ni hacer muchas otras cosas. Finalmente decidí comprarle unas flores y llevárselas. Le gustaron las flores, pero pude darme cuenta de que lo que le produjo mayor gusto fue poder mostrarme su apartamento y tomarse una taza de té conmigo.

Los viejos también quieren que seamos honestos con ellos. Cuando Carmen, una de mis clientes, se divorció, no le contó nada a su abuela para no causarle pena. Ella estaba enferma en un ancianato y Carmen pensó que no convenía darle malas noticias. Semana tras semana, Carmen le hablaba de distintos temas y la abuelita la miraba fijamente sin decir mucho. Mientras Carmen pensaba estar protegiéndola, la abuela se sentía excluida, confundida y atemorizada. Unas cuantas semanas después le preguntó: "¿Qué está pasando? Estás demacrada y te estás quedando ya sin uñas. ¿Ya no me tienes confianza? ¿Tengo cáncer? ¿Tú tienes cáncer? ¿Se murió tu marido?" Carmen se dio cuenta de que estaba privando a la abuela de un trato honesto y de la oportunidad de ayudarla; en una relación verdadera, éstas son cosas que cualquier persona normal quiere experimentar.

Como la comida y el amor están tan estrechamente relacionados en la mente de la generación de nuestros padres, los regalos de comida pueden tener un gran valor. Un pastel o algún plato especial preparado por nosotros es enormemente apreciado. Para las personas que viven en instituciones o en hospitales, los sabores y los olores de la comida casera tienen un sentido muy particular. En una ocasión en que mi suegra estuvo hospitalizada unas semanas, me detuve de paso hacia el hospital en un restaurante chino y le compré un poco de sopa agridulce para llevarle. El aroma de ese plato venido del mundo real la revivió: le sirvió tanto para el alma como para el cuerpo.

No hay nada en nuestra cultura que nos oriente de forma positiva en cuanto a los viejos se refiere. Los medios de comunicación y la industria publicitaria permanentemente ensalzan lo joven. Los estereotipos sugieren que los mayores les roban a los jóvenes un tiempo que necesitan para divertirse y trabajar. Ellos requieren tiempo (valiosísimo) y paciencia (hay muy poca por estos días). Vivimos en un mundo en el que se rinde culto al cuerpo, pero los cuerpos viejos fallan; se rinde culto a las apariencias, pero el brillo juvenil va desapareciendo. No se nos enseña que el espíritu de los ancianos suele resplandecer.

El lenguaje es un problema. Hay una cierta tendencia a referirse a los viejos en forma peyorativa. Por otro lado, hay personas que dicen de sí mismas: *"Soy un joven de ochenta"*. Hasta la palabra *jubilado* tiene connotaciones negativas, pues implica pasividad, inutilidad y retiro del mundo social activo. Muchos de los viejos son agredidos con estereotipos negativos y chistes. Algunos interiorizan estos conceptos y se sienten descontentos consigo mismos. Se marginan y rodean de personas de su edad para protegerse de las agresiones y falta de aprecio de los jóvenes.

Hay personas que no son amables con los mayores. He visto viejos a los que se les ordena ir y venir de forma descortés, otros que son tratados como niños o como tontos, y otros que simplemente son ignorados. En una ocasión estaba en un café y oí a una mujer que ordenaba a su madre tomar una píldora. Pude observar la vergüenza que esto le produjo a la madre. Mi suegra dice que ella ve a los jóvenes pero que éstos no parecen verla a ella: su edad la hace invisible.

En nuestra cultura los viejos son relegados, se les admira cuando se considera que no estorban y cuando se muestran alegres en todo momento. Se espera que se interesen por los demás, que sean benévolos en sus críticas, optimistas y generosos en sus manifestaciones emocionales. Pero los jóvenes no se sienten obligados a mantener estos patrones de comportamiento.

Cuando un viejo tiene un accidente de tránsito inmediatamente se dice que es por causa de su edad. En una ocasión, un señor de noventa años tuvo por primera vez un accidente cuando iba conduciendo y estaba aterrorizado pues temía que le quitaran su licencia. "Si fuera joven sería un accidente sin importancia", dijo, "pero como soy viejo obviamente se dirá que es por eso". Ciertamente algunos viejos son malos conductores, pero también hay jóvenes que lo son. Afirmar "esto le pasó porque es viejo" demuestra una estrechez mental similar a decir "hizo esto porque es negro o japonés". Hay jóvenes a los que se les queman las ollas en el fogón, que olvidan sus citas o que se sobregiran en sus cuentas, pero cuando los viejos hacen cualquiera de estas cosas, tienen que enfrentar un riesgo doble. Sus errores no son considerados accidentes sino fallas de funcionamiento que pueden empezar a limitar su independencia.

Lo mismo que en muchas otras áreas, los medios de comunicación hacen más profundos ciertos malos entendidos de la sociedad en lugar de ayudar a solucionarlos. George Gerbner habla de la particular ausencia de personas mayores de sesenta y cinco años en los medios. Cada cierto tiempo hay una película romántica en la que uno de los personajes es un hombre de edad, pero casi nunca una mujer. En general, los viejos hacen papeles de individuos tontos, excéntricos o tercos. También encontró que en los programas para niños las mujeres mayores tienen una cantidad desproporcionada de atributos negativos. En nuestra cultura, los viejos están agrupados en un determinado número de imágenes estereotipadas: la viejita dulce, el viejo verde o el abuelo malgeniado pero tierno. Hay muy pocos anuncios cuyos protagonistas son viejos. De vez en cuando vemos una publicidad que incluye un abuelo, pero en este caso invariablemente tendrá aspecto juvenil y saludable.

Betty Friedan, en *Fountain of Age*, constata que los viejos suelen ser representados como personas asexuadas, dementes, incontinentes, desdentadas e infantiles. A las mujeres de edad se las representa como sentimentales, inocentes, chismosas y entrometidas. Un argumento cinematográfico corriente es el de un viejo que trata de actuar como joven, montando en motocicleta, hablando con descaro o grosería, o haciendo gala de su gusto por el rock and roll. Obviamente hay excepciones, pero necesitamos más películas en las que los viejos sean tratados reconociendo su gran diversidad y complejidad.

Los medios no son sino una parte de un problema cultural mucho más amplio. No estamos organizados para acoger y ubicar esta franja de edad. Por ejemplo, ser mayor cuesta mucho dinero. Los hogares geriátricos, los cuidados médicos y todos los otros servicios que necesitan son muy costosos. Pero la mayoría de las personas de edad no pueden ganar dinero. Es cierto que algunas tienen suficientes recursos económicos, pero las rentas de muchas son reducidas.

Otro elemento que hace de la vejez una mar difícil de navegar es la convicción que tenemos de que los adultos son autosuficientes. Creemos que la independencia es el estado ideal. Asociamos la independencia con los héroes y con los iconos culturales, como el hombre Marlboro y la mujer de Virginia Slims. También asociamos la dependencia con familias de toxicómanos, complicadas y débiles. Nuestra percepción postmoderna considera saludable a un adulto independiente psicológicamente e insuficiente mental si es dependiente.

Aprendemos desde muy jóvenes a hacer nuestras propias declaraciones de independencia. En nuestra cultura, *adulto* quiere decir "autosuficiente". Nuestra mayor virtud es la autonomía. Queremos relaciones sin ataduras en lugar de comprensión. Una vez me dijo una mujer: "Querida, la vida no es sino ataduras".

Esta concepción de independencia tan enraizada lastima a las familias con hijos adolescentes. Justamente cuando los hijos necesitan más la orientación de sus padres, les dan la espalda para centrarse en sus amigos de la escuela y en los medios de comunicación. Han sido educados para creer que para ser adulto es necesario alejarse de los padres. Estas ideas de independencia también lastiman a las familias con parientes viejos. Al pasar de viejo-joven a viejo-viejo, el individuo necesita más ayuda. Sin embargo, carecemos de formas que les permitan a los viejos-viejos pedir ayuda sin sentirse mal. Es prácticamente imposible ser dependiente y a la vez digno, respetado y en ejercicio total del autocontrol.

A medida que las personas envejecen es posible que requieran ayuda para todo, desde el manejo de sus finanzas hasta la movilización de un lugar a otro. Es posible que necesiten quién les ayude a levantarse de la cama, a alimentarse y a bañarse. Muchos prefieren pagarles a extraños, arreglárselas sin ayuda e incluso morir a tener que depender de los seres amados. No quieren ser un estorbo. Los viejos-viejos con frecuencia se sienten avergonzados de aceptar algo que es perfectamente natural en su ciclo vital. De hecho, el mayor reto para muchos viejos es aprender a aceptarse como seres vulnerables y pedir ayuda.

Si consideramos la vida como una línea de tiempo nos damos cuenta de que todos somos en ocasiones más y en otras menos dependientes de los demás. Algunas veces tenemos que cuidar de otros y en otras ocasiones alguien tiene que cuidar de nosotros. Ninguno de estos momentos puede considerarse más digno que el otro; ninguno implica ni patología ni debilidad. Los dos son el resultado de un ciclo vital con sus estaciones y sus circunstancias particulares. De hecho, tener una buena salud mental no implica ni dependencia ni independencia, sino tener la capacidad de aceptar las propias circunstancias con altura y dignidad. Es decir, tener siempre claro que durante el curso de la vida todos somos permanentemente interdependientes.

En nuestra cultura los viejos temen una muerte penosa, lenta y dolorosa, que además resulte muy costosa en términos económicos. Nadie quiere morir solo ni someter a sus familias a demasiado estrés. Las familias se sienten muy incómodas cuando tienen que trasegar por este terreno pedregoso. La salida de los jóvenes es poder ayudar sin sentirse atrapados y abrumados. La salida para los más viejos es aceptar ayuda siempre y cuando puedan conservar su dignidad y control. Quienes se encargan de cuidar a otros pueden decir: "Hemos disfrutado de sus cuidados, ¿por qué no querríamos cuidarlos ahora?" Los viejos tienen que aprender a decir: "Agradezco tu ayuda y todavía soy alguien que merece respeto".

A medida que las épocas y las circunstancias cambian, necesitamos nuevos lenguajes. Necesitamos una palabra que nombre las necesidades de los viejos-viejos con una connotación menos negativa que *dependencia*, una palabra que connote sabiduría, relación y dignidad. La *dependencia* podría pasar a ser *reciprocidad* o *interdependencia*. Podemos decir a los viejos: "Hoy nos están necesitando a nosotros, pero nosotros los necesitamos ayer a ustedes y también necesitaremos mañana de nuestros hijos. Nos necesitamos unos a otros".

Sin embargo, los problemas van un poco más allá de las meras palabras o las cortesías sociales. Necesitamos repensar totalmente nuestra concepción del cuidado de los ancianos. Como los Lakota, deberíamos ver la vejez como un honor y una oportunidad de aprender. Es la ocasión que tenemos de recompensar a nuestros padres por el amor que nos brindaron y es nuestra última oportunidad de llegar a ser adultos. Les estamos ayudando a ayudarnos.

Es importante que los viejos comprendan que podemos ayudarlos sin infantilizarlos, que la ayuda surge del respeto y de la gratitud, y no de un sentimiento de lástima ni de una obligación. En nuestra sociedad de objetos desechables y de obsolescencia programada, los viejos están fuera de lugar. Por lo general se van marginando en forma discreta. Quieren ser amables y fuertes y sienten que esto equivale a pedir muy poco de los demás y no importunar a los jóvenes.

Quizá necesitamos ayudarles a redefinir las palabras amabilidad y valor. Para los mayores, ser amable debería significar saber acoger la ayuda de los parientes jóvenes, y ser valiente debería significar aceptar la dependencia que acarreará la ancianidad. Podemos asegurarles a los mayoes que el hecho de mostrarles a sus hijos cómo enfrentar la vida les enseñará a ellos y a los hijos de éstos cómo afrontar dignamente esta última etapa de la vida. Esto es algo esencial que todos necesitamos saber.

CAPÍTULO 3

Las zonas de tiempo: De una cultura comunitaria a una individualista

La cultura es la forma que toma un lugar
en la mente de sus gentes — todas las costumbres,
actitudes y valores que se dan por supuestos.

— FINTAN O'TOOLE

INICIAMOS ESTE CAPÍTULO CON UN RELATO de Burt County, Nebraska, en el valle del Missouri al norte de Omaha. Este condado ha sido el hogar de la familia de mi marido durante cinco generaciones. Muchos de los que nacieron en ranchos o pequeñas cabañas en tierras heredadas son ancianos hoy en día y continúan viviendo con los amigos de hace más de ochenta años. No es que Burt County sea el único ejemplo de una cultura comunitaria en vías de extinción, pero sí es el único que conozco. Josip Novakovitch escribió que su pueblo estaba "atravesado no por calles sino por historias personales". Conozco cerca de ochenta años de estas historias.

Escribo sobre este lugar con el ánimo de escudriñar en una época, la primera parte del siglo veinte, cuando nuestros padres y abuelos eran jóvenes. Sus habitantes conservan raíces profundas. Las familias están interconectadas unas con otras a través del tiempo y los lugares. A los habitantes de Burt County les gusta el hecho de poder contar unos con otros. Todas las Navidades las familias de Oakland que residen en otros lugares alquilan una sala grande, contratan una orquesta y hacen un gran baile para cientos de personas. En el fin de semana del Memorial Day, Tekamah ofrece un banquete en la escuela secundaria para sus exalumnos, que todos los años se reúnen con sus amigos y familiares, visitan el cementerio y ponen flores en las tumbas de sus muertos. Estas reuniones duran unos cuatro días y terminan en un gran picnic en el parque de la ciudad, al que asiste toda la comunidad.

Simone Weil escribió: "Tener raíces es quizá la más importante y menos reconocida de las necesidades del ser humano". Esta necesidad ciertamente se satisfacía en Burt County. Todos sabían el nombre de todos y su historia personal. Los adultos cuidaban y mimaban a los niños de los demás, y los padres practicaban una cierta negligencia benévola con sus hijos, cosa que no es posible en estos tiempos. Este tipo de comunidades cuyas calles eran propiedad de los niños prácticamente han desaparecido.

Debemos apresurarnos a aprender de estas comunidades cuanto podamos, pues pronto no habrá quién nos cuente lo que ocurría en ellas. Evidentemente hay ciertos registros en cartas, biografías, autobiografías y revistas. También la música y la poesía nos dan algunas pistas. Pero ya no podremos oír las voces de nuestros antepasados, amigos y vecinos.

Los niños ya no crecen en una matriz familiar de individuos interconectados con los cuales trabajan y juegan sus familias. Como dijo Alan Durning: "Las visitas informales entre vecinos y amigos y las reuniones familiares alrededor de la mesa han disminuido en los Estados Unidos desde mediados del siglo". Muchos de nosotros ya no conocemos a nuestros vecinos ni a nuestros primos. La estructura superficial de nuestra vida aparentemente no se ha modificado, pero las estructuras profundas son muy diferentes.

Todos hemos sido colonizados por una cultura corporativa. La tecnología y los medios nos han cambiado. Traigo a cuento la historia que sigue con la esperanza de que se perciba el sentido que tiene crecer en un ambiente lleno de interrelaciones.

ROSE Y GERTRUDE (85 y 94 años)
"¿Piensas que a Dios le gustaría que hicieras esto?"

MUCHO ANTES DE CONOCER A ESTE PAR DE HERMANAS oí hablar de "Rosigertrude", de tal forma que pensé que era el nombre de una sola persona. A todas partes iban juntas, vivían en una casita muy modesta al lado de la casa en la que nacieron. Su jardín estaba lleno de rosas blancas y rosadas, madreselvas naranja y pensamientos color púrpura. Había un letrero en el jardín que decía: "El beso del sol para el perdón, el trino de los pájaros para la alegría. Estamos más cerca del corazón de Dios en un jardín que en cualquier otro lugar de la tierra".

Las dos hermanas vestían siempre trajes de seda con motivos de flores y usaban collares y pendientes. Tenían el pelo blanco como la nieve y la tez rosada. Gertrude era mucho más alta que Rose. Esta última sirvió el té en tazas de porcelana pintadas por Gertrude. Me ofrecieron una bandeja con torta de semillas de amapola y muffins.

Gertrude empezó a contar su historia. Nació en casa; su padre había sido albañil desde la guerra contra España y su madre, ama de casa. Me contó que cuando nació Rose su padre le dijo la verdad: "Bueno, no toda la verdad, pero sí me dijo que la bebé había crecido en el estómago de mamá. En esa época esto era una enorme muestra de sinceridad".

Su madre había sido una mujer tímida y dulce. Su padre era un "tipo muy vivaz, activo y de gran popularidad". Era generoso con los niños del pueblo: cuando veía algún niño pobre, le compraba un caramelo o le regalaba una moneda. Nunca les pegó a ellas, pero cuando decía algo, había que obedecer. Para hablar de él siempre decían "nuestro adorado papá".

En su vecindario la mayoría de chicos eran hombres, por lo que ellas crecieron jugando fútbol y básquet. Apostaban carreras, hacían relevos, y jugaban a ladrones y policías y a las escondidas. Su padre silbaba para llamarlas a casa, y su silbido se oía en cualquier parte del pueblo. En el verano, Gertrude pasaba las horas en la ribera del riachuelo y nunca temió que le pasara nada. El Halloween era un día exclusivamente para los niños y eran más importantes los juegos y las bromas que se hacían unos a otros que pedir golosinas. Para ese día los niños decoraban el palacio de justicia y subían a la torre de los tanques de agua.

El abuelo de Rose y Gertrude siempre tenía una cartera de cuero en la que mantenía regaliz y otros caramelos. Cuando se encontraba con niños, la abría para que éstos sacaran lo que quisieran. Todavía el aroma del regaliz las hace pensar en él.

Rose dijo: "El ambiente en las escuelas era muy bueno, todos éramos amigos, no había muchos noviazgos y nadie tenía auto". De las profesoras sólo una no le traía buenos recuerdos a Gertrude, pues acostumbraba decirle: "Vuelve la cara y presta atención. Si no lo haces, te voy a meter en la bañera llena de agua jabonosa caliente". La maestra favorita de Rose fue la de primer grado, una mujer sin ningún atractivo según todos los demás. En una ocasión dijo a sus padres que su maestra era muy linda, afirmación que los hizo reír a los dos, pero "era tan buena que yo creía que era bonita", añadió.

Las dos fueron a la universidad cuando terminaron la secundaria. Gertrude trabajaba como maestra durante el año escolar y estudiaba en el verano. Así logró obtener una maestría en educación. Rose abandonó la universidad después del primer año, pues su "adorado papá" enfermó. Durante ese año

Gertrude enviaba dinero a casa. Una enfermera que vivía cerca iba todos los días y los tíos se quedaban a veces por las noches para relevar a Rose y a su madre. El médico lo visitaba en las mañanas, al medio día y en la noche. Rose se reía al recordar que tenía que ir todos los días al riachuelo para picar hielo, puesto que su padre siempre quería ofrecerle al doctor un plato de helado de vainilla. Su padre murió a los cincuenta años y ésa fue la experiencia más dolorosa para su familia. Murió de hidropesía cutánea, o edema, enfermedad que dejó de ser fatal unos pocos años después de su muerte. "Aún recuerdo al doctor caminando de un extremo a otro en nuestra sala, la noche de la muerte de papá. Estaba deshecho".

Rose se casó y tuvo hijos. Gertrude fue maestra de escuela durante cuarenta y ocho años. Animaba a sus alumnos a trabajar en la resolución de sus problemas y dijo con orgullo que en muchas ocasiones vio salir de su oficina a enemigos encarnizados tomados de la mano. Les decía a los alumnos que se portaban mal: "¿Piensas que a Dios le gustaría que hicieras esto?"

Después de la muerte del esposo de Rose y cuando Gertrude se pensionó, las hermanas decidieron unir sus bienes y vivir juntas. No hay salas de cine en el pueblo, por tanto "nuestras películas favoritas son las caseras", dijo Gertrude. Rose ya tiene bisnietos y su nieta le envía vídeos de ellos. Las dos hermanas los miran una y otra vez.

Están comprometidas con las actividades de la iglesia. Se describen a sí mismas como personas felices y a ninguna le gusta hablar de sus problemas. Me contaron anécdotas simpáticas de tiempos pasados. De niña, Gertrude tenía un pollito al que adoraba. Le puso Copper y le enseñó a hacer algunas gracias. Copper vivió quince años. También tuvo un cerdo que un buen día fue sacrificado por su padre. Gertrude, riendo, me relató su angustia y tristeza.

Salí de su casa con tortas para mi familia y en el camino pensé en el cerdo de Gertrude. Cuando yo era niña, mi padre sacrificó mi conejo para una comida. Esto me ocasionó un fuerte traumatismo y le guardé mucho rencor por insensible. Nunca pude reír cuando contaba esto: más bien sentía autocompasión. Comparé reacciones: Gertrude era una representante típica de su generación. No eran seres propensos a la autoconmiseración y estaban dispuestos a perdonar los errores paternos. Me preguntaba a mí misma: ¿Qué ha cambiado en nuestra generación? ¿Por qué guardamos resentimiento en lugar de reír al recordar los errores que se cometieron en la familia?

En realidad hay dos tipos de diversidad cultural: la diversidad por la distancia y la diversidad por el tiempo. Una se denomina antropología y la otra historia; las dos están relacionadas con la psicología. Las experiencias infantiles dan forma a las relaciones que el hombre tendrá con la naturaleza, con la familia y con el trabajo. Las experiencias infantiles son la base de lo que serán nuestras actitudes de género, de autoridad y frente a la comunidad; además, nos proporcionan defensas para enfrentar el dolor.

La cultura también es un factor determinante de las personalidades y de nuestra forma de pensar, sentir e interactuar con el mundo. Hace que se destaquen ciertos rasgos y ejerce influencia para minimizar otros. El psicólogo Irving Goffman creía que el lugar donde se encontraba una persona nos permitía conocer más aspectos de su comportamiento que su perfil caracterológico. Por ejemplo, si sabemos que una persona está en un bar a media noche, es más fácil predecir lo que va a hacer que si conocemos los resultados de sus pruebas psicológicas. Lo mismo que dice Goffman respecto al lugar lo podemos aplicar al tiempo. Saber la fecha de nacimiento de una persona nos permite predecir ciertas actitudes y comportamientos. Una persona de una época determinada hará parte de una cierta "conciencia colectiva".

Cada generación escoge nuevas cosas y actitudes para clasificar como buenas y hermosas, en parte porque hay un deseo innato en las personas de hacer las cosas de forma nueva y diferente. Cada generación quiere pensarse como redescubridora del sexo, de las destrezas culinarias, de las modas y de la adecuada educación de los niños. Sin embargo, lo más importante es que las reacciones de una generación frente a la otra son el motor de la dialéctica a través del tiempo. El abuelo usa bóxers, el hijo usa pantalonetas Jockey y luego el nieto "redescubre" los bóxers.

Las diferentes épocas generan nuevos problemas psicológicos. Por ejemplo, los años anteriores dieron vida a personas más perfeccionistas. Nuestra época produce más psicópatas, jóvenes antisociales, narcisistas y bulímicos. Los problemas sexuales son otros. En la primera parte del siglo un pie femenino podía ser fuente de incitación sexual, ahora tenemos adictos al sexo por computador. En la actualidad tenemos más compradoras compulsivas y menos histéricas.

Cada generación identifica los errores de sus padres, pero no así los de los abuelos. Las virtudes y los vicios, así como los nombres de pila, tienden a saltar generaciones pues existe la tendencia a sobrecorregir y en lugar de alcanzar la perfección, lo que se hace es cometer los mismos errores de generaciones anteriores. Mis abuelos eran muy frugales y mi madre era una gastadora compulsiva. Yo soy frugal y mis hijos son gastadores. Mis suegros son muy cuidadosos en su vestir y a Jim no le importa en absoluto qué ropa lleva; nuestros hijos están muy pendientes de la moda. Los padres poco estrictos crían hijos malcriados que pueden luego tender a insistir en un mejor comportamiento de sus hijos. Los adultos educados en hogares muy estrictos pueden querer dar a sus hijos una infancia más suave y grata, y por esto tienden a ser más permisivos. Y el ciclo vuelve a empezar.

Sin embargo, hay ocasiones en las que parece darse una ruptura cualitativa. A mediados de siglo pasamos de ser una cultura comunitaria a una individualista; pasamos de lo que Martin Bubber denominó una cultura del tú-yo, a una del eso-yo. Pasamos de vivir en pueblos a lo que Cornell West llama una "sociedad hotel". Las personas ya no se conocen unas a otras. No vivimos cerca de nuestros primos ni crecemos cerca de las personas con quienes nacimos.

La cultura comunitaria terminó en diferentes momentos en los distintos lugares. Las causas de su extinción son numerosas. Entre ellas se cuentan los cambios demográficos, los adelantos tecnológicos y los estilos de las construcciones que favorecieron la privacidad por encima de la vida en comunidad. La cultura comunitaria se fue desvaneciendo cuando los patios traseros reemplazaron a los jardines exteriores, cuando los automóviles reemplazaron a los caballos, cuando las líneas telefónicas compartidas dieron paso a los celulares y cuando los electores empezaron a negarse a pagar por la construcción de andenes y pasos peatonales, que eran espacios comunales por excelencia. La televisión, que se popularizó en los años sesenta, ayudó a destruir nuestro sentido comunitario. Con la televisión la gente dejó de buscar a los vecinos para obtener información y entretenimiento; las noticias dejaron de ser exclusivamente locales y nos trasladamos a vivir en la aldea global.

La comunidad no era privilegio exclusivo de los campos. Las personas mayores provenientes de ciudades recuerdan las épocas en las que conocían a todos los habitantes de sus edificios y de sus barrios. La gente compartía el trabajo, las comidas, la ropa, las camas e incluso las bañeras. Muchos de nuestros mayores crecieron en familias numerosas. Una mujer me dijo que tener ocho hermanos era como tener muchas mantas para abrigarse en una noche helada de invierno. Los hermanos y las hermanas la arropaban y la mantenían caliente. En este tipo de familias se daba una dinámica tribal, la colaboración primaba sobre la individualidad, no había muchas posibilidades de escogencia ni peleas por las posibles elecciones. Como dijo Henry Ford hablando del modelo T: "Puede escoger el color que quiera, siempre y cuando sea negro".

Hace poco me senté en un avión junto a una mujer mayor, originaria del sur de los Estados Unidos. Iba elegantemente vestida, con un traje de seda, zapatos de tacón alto, sombrero e incluso guantes. No conocía las reglas de los desplazamientos modernos, que son básicamente actuar como el ganado cuando estamos en un avión, preocuparse cada quien por sí mismo y hacer caso omiso de los demás. Por eso lo primero que hizo fue presentarse y contarme los detalles de la visita a la casa de su hijo. Al principio me molestó su frescura, pensé: "¡No tiene ni siquiera el buen juicio de permanecer callada!" Pero poco a poco empecé a disfrutar de su encanto. Mientras reía con sus historias, empecé a sentirme menos parecida a una vaca que embarcan. Me di cuenta de que ella no estaba violando las barreras interpersonales, sino que dichas barreras habían cambiado en el transcurso de su vida. De hecho, cuando ella creció la palabra *barrera* se refería a una cerca o a un límite físico y no a una protección simbólica interpersonal. Había crecido en un mundo más lento y amistoso, en el que se relacionaba con todas las personas con las que se encontraba.

Las personas nacidas a principios del siglo veinte fueron las últimas en haber crecido en un mundo en el que todos los comportamientos eran importantes. Hoy en día, la autonomía es la reina. Mientras no molestemos a nadie, no importa si bebemos mucho, si gastamos el dinero atolondradamente o si nos estamos muriendo de cáncer. La mayoría de las personas con las que nos encontramos no saben, ni les importa saber, qué hacemos. Pueden estar interesadas en nuestro dinero o nuestros servicios, pero no en los detalles de nuestra vida. Su principal anhelo es que no les pongamos problemas ni interrumpamos su trabajo. Sin comunidad no hay moral. Mi hermano Jake me contó de un viejo proverbio ruso que dice: "Las lágrimas de un extraño son sólo agua".

Las personas con sentido comunitario aprendieron valores muy diferentes a los que tenemos hoy. Como vivían en espacios reducidos, tenían que relacionarse unos con otros para sobrevivir. La capacidad de compartir, la lealtad y la colaboración eran tenidos en alta estima. Las apariencias y las buenas maneras eran importantes. Como se encontraban unos con otros durante toda la vida, la reputación era vital. La capacidad para llegar a acuerdos era una virtud; se educaba para buscar acuerdos que permitieran una convivencia agradable. La sabiduría no era considerada como la propiedad de unos individuos sino una posesión colectiva; se sabía cómo educar a los niños.

En nuestra "sociedad hotel" las normas son diferentes. Aprendemos a nadar con los tiburones, cada quien vive para sí mismo. Como dice una canción de Mose Allison, "si vas a la ciudad lleva algo de dinero contigo pues allá no quieren mezclarse con la gentuza". Lo mejor es no involucrarse emocionalmente con personas que pronto perderemos de vista. La capacidad de llegar a acuerdos no se valora mucho en una cultura de extraños. La mayor prueba de una buena educación es saber mantener las distancias. En la actualidad, la sabiduría es algo que cada quien adquiere; la autosuficiencia es hoy la mayor virtud y ha reemplazado la capacidad de trabajar en equipo.

El énfasis en el deber y las relaciones con los demás tenía sentido en una sociedad en la que día a día y año tras año las personas permanecían juntas. Las recompensas al buen comportamiento consistían en una mayor acogida por parte de la tribu y la seguridad de tener amistades para toda la vida. A una persona querida se le prestaba dinero en un abrir y cerrar de ojos. Las puertas de las casas permanecían abiertas.

Es evidente que esta cultura comunitaria también tenía sus defectos. Ese estar juntos podía dar origen a un sentimiento opresivo de control social. Cualquier comentario desagradable podía ser recordado por años. Un error cometido en la secundaria podía ser la desgracia de una persona hasta el final de sus días. Con frecuencia esa mentalidad de grupo daba origen a prejuicios contra los judíos, los negros, los indígenas, los gitanos, los católicos o cualquier persona externa a la tribu. Es más, cuando este sentimiento se exacerbaba, lo comunitario era sinónimo de encerramiento e intolerancia frente a la diversidad.

Como escribió G.W.S. Trow en *The New Yorker*: "Todos sabemos, o deberíamos saber, que bajo nuestros pies se ha desplazado una placa tectónica o que sobre nuestra cabeza se ha dado un movimiento cósmico. De cualquier forma, los edificios siguen siendo los mismos: éste tiene un estilo victoriano, aquel parece sacado de un Hopper... Los partidos políticos siguen llamándose igual, todavía contamos con la CBS, con la NBC y con el *Times*. Pero ya no somos la misma nación".

Trow se refiere a lo que yo he denominado la diferencia en las estructuras profundas. Para decirlo de manera simple, la estructura superficial es la realidad aparente y la profunda es el meollo de las cosas. Muchas cosas no han variado en la superficie, pero sus estructuras profundas han cambiado. Hace cuarenta años los funerales y las graduaciones eran un asunto de la comunidad; hoy en día las personas que asisten a estos eventos pueden incluso no conocerse unas a otras. Los edificios pueden tener la misma estructura aparente, pero la estructura profunda es diferente. La diferencia entre una plaza de comidas en un centro comercial y un pequeño café de pueblo de principios de siglo es tan grande como la diferencia entre la grama sintética y el césped de las praderas.

Pensar en términos de estructura profunda frente a estructura superficial puede ayudar a los miembros de una familia a comprenderse unos a otros. La estructura profunda nos habla de las motivaciones. Por ejemplo, la estructura profunda de la pregunta: "¿Quieres té?" puede ser: "Quiero que te sientas acogido en mi casa". Muchas generaciones comparten este mismo sentido o estructura profunda. Todos queremos amar y ser amados, educar hijos saludables y tener una vida tranquila y feliz. Pero la estructura superficial, las palabras y las acciones con las que la gente expresa sus motivaciones pueden ser muy diferentes. Por ejemplo, los abuelos generalmente responden positivamente cuando un nieto pide un caramelo. La estructura profunda de este mensaje tiene que ver con el deseo de que el niño se sienta amado y bien cuidado; cuando ellos eran jóvenes la comida era sinónimo de supervivencia. Los padres que dan su negativa ante la misma petición también quieren que el niño se sienta amado y bien cuidado, pero al decir "no" están protegiéndolo del azúcar innecesario y dañino.

La gente tiende a tener los mismos sentimientos, pero se diferencia en la forma de pensar. Es posible que todos tengamos los mismos sentimientos y en último término deseemos las mismas cosas. Pero el lugar donde estamos y el tiempo en el que vivimos pueden determinar en gran parte lo que pensamos. Cuando hay algún desacuerdo familiar, lo más importante sería preguntar: "¿Cuál ha sido tu experiencia?" Los conflictos surgidos por afirmaciones que tocan apenas las estructuras superficiales con frecuencia desaparecen si comprendemos la estructura profunda. Cuando las personas son evaluadas a partir de sus motivaciones, es más fácil respetarlas y perdonarlas.

En muchas de las cosas que dicen las personas de dos generaciones diferentes se percibe una animadversión mucho mayor de la que existe en realidad. Muchos desacuerdos surgen de malos entendidos entre las distintas culturas a causa de lo que yo llamo los problemas relacionados con las zonas de tiempo. Sólo si comprendemos lo que ciertas cosas significan para personas de una zona de tiempo diferente a la nuestra, podemos llegar a comunicarnos verdaderamente con ellas. Por ejemplo, la preocupación de la tía abuela Martha en relación con lo que los vecinos puedan decir no es necesariamente superficial, como tendemos a considerarla debido a nuestro amor a la independencia. Para ella es una cuestión de respeto y relaciones, de tener un lugar adecuado en un universo comunitario.

Las actitudes frente a la comida varían de una generación a otra. En parte las diferencias tienen que ver con preferencias y experiencias, pero nuestras actitudes en relación con la comida van mucho más allá de las preferencias y la conveniencia. Nuestros padres crecieron en un mundo en el que la salud era sinónimo de buena alimentación. Como decía el tío Max: "La comida nunca es demasiada".

Las personas mayores con frecuencia asocian la comida con la seguridad. Aunque mi madre, ya siendo mayor, tenía suficiente dinero, nunca tiraba la comida que sobraba. Guardaba una cucharadita de arvejas, o la mitad de una galleta. Le quitaba el moho al queso y se comía las manzanas medio podridas.

Tenía una enorme despensa en la que almacenaba frascos de almíbar, bolsas de harina y latas de cerdo y fríjoles. Habría necesitado vivir 200 años para poderse comer todo lo que guardaba, pero sólo ver esa despensa le proporcionaba placer.

Mi generación creció con suficiente comida. Como adultos nos preocupamos por el peso y la salud. No siempre asociamos la comida con el afecto, sino más bien con glotonería o enfermedades cardíacas.

Esta diferencia en la experiencia vital puede dar origen a malos entendidos. Nuestros padres preparan comidas gigantes y se sienten heridos cuando sus hijos no mostramos suficiente gratitud. Nos instan a comer y a repetir. La estructura profunda de este mensaje es: "Yo te amo y quiero demostrártelo". Un hijo adulto puede rechazar amablemente todo lo que le ofrecen, pero posiblemente está pensando: "Este tipo de dieta puede matarme, y quizá te está matando a ti".

Para la generación de nuestros padres, compartir la comida equivale a compartir la vida en comunidad, formar parte de esa relación entre tú y yo. En su juventud, compartir los alimentos literalmente quería decir: "Me quedo con hambre para que tú tengas algo que comer".

A los miembros de estas culturas comunitarias se les enseñó a respetar a la autoridad. Por lo general respetan a la policía, a los políticos y a los científicos. Les cuesta mucho creer que un presidente pueda mentir o que la policía pueda ser arbitraria o brutal. Para ellos los científicos son personas que van a solucionar los problemas, no personas que puedan crearlos. No cuestionan a sus médicos. Me acuerdo de una vecina que tenía una infección en un brazo. Fue a un curandero que no supo atacar la infección, por lo que terminó hospitalizada. Nunca cuestionó el tratamiento que se le había hecho, y ni siquiera lo llamó para decirle que había empeorado. Su hija, exasperada, me dijo: "Cuando confronté a mamá, ella me dijo: 'El doctor sabe lo que está haciendo'".

Me acuerdo de Millie, quien se presentó en urgencias con un dolor muy intenso. Le dieron unos analgésicos y la enviaron a casa sin hacerle diagnóstico ni tratamiento alguno. Ahora siempre teme que el dolor vuelva a presentarse, pero no le hizo ningún cuestionamiento al doctor en la sala de urgencias.

Para ellos lo importante era el comportamiento. Las personas mayores no necesariamente se preocupaban por la autenticidad o la coherencia entre sentimientos y acción. Saber aparentar era una virtud. La reputación era lo único que muchas personas tenían durante la época de la Depresión. No era fácil aparentar respetabilidad cuando la familia apenas sobrevivía.

Las acciones eran más importantes que las palabras. Carrie Young, en *Nothing to Do But Stay,* relata cómo su familia mostraba el afecto con hechos. Con su primer sueldo, su hermana mayor le compró un vestido rojo con adornos de terciopelo verde. Su madre hacía colchas todo el tiempo. Se necesitaba una buena cantidad de ellas para mantener a ocho personas suficientemente abrigadas durante los inviernos de Dakota del Norte. Carrie cuenta que había tantas colchas sobre la cama que todas las niñas tenían que voltearse al tiempo. En 1927, su padre pasó un día entero quitando nieve con una pala para poder regresar con las niñas de la escuela para la Navidad. Un padre que luchó contra una ventisca durante un día entero no tiene que hablar mucho para expresar sus sentimientos.

Nuestra generación fue educada en el lenguaje de los sentimientos y hay ocasiones en las que desearíamos que nuestros padres pudieran hablar más acerca de éstos y de sus relaciones con nosotros y entre ellos mismos. Hay ocasiones en las que atribuimos su silencio a falta de sentimientos. Con frecuencia, aunque no siempre, nos equivocamos.

Generalmente nuestros padres no aprecian nuestra franqueza. Mis clientes me cuentan con frecuencia historias que si no fueran tan tristes podrían ser divertidas. Robert recorrió cientos de kilómetros para ir a visitar a su padre enfermo. Quería hablar de la relación entre ellos, pero su padre, como de costumbre, sólo quería hablar de fútbol y de tasas de interés. Robert intentó abrazarlo y éste respondió con un chiste acerca de "maricones" y le extendió la mano. Poco después Robert me dijo con amargura: "He tenido conversaciones más entrañables con el muchacho que empaca en el supermercado".

Las personas que nacieron a principios de siglo fueron educadas para controlar los sentimientos. Por ejemplo, los veteranos de la Segunda Guerra Mundial no hablaban de su experiencia al regresar a casa. Permanecieron encerrados en sí mismos y no llegaron a comprender ni sus propios sentimientos o estados psicológicos. También tenían la idea de que ni los amigos ni los familiares querían saber la verdad.

Esta generación aprendió a mostrarse animada, a aprovechar las oportunidades y a ver el lado amable de las cosas. Se les enseñó a no buscar problemas. No se daba demasiada importancia a los desaires, las molestias o los resentimientos. Las mujeres buenas no decían grocerías, no demostraban el enojo y tampoco expresaban la insatisfacción. Les estaba totalmente vedada la exteriorización o afirmación de sus necesidades particulares. Mi experiencia personal demuestra que es muy difícil lograr que las mujeres mayores digan lo que quieren pues se las educó para hacerlo en forma indirecta. A lo sumo dirán: "Pienso que lo mejor sería...", o "Esto no debería hacerse así", o "Deberíamos...", o "Me da igual, decide tú".

A los hombres sí se les permitía expresar su ira, al menos en privado, pero no podían exteriorizar las emociones "suaves", como el dolor o la duda interior. El control social sobre los sentimientos masculinos era tan fuerte que les costaba mucho ejercer una paternidad amorosa. Nunca llegaron a abrazar con ternura a sus hijos, ni les dijeron "te quiero mucho". Muchos adultos de mi generación tienen un gran vacío de caricias paternas. Los padres modernos se esfuerzan mucho para dar a sus propios hijos la ternura y el reconocimiento que no tuvieron en su infancia.

No estoy afirmando que los viejos no fueran bondadosos. En su juventud, en más de una ocasión estuvieron en peligro de congelarse durante el invierno en sus esfuerzos por llevar a casa algo para comer. Otros trabajaron horas y horas en las minas de carbón o en lugares muy apartados para lograr sostener a sus familias. Claro que muchos sí mostraban gran ternura hacia los animales, las mujeres y los niños. En su vejez trabajan sin cesar para hacerle mantenimiento al auto familiar o a los jardines, arreglan las cosas que se descomponen en la casa y hacen los recados para la familia. Su forma de demostrar afecto es tratar de ser útiles, pero no se les enseñó a expresar los sentimientos. No saben hablar del cariño, pero regalan tomates o calabazas cultivados en sus huertas.

Los roles según el género eran diferentes. Anteriormente ser un buen padre significaba cubrir las necesidades materiales de la familia. Ahora ser un buen padre implica no sólo esto sino también saber escuchar y estar disponible tanto física como emocionalmente para acoger a los niños. Antes se esperaba que los padres sólo apoyaran a las madres en sus esfuerzos por educar bien a los hijos. En el pasado se esperaba que la mujer fuese una buena posibilitadora, es decir, que potenciara el éxito de los otros. La mujer se autodefinía en su capacidad de servicio a los demás. En la actualidad la mujer ha pasado de disfrutar solamente del reflejo de las glorias ajenas a buscar su propia realización. En muchas ocasiones este cambio da lugar a fricciones entre las mujeres de mi edad y sus madres.

Lynda, una de mis clientas, hablando con dolor de su relación con su madre, decía: "Todo lo que mamá quiere es ser amada. Entregó su vida a los demás, por eso ahora espera retribución permanentemente. Es capaz de dedicarse una semana entera a preparar algún plato especial, sólo por el placer que le producen las alabanzas que recibe después. Esto me pone en una encrucijada. Quiero que se sienta bien, pero también quiero que viva su vida. Me molesta mucho que piense que soy egoísta porque no estoy pendiente de complacer a los demás. Lo que yo considero un esfuerzo para desarrollar mi potencial, para ella es olvidar a mi familia. Además, el otro día llegó a decirme que no sabía ni siquiera quién era ella. Eso me parece trágico, si pensamos que tiene setenta años. Yo me siento orgullosa de saber quién soy".

Con frecuencia se presentan muchas tensiones relacionadas con los roles según el género. Las mujeres más jóvenes se niegan a preparar todas las comidas y a lavar los platos. Las mujeres mayores por lo general se sienten desilusionadas porque sus nueras no cosen ni lavan la ropa. Para ellas una buena esposa hace todas estas cosas, pero se les olvida que las buenas esposas de hoy tienen empleos de cincuenta horas semanales. Los padres esperan que sus hijas se ocupen de ellos como lo hicieron sus esposas, pero las hijas han leído a Gloria Steinem y dicen: "Papá, prepárate tu café".

La actitud sexista de los mayores molesta a los jóvenes que rechazan los chistes sobre las conductoras atolondradas o las rubias imbéciles. Se dan cuenta de las diferencias en la forma en que las generaciones evalúan a las mujeres. Para algunos hombres mayores elogiar a las mujeres por su apariencia es una expresión de buena educación. A veces me divierten algunas de sus manifestaciones en este sentido. En una ocasión me presenté en la tienda con una camiseta vieja y el pelo mojado por la lluvia. Allí encontré a un hombre mayor que me dijo que lucía hermosísima esa mañana.

Anteriormente, las actitudes sexistas denotaban una mezcla complicada de puritanismo y obscenidad. No se hablaba mucho del sexo, y cuando se hacía se recurría siempre a eufemismos. Las maestras tenían que abandonar su trabajo cuando se casaban. En Tekamah una mujer embarazada no debía dejarse ver en público. Cuando estaba encinta, mi suegra sólo salía de casa al anochecer. Cuando me hablaba de esto, decía que esperaba esas horas para poder salir con su madre, ansiosa por tomar un poco de aire fresco y hacer algo de ejercicio. Por otra parte, hay una cierta ordinariez en muchos viejos. La gente estaba acostumbrada al humor sexista. Una amiga llevó a su abuela, una mujer de ochenta años, al ballet. Ésta, al ver a Baryshnikov, dijo: "Qué bien equipado que está ese muchacho".

El sexo ocupaba un lugar especial en la vida de mucha gente. La sexualidad todavía no se usaba con fines publicitarios y estaba ligada principalmente al amor y las relaciones. Las referencias sutiles al sexo no eran tan comunes como hoy, cuando prácticamente a todas las afirmaciones puede encontrárseles alguna connotación sexual. El sexo era algo íntimo y sagrado.

Los viejos también consideran la distinción entre hombre y mujer como algo tajante y diferenciador. Los géneros ocupan esferas totalmente separadas. Muchas mujeres de edad no aprendieron nunca a conducir un automóvil ni a girar cheques. La felicidad conyugal provenía principalmente de mantenerse ocupados. Tanto las expectativas que generaba el matrimonio como las opciones que ofrecía eran menores.

A principios del siglo veinte, las mujeres no podían votar y los niños tenían muy pocos derechos. Ahora las relaciones entre padres e hijos y marido y mujer son menos autoritarias. Se puede afirmar en forma general que las familias de hoy son más democráticas. Se espera que haya intimidad y se aconseja que las parejas sean abiertas para comunicar lo que sienten y lo que piensan. Hay más posibilidades de buscar la realización de los sueños. Hay espacio para tomar decisiones más conscientes en casi todas las áreas de la vida, tengan éstas que ver con el estilo de vida, las relaciones, el trabajo, la religión o las actividades para el tiempo libre. Sin embargo, hoy la angustia existencial es más profunda y como las expectativas que ofrece el matrimonio son mayores, igualmente mayores son las decepciones.

LA PALABRA DEPENDENCIA TIENE CONNOTACIONES muy diferentes para las distintas generaciones. Una cultura comunitaria asumía la dependencia de la familia y la comunidad. Esto no era ni bueno ni malo, simplemente era algo necesario y por tanto nadie lo cuestionaba. Cuando nuestros padres eran jóvenes, los abuelos o los tíos abuelos solían vivir en sus casas. Se les quería más o menos según sus temperamentos, pero no se ponía en duda el derecho que tenían a que se cuidara de ellos. Así lo expresó la tía Henrietta, hablando de mi padre después de su trombosis: "No podía ser problema para mí: era mi hermano".

Según la corriente psicológica dominante en la actualidad, el desarrollo saludable ha sido conceptualizado como un proceso de autonomía e independencia crecientes. Como nuestra cultura está regida por los conceptos psicoterapéuticos, la dependencia se ha ido convirtiendo en una patología que denota debilidad. La cercanía pasó a ser limitación, las obligaciones se transformaron en resentimientos y necesitar del cuidado de otros se percibía como un cierto intento por controlar a los demás. Lo que había sido una esperanza —que los mayores contaran con sus hijos— pasó a ser un secreto vergonzoso. Lo que había sido una necesidad —que los hijos cuidaran a sus padres cuando éstos envejecieran— pasó a ser una decisión personal.

Este cambio en el sentido de la palabra dependencia, de algo natural a una situación vergonzante, ha convertido a nuestros mayores simplemente en viejos. Los viejos no quieren ser dependientes en una cultura con una fobia manifiesta hacia la dependencia. Y nosotros, los jóvenes, experimentamos el temor de ser sus víctimas. Fuimos educados con temor a la cercanía y muy bien prevenidos contra las relaciones complicadas. Lo que no se nos transmitió fue la serenidad y la seguridad que nos proporcionan la familia extensa y la comunidad.

En el transcurso del siglo veinte, los valores relativos de la dependencia y de la autonomía han sufrido un cambio profundo. Muchas personas mayores están orgullosas de encajar en sus familias y en sus comunidades. Así como la mayoría de sus coetáneos se sentían felices por ser parte del grupo, casi ninguna de las personas de mi edad quiere ser considerada conformista. Nos gusta considerarnos adultos autónomos, autosuficientes y librepensadores.

A principios del siglo veinte, los padres querían que sus hijos trabajaran mucho, se quejaran poco, colaboraran con los demás y respetaran a la autoridad. En su libro *Childhood's Future,* Richard Low habla de estas actitudes y cita un estudio hecho en Middletown sobre Muncie, Indiana, en 1924. En el estudio se les preguntó a los padres cuál era la cualidad que más apreciaban en sus hijos y el primer lugar lo ocuparon la obediencia y la conformidad. Se repitió la misma pregunta en 1974 y el orden en la lista era el inverso. Los padres modernos deseaban ante todo que sus hijos fueran independientes y autónomos.

En los primeros años de 1900, la concepción que se tenía del niño seguía los principios de Hobbes: la mayoría de las personas creían que los niños eran naturalmente malos y, por tanto, era necesario adoctrinarlos en el bien. Aunque había algunas excepciones, el castigo físico era un elemento aceptado para la educación de los niños. Éste podía ser fuerte: con correa, palmadas o quitándole al niño alguna de las comidas. En la opinión de la mayoría de los padres, "quien bien te quiere te hará llorar".

Los elogios no eran considerados positivos para los niños, pues los hacían pretenciosos y engreídos. Los padres no se vanagloriaban de sus hijos. El que fuera un poco vanidoso se encontraba con un: "¿Y tú quién te crees que eres?" Mi amiga Karen, con algo de sorna, comenta: "El mayor crimen que podíamos cometer era tener autoestima".

Los padres creían que era necesario observar a los niños, pero no escucharlos. No se creía que un niño se frustrara ni se traumatizara, sino que estaba recibiendo lecciones necesarias que le iban a enseñar a ser paciente y resistente. Robert E. Lee resumió esta filosofía así: "Enseña a tus hijos a negarse a sí mismos". Se enseñaba a los niños a reírse de sus angustias; aquéllos que se quejaban se enfrentaban con un "Te daré algo para que tengas de qué quejarte", y al que dijera que estaba aburrido se le respondía: "Tranquilo que yo te doy trabajo".

En 1943, Arnold Gesell escribió *The Infant and Child in the Culture Today,* en el que se hacía un llamado muy fuerte a los padres para que siguieran el proceso de sus hijos, en lugar de forzarlo, y para que respondieran con afecto a sus necesidades. Se hacía más énfasis en el afecto que en la disciplina. En 1947 se publicó el libro del Dr. Spock sobre el cuidado del bebé y del niño. Al igual que Gesell, Spock creía que los niños necesitaban adultos amistosos y acogedores, y recomendaba a los padres amar y disfrutar de los niños como eran en realidad.

El tema de la educación de los hijos pone de relieve muchas de las llamadas zonas de tiempo. De nuevo nos encontramos con que las estructuras profundas que animan las relaciones en las distintas generaciones son similares, pero las superficiales son distintas. Todos queremos hijos normales, que se comporten bien y sean productivos. Sin embargo, ningún padre moderno hablaría de "templar el carácter del niño". Lo que para nuestros padres era disciplina, para nosotros puede ser abuso.

Si bien es cierto que estas zonas de tiempo pueden dar origen a tensiones en las familias, también les proporcionan a los niños una diversidad de puntos de vista. Bajo condiciones ideales la diversidad enriquece la experiencia. Así, mientras los abuelos le enseñan al niño habilidades y buenas maneras, los padres le enseñan a expresar sus sentimientos. Está bien enseñarle al niño a soportar el dolor, pero también a reconocer y a comunicar lo que siente. Los niños que crecen con los padres y los abuelos pueden aprender independencia y colaboración comunitaria.

En *The Optimistic Child*, Martin Seligman hace un compendio de las ideas más acertadas del siglo acerca de la paternidad. Plantea que hasta 1960 los niños eran educados en la cultura del logro y a partir de entonces en la cultura del placer. En su opinión, este énfasis en los sentimientos ha hecho niños más depresivos y menos optimistas. Los niños son menos vulnerables a las depresiones si han sido educados en habilidades y comportamientos. Para él la honestidad es más positiva que el elogio. Los niños necesitan ayuda para trazarse retos razonables, posibles de obtener. Necesitan habilidades y estrategias específicas para alcanzar el éxito en lugar de promesas tranquilizadoras y vacías.

Seligman cree que si logramos mucho cuando esperamos poco, nuestra autoestima será mayor. Los niños pueden sentirse mejor si llegan mucho más lejos o saben tener expectativas razonables. Sus nuevas ideas traen consigo otras muy antiguas. Los padres de los años veinte ponían el énfasis en el buen comportamiento y en unas expectativas no demasiado amplias. También eran partidarios de un uso prudente del elogio.

No debemos idealizar el pasado. No hay virtud absoluta. Es bueno saber cuándo ser leal y cuándo no, cuándo disciplinar a un niño y cuándo no. Un padre moderno que vive las agresiones de su hijo puede añorar ocasionalmente esas épocas deliciosas en las que los niños no estaban autorizados a responderles a sus padres. Sin embargo, entonces había una rigidez y una reserva muy profundas, que surgían de un énfasis exagerado en el buen comportamiento. Los niños modernos tienen mayores posibilidades de contarles a sus padres sus experiencias y hacer bromas con ellos. Las comidas en familia son menos acartonadas y más divertidas.

En el pasado, la humildad era muy valorada y el elogio no se prodigaba, si es que se daba. Por tanto las personas eran modestas y obedientes, pero también tenían baja autoestima. La lealtad familiar era una virtud, pero una excesiva lealtad impedía a las madres denunciar el abuso sexual del padre. Mantener un gesto adusto no siempre funcionaba. Algunas personas conservaron esa rigidez toda la vida y terminaron en un manicomio.

La generación de nuestros mayores nació en una época en la que el estoicismo y la alegría eran muy valorados. Las personas aprendían a hacer buena cara y a usar la sonrisa como protección. Se consideraba una actitud saludable creer en las cosas a pie juntillas y se esperaba que las personas maduras no comunicaran sus problemas a otros.

Mi generación fue educada dentro de una concepción prácticamente opuesta a aquélla. La franqueza se valora muchísimo y el estoicismo ahora se llama negación de la realidad. Una persona que se repone inmediatamente de un golpe es una persona que no está procesando adecuadamente sus sentimientos. Las personas modernas no se callan las cosas. En mi calidad de psicoterapeuta he recibido llamadas de personas angustiadas porque los miembros de su familia no se deprimen frente a ciertas circunstancias. Esto no era problema para las familias pre-freudianas.

Las personas con sentido comunitario enfrentan los problemas trabajando, orando, socializando y bailando. Edward Robb Ellis escribió en *The Diary of a Century*: "Ahora que estamos en la Depresión, los payasos son importantes". La tía Henrietta, cuya situación era tan precaria que se hubiera comido una barra de mantequilla si hubiera podido, se rio de esto y dijo: "En realidad nosotros lo teníamos todo, excepto dinero". El trabajo y la religión curaban todos los males. La gente leía poesía y la Biblia en los tiempos difíciles. Muchas personas lograron sobrevivir y mantenerse firmes pues disfrutaban los libros, la música, las relaciones interpersonales y la naturaleza.

El énfasis en la aceptación del destino con total realismo produjo personalidades fuertes. Las personas menos resistentes no lograron sobrevivir a las penurias de principios del siglo veinte. La muerte, el dolor y las desgracias estaban siempre presentes. Las mujeres daban a luz en sus casas, a menudo sin ayuda profesional. Los niños morían de influenza o de cólera. Las personas tenían que aprender a enfrentar el sufrimiento, pues de lo contrario no lograban sobrevivir.

Un verano, siendo mi madre niña, una enorme granizada arruinó totalmente la cosecha de trigo. Cuando se evaluaron los daños, su padre dijo: "No podemos hacer nada aquí, vámonos de paseo". La familia entera se fue hasta las cataratas del Niágara, acampando y visitando amigos y parientes que vivían en el camino. Exceptuando algunas visitas a sus abuelos, éstas fueron las únicas vacaciones de la infancia de mi madre.

El abuelo de mi nuera también perdió una cosecha a causa de una granizada. Se quedó de pie en el porche mirando el campo cubierto de hielo y las plantas destrozadas. Luego dijo: "Recojamos el hielo y hagamos helado".

Los que han sobrevivido al siglo veinte tienen mucho que enseñarnos en lo que a resistencia se refiere. Saben reír, bailar y compartir los alimentos con los demás.

El Café del Pueblo

LA NOCHEBUENA EN TEKAMAH TENÍA UN RITO ESPECIAL: todos los habitantes del pueblo eran invitados al Café del Pueblo, en donde se les ofrecía gratuitamente sopa y pastel. Mi esposo y yo fuimos con sus padres, Bernie y Phyllis. La nieve caía lentamente sobre las calles y del norte llegaba un viento helado. El café estaba decorado con siemprevivas y guirnaldas verdes. Copos de nieve de papel y estrellitas brillantes colgaban del techo, y lo que más me impresionó fue el árbol que tocaba villancicos. El blanco para los dardos estaba totalmente decorado de verde y rojo y hasta en el calendario del almacén de repuestos habían pintado flores navideñas, al lado de las modelos en traje de baño.

Las dueñas del café eran las hermanas Norma y Lucille, mujeres con una capacidad extraordinaria para dar a las cosas un sabor de hogar. Horneaban panes de canela para celebrar los cumpleaños de los vecinos y reservaban mesas y tajadas de pastel para sus clientes habituales. Tardamos quince minutos en atravesar el salón. Nos detuvimos para charlar con la pareja de granjeros con los que Jim trabajó cuando estaba en la secundaria, con la florista que vivía al lado de sus padres, con una de sus maestras y con los padres de algunos de sus compañeros de escuela. Nos detuvimos un momento mientras que nos servían la sopa de almejas. Había tazas de dos tamaños: la normal y otra llamada JP, cuyo nombre lo tomaba de John Peck, a quien le encantaba tomar sopa en una taza grande. Lucille, encargada de servir la sopa, llevaba una gorra de Santa Claus. Había sido compañera de Phyllis en la escuela. Mientras que me pasaba el plato de sopa me dijo que las dos habían sido muy "tercas".

Nos llevamos nuestros platos de sopa a la sala de atrás. Norma nos sorprendió con cuatro tajadas de pastel, tan grandes que casi no cabían en el plato. El mejor amigo de Jim era sobrino de Norma; ella conocía a Jim desde que era bebé. Jim fue muy expresivo al elogiar la comida, pero debo aclarar que francamente hizo honor a la verdad.

Para esta época del año Tekamah es muy frío y oscuro. El café estaba lleno de personas mayores, muchas de ellas viudas, enfermas o ambas. Casi todos vivían con reducidas pensiones y tenían que preocuparse por que el dinero les alcanzara para pagar las cuentas del gas, los impuestos prediales y los costos del servicio médico. Temían resbalar en el hielo o perder su capacidad mental antes de que su corazón dejara de latir. Pero adentro todo era luz, afecto, ruido y alegría.

Mientras que nos tomábamos la sopa y comíamos el pastel se acercaron varios parientes a saludar. De hecho, casi todos los habitantes del pueblo tenían algún parentesco con nosotros por Bernie, cuya madre tenía ocho hijos. Casi todos ellos se quedaron a vivir en Tekamah y habían formado sus propias familias. Norma vino de nuevo a verificar si nos había gustado el pastel. En respuesta a su pregunta, Jim se hincó de rodillas en el piso, hizo movimientos de arriba abajo con los brazos extendidos y gritó "no lo merezco". Bernie nos contó que en Omaha se había comido un trocito de torta de queso por el que había pagado una fortuna y dijo indignado: "La gente de aquí no soportaría algo así".

Un viejo con sombrero de fieltro y un abrigo con cuello de piel se detuvo a conversar un rato. Todos nos unimos para cantarle su canción de cumpleaños a Wilma, quien todos los años se encargaba de hornear pasteles de Navidad para la familia de Jim. Miramos fotos de muchos nietos y nos pusimos al día en las noticias del equipo de básquet y la fiesta de la comunidad. Gracias al ambiente de este lugar, casi nos olvidamos del frío que hacía fuera y de lo pronto que había oscurecido.

Hace cierto tiempo, en un viaje que hice por el Este de África,
tuve la oportunidad de sentarme solo a la orilla de un hermoso lago; estando
allí, de pronto en mi mente se hizo clara la imagen
de lo que es una comunidad: un grupo de personas que, reunidas
en torno al fuego, escuchan a alguien contar una historia.

—BILL MOYERS

La comunidad, como la naturaleza, es un concepto que se hace más entrañable cuando empezamos a ver que se desdibuja. En el transcurso del siglo hemos ganado autonomía a expensas de las relaciones. En la actualidad hay menos vecinos ruidosos, pero esos vecinos cuidaban a nuestros niños cuando salían a jugar. Es muy difícil tener las personas al lado cuando las necesitamos y lejos cuando no las necesitamos. Pero ahora empezamos a comprender cuáles son las limitaciones de esta sociedad hotel, especialmente para los niños y los viejos.

Afortunadamente hay una nueva generación de psicólogos que empiezan a repensar las definiciones de la salud mental. Se están formulando nuevas definiciones que tienen en cuenta nuestra necesidad de estar en contacto con la familia, con las personas que viven cerca e incluso con los animales y la naturaleza. Las personas con sentido comunitario solían definirse a partir de su relación con su pueblo natal. Para ellos la madurez no se define por la autonomía sino por la capacidad de trabajar en armonía con los demás miembros de su comunidad. La teoría relacional moderna sugiere que una persona madura es aquélla que, con profundas raíces en su mundo, sabe moverse en ambientes más amplios y complejos. Los ecopsicólogos sugieren que estas relaciones deberían abarcar todo el planeta.

La dialéctica intergeneracional también tiene que ver con la comunidad. Una generación trata de liberarse de las estrechas interrelaciones y la siguiente añora sus raíces. Quizá nuestro desplazamiento desde una cultura tribal no representó una ruptura tan definitiva o permanente. Quizá, a medida que pasan los años, el péndulo regresa a donde estuvo. Muchos de nosotros anhelamos formar parte de una cultura de personas con historias e identidades compartidas. Sin estas relaciones sociales, los lazos escolares no perduran y nadie busca consolidar la asociación de exalumnos. Empezamos a darnos cuenta de que una vida sin comunidad es una vida superficial.

Vivimos en una época en la que nuestra salvación vendrá de la reconstrucción de la comunidad. Si damos a nuestros mayores tiempo y respeto, ellos pueden enseñarnos mucho. Pueden enseñarnos normas de convivencia, responsabilidad e interrelaciones. Su habilidad para contar historias, vivir en grupo, acoger a los niños y compartir el trabajo con otros nos ayudará a construir mejores comunidades para el futuro.

Podemos buscar en el pasado ideas que nos ayuden a construir nuevas comunidades. El tamaño era importante. Thomas Jefferson prefería las poblaciones con 1.000 habitantes, en las que todos se conocen y donde se disfruta al mismo tiempo de la diversidad suficiente para que cada quien logre su propio desarrollo. Ahora empezamos a darnos cuenta de que lo más grande no siempre es lo mejor. Las personas se sienten mejor en espacios más pequeños y humanos.

En las viejas comunidades la gente caminaba mucho. Los niños iban a pie a la escuela y los viejos caminaban hasta el centro de la ciudad para buscar el correo y tomar una taza de café. Casi nadie dependía del automóvil, lo que facilitaba el encuentro con los vecinos. Siempre había espacios cívicos disponibles para todos. Las aceras y los portales de las casas facilitaban el encuentro entre familias. Las plazas públicas, los parques con bancas para sentarse, las bibliotecas, las salas de baile, las iglesias y los centros comunales proporcionaban a la gente lugares de encuentro. Las comunidades se organizaban alrededor de reuniones de todo tipo, de compañeros de curso, de miembros de la banda musical, del club y de las familias.

Hoy estamos satisfaciendo nuestra enorme necesidad de vida comunitaria de diversos modos. Las iglesias se ven llenas de familias buscando una comunidad. Los grupos de lectura son otra manifestación de esta necesidad. Los grupos de caminantes, las asociaciones de artesanos, artistas, músicos y los festivales literarios son expresiones de lo mismo. Las librerías y los cafés con sillas cómodas, bebidas y áreas de encuentro intentan ser espacios en los que se construya comunidad. Se observa un florecimiento de reuniones de todo tipo en el mundo entero.

Muchos de los representantes de mi generación vivimos en comunas en nuestra juventud. A medida que nuestros hijos van creciendo, empezamos a sentir que la idea de vivir en grupo es atractiva. Muchos amigos me han expresado su deseo de vivir con, o al menos cerca de, los amigos, lo que permitiría compartir gastos y los oficios de la casa y además nos daría la posibilidad de ayudarnos unos a otros. Las personas de mi generación tendemos a confiar más en los amigos que en las instituciones. Nos gustaría ser interdependientes. En Los Ángeles ya hay un experimento de comunidad de vida interdependiente, en la que las personas mayores viven juntas y se ayudan unas a otras. Creo que cada día habrá más comunidades para ancianos.

Para recrear las comunidades es necesario facilitar las relaciones. Podemos relacionarnos con el vecino de asiento en el avión. Podemos aprender los nombres de los hijos de nuestros vecinos. Crear comunidad implica principalmente tratar de vivir menos de prisa y prestar más atención a los demás.

Las familias pueden trabajar para crear comunidad. Por ejemplo, conozco una pareja que decidió que después de comer saldrían a hacer un recorrido por los alrededores en lugar de sentarse a ver televisión. Al principio los niños protestaron, pero poco a poco empezaron a sentirse bien con las personas que se encontraban en su paseo, jugaban con los perros y fueron identificando nuevos espacios. Aprendieron los nombres de los vecinos y les entretenía buscar pajaritos. Una noche el hijo había invitado un amigo y éste salió con ellos a su caminata. La noche siguiente, después de comer, encontraron que el niño estaba sentado en la puerta de la casa esperándolos para salir con ellos. En la actualidad hay casi media docena de niños que los esperan para dar el paseo juntos.

Con frecuencia vamos a comer a un restaurante asiático que hay cerca de casa. Los miércoles en la noche hay siempre una mesa disponible para los maestros o estudiantes del colegio del barrio. Hay ocasiones en que se presentan quince personas, en otras, diez. Pero lo más importante es que la invitación está siempre abierta para cualquier persona del colegio que quiera asistir. Es algo pequeño, pero les da a los maestros y a los estudiantes un sentido de relación, es decir, es un oasis de cordura y de relación de tú a tú dentro de un enorme sistema.

Los negocios locales con frecuencia proporcionan el tiempo para las relaciones comunitarias. De la misma manera que los pilotos, los propietarios de los negocios locales "vuelan en el mismo vuelo" con sus clientes. Mi farmaceuta conoce a todos sus clientes y tiene una paciencia inagotable para atender sus consultas y preguntas. Lo he visto dedicar más de media hora a personas mayores preocupadas por sus juanetes, o a una madre joven cuyo bebé tiene pañalitis. Su método de trabajo quizá no es el más eficaz, pero su principal objetivo no es el dinero sino conocer suficientemente a sus clientes como para poder ayudar.

Hay una cafetería en el centro de la ciudad que se mantiene llena de gente.

El café, las galletas y los pasteles son deliciosos. Es muy acogedora y su ambiente es ideal, tranquilo, estimulante y acogedor. Los sábados por la mañana se reúne allí un grupo de hombres. Los cristianos van a estudiar la Biblia y también se ven grupos de ecologistas. Además hay sesiones de lectura de poemas, de grupos de caridad y con frecuencia se presentan grupos musicales. Los universitarios se encuentran para estudiar y los periodistas hacen allí sus entrevistas. Es un eje, o centro cultural de nuestra ciudad, un lugar donde fácilmente conozco unas veinte personas cuando entro a tomar algo. Necesitamos lugares como éste en nuestra vida, lugares en los que la gente sepa nuestros nombres, los de nuestros hijos y los de nuestros padres.

Margaret Mead definió la comunidad ideal como un espacio en el que hay lugar para todos los talentos humanos. En una comunidad ideal deberíamos encontrar lo mejor de los viejos tiempos y lo mejor de los actuales. En ella encontraríamos una mezcla de muchas razas, generaciones y puntos de vista. En ella podríamos disfrutar del estímulo intelectual y cultural que ofrecen las ciudades y la seguridad que nos brindan los barrios seguros. En ella tendríamos privacidad y comidas comunitarias, libertad y responsabilidades cívicas. Todos los adultos serían responsables de todos los niños. Tendríamos relaciones sin espíritu de clan, responsabilidad sin control autocrático. La comunidad ideal proporcionaría apoyo al crecimiento y desarrollo individual, y promovería la lealtad y el compromiso de todos en pro del bien común.

CAPÍTULO 4

La línea divisoria:
La psicología

La desgracia parece andar tras de ti.
Tienes dificultades económicas y perdiste a tu esposa.
Nadie se ocupa de ti.
La vida te importa poco.
La mala suerte te roba la esperanza.
La salud ya te empieza a fallar y anhelas la muerte.
Sin embargo, todavía puedes disfrutar del sol
y el inmenso azul del cielo.
Son tuyos, nadie te los puede quitar,
y su valor es tanto que no puede ser calculado.

— ROBERT SERVICE

Un choque de paradigmas

CUANDO EMPECÉ A ESCRIBIR ESTE LIBRO creía que la división entre mi generación y las anteriores era producto de los cambios tecnológicos. Pero la experiencia que he vivido en este proceso me ha enseñado que "la línea divisoria" la traza la psicología. Con Freud se dio una profunda transformación del clima emocional del mundo y en medio de ella nació nuestra generación. No es muy difícil entender los cambios tecnológicos que han experimentado quienes nacieron en cabañas, cosieron su propia ropa y cultivaron sus propios alimentos. Lo que sí cuesta es comprender la manera pre-freudiana en la que procesan la realidad.

Yo pertenezco a la primera generación postpsicología popular, postcultura comunitaria y posttelevisión. Cuando éramos adolescentes, nuestros padres verdaderamente no nos entendían. En ese entonces, los extraños éramos nosotros. Ahora que ellos están viejos, somos nosotros quienes no los entendemos y sus experiencias de vida los llevan a interpretar el mundo de una forma tan diferente a la nuestra que nos impide tener una comunicación verdadera y fluida con ellos. Cuando éramos jóvenes queríamos y necesitábamos su comprensión, y ahora que ellos están viejos necesitan la nuestra.

Muchas de las tensiones generacionales no son un asunto personal, las dificultades no son culpa de nadie. Es imposible cambiar nuestras historias, pero lo que sí podemos hacer es entrenarnos para hacerles frente. Podemos tener presente que las diferencias en las estructuras superficiales no siempre reflejan diferencias en las motivaciones de las estructuras profundas. Necesitamos traducciones e intérpretes más que declaraciones de guerra. Si podemos trabajar en estas "zonas de tiempo", llegaremos a aprender mucho unos de otros. Esto enriquecería nuestra vida.

Cuando me gradué de la escuela secundaria, en 1965, no había oído ni siquiera la palabra psicoterapia. En la actualidad, la psicología está en todas partes. Muchas personas hablan de autoestima, depresión, ataques de pánico y actos fallidos freudianos.

El progreso ha llegado a todas partes y la cultura se ha "terapizado". Muchos problemas que, como el alcoholismo, fueron relegados durante años a un segundo plano o considerados pecaminosos, ahora se abordan como problemas de salud. Nos hemos convertido en la cultura del "yo soy disfuncional, tú eres disfuncional". Si alguien afirma ser totalmente feliz, tendemos a pensar que está negándose a mirar la realidad o es un hipócrita. Si dices que tu infancia fue feliz, hay menos probabilidades de que te crean que si afirmas haber sido traumatizado por unos padres crueles. En la actualidad creemos que nadie está totalmente adaptado; solamente reconocemos que hay personas con una capacidad especial para encubrir sus patologías. Vivimos dentro de un modelo de salud mental que está totalmente patas arriba, pues los que están bien creen que están enfermos y viceversa. Confiamos en los tristes y dudamos de los alegres.

A principios de la década de 1990 la psicología se hizo presente en la radio y en la televisión, en las revistas para mujeres y en los discursos presidenciales. Las expresiones *formación por reacción* y *proyección* se volvieron de uso cotidiano. Hace poco leí una tira cómica en la que un portero le dice a una niña pequeña: "Tu madre debe estar planeando algo: te dio más galletas que de costumbre". Según mi amiga Pam, "parecemos estar obsesionados con tomarnos la temperatura emocional a cada minuto". Para muchas personas de mi generación, la terapia es la respuesta universal. A mi mente viene la imagen del escritor Spalding Gray, un hombre completamente moderno que se le declaró a su novia frente a su terapeuta.

Hemos creado barreras culturales. Aunque tengamos muy buenas intenciones nos resulta difícil desplazarnos entre las fronteras generacionales. Nos parece que nuestros padres son ridículos porque se preocupan por las apariencias, los modales y la opinión de los demás. Nosotros nos preocupamos más por cubrir nuestras propias necesidades y por expresar nuestros sentimientos. Para nuestros padres somos unos egoístas; su generación es menos analítica que la nuestra. Para ellos, el pan es el pan y el vino es el vino. Hay menos autorreflexión y análisis de los motivos. Para nosotros, ellos son poco comunicativos y para ellos nosotros nos la pasamos contemplando nuestros frágiles egos.

Mientras que nuestros padres consideran el sacrificio personal como una virtud, nosotros lo asociamos con el martirio o la majadería. Cuando hablan de todo lo que hicieron por nosotros, hacemos mala cara. De otro lado, ellos consideran nuestros esfuerzos por conservar nuestra independencia como una muestra de dureza de corazón. En una ocasión oí a un psicólogo describir a una clienta como una persona carente de objetivos para su propia vida, alguien que había vivido sólo para su familia. Terminó diciendo en tono frío: "Esto hace de ella una persona peligrosa". Un profesor, hablándome de una mujer que se había sacrificado mucho por su madre, dijo: "Ella representa todo lo que aprendí a despreciar: una vida de entrega desinteresada a otra persona".

LA HERMANA TERESA (64 años)
"No fui educada para hacer mi voluntad"

PRIMERA SESIÓN

La historia de la hermana Teresa es un ejemplo del choque de paradigmas. Vino a mi consulta debido al estrés que le producía el enfrentamiento entre un sistema de valores anticuado y las presiones de los años noventa. Traté de proporcionarle herramientas modernas que le ayudaran a enfrentar estas presiones sin dejar de ser una buena religiosa.

Teresa tenía casi setenta años, era una mujer pequeña y su hábito gris le llegaba un poco abajo de la rodilla. Era una persona amable pero su ansiedad era evidente. Durante la primera sesión permaneció sentada en la orilla del sofá, no sonrió ni una sola vez y cuando le planteaba preguntas relacionadas con sus sentimientos, la expresión de su rostro se convertía en mueca. Vino a consultarme siguiendo el consejo de la madre superiora, quien había observado su tendencia a llorar con facilidad y sus problemas de memoria. Hacía poco tiempo había sufrido de ataques de pánico. Teresa intentó enfrentar esta situación orando y meditando, pero por primera vez en la vida la aplicación de estos métodos no le había producido la paz que buscaba.

Era enfermera en un hospital católico de mucho movimiento. Trabajaba intensamente atendiendo a pacientes muy graves y recibía poco apoyo. Estaba literalmente agotada y enferma debido a las quince horas de trabajo diarias, pero había situaciones que no daban espera. No podía dejar el piso en casos de crisis y éstas se presentaban prácticamente todos los días.

También tenía otros problemas. Vivía en un apartamento con la hermana Josefina, que le había sido asignada como compañera precisamente porque Teresa era una persona muy estable. Josefina era emocional y entrometida, y hablaba todo el tiempo cuando Teresa necesitaba calma, pero ésta última no era capaz de hacerse valer ante Josefina. Cuando le pregunté si la había confrontado, me respondió: "Las religiosas no confrontamos. Nosotras aceptamos".

Cuando le pregunté qué hacía para relajarse, se quedó mirándome fijamente. Le repetí la pregunta y me dijo: "Me encantaba nadar. Hice parte de un equipo de natación en la secundaria, pero a las religiosas no se nos permite usar trajes de baño. La última vez que estuve en una piscina fue en 1959".

Teresa había sido educada en Iowa por padres que creían en el estoicismo y el cumplimiento del deber. Decidieron que su hija, poco atractiva y muy seria, sería una buena religiosa. Ella misma no estaba segura de haber querido serlo, pero en la secundaria, al leer algunos de los místicos católicos como san Juan de la Cruz y santa Teresa de Ávila, se vio expuesta a un panorama que, unido al entusiasmo de sus padres y a su falta de éxito con los muchachos, la convenció de entrar al convento. "Quería llevar una vida de fe y sacrificio, una vida con Dios", dijo.

Su noviciado duró un año y medio. Era una vida dura: se levantaba a las cinco y se iba a dormir a las diez. Leía, oraba y hacía la limpieza. "El día más feliz de mi vida fue cuando hice mis votos". Posteriormente estudió enfermería en la Universidad de Iowa y fue asignada al hospital. Ha sido una líder en su comunidad, buena trabajadora, devota y obediente. Le molestaba mucho estar causando problemas en la actualidad.

Durante esa primera charla me di cuenta de que no hablábamos el mismo idioma. Cuando le pregunté cómo se cuidaba a sí misma, me respondió que era Dios quien cuidaba de ella. Cuando le pregunté si abordaba sus conflictos con Josefina, me respondió que Josefina era su cruz. Cuando le pregunté a qué atribuía sus ataques de ansiedad, me respondió que necesitaba tener una fe más profunda en Dios.

La psicología se concentra en el autoanálisis y el autocuidado, algo que generalmente dirige a las personas hacia la libertad y la realización personal. El idioma de la hermana Teresa hablaba de negación de deber, de sumisión y de vida en comunidad.

Nuestra conversación habría sido agradable ese día si no hubiera sido por la profunda depresión y ansiedad de Teresa. Cuando le sugerí que se cuidara un poco más a sí misma, me respondió que estaba convencida de que debía poner sus propias necesidades en el último lugar. Le ofrecí obtener una autorización para que nadara como tratamiento para la depresión y protestó pues no quería enfrentar a la madre superiora. El punto álgido de nuestra charla fue cuando le dije exasperada: "Usted se ha sacrificado hasta sumirse en la depresión más profunda", y ella me respondió humildemente: "No fui educada para hacer mi voluntad".

Décima sesión

La comunicación entre las dos fue mejorando poco a poco. Aunque para Teresa yo era una hereje, estaba tan estresada que siguió yendo a la consulta. Había pensado hasta en el suicidio, el cual, según su iglesia, es un pecado grave. Aprendí a plantear las sugerencias de forma que fueran benéficas para la orden y para su trabajo y no sólo para ella. Le decía, por ejemplo: "Si usted está relajada y saludable puede servir mejor a Cristo". Teresa se dio cuenta de que la agresividad que sentía hacia su compañera de cuarto no era un sentimiento realmente cristiano y que quizás deberían hablar. Reconoció que la ansiedad que la mantenía despierta en las noches no sólo la hacía sufrir, algo que ella aceptaba, sino que no la dejaba trabajar bien. Logramos entendernos en cuanto a que las dos queríamos lo mismo para ella, es decir, una vida religiosa productiva, pero relajada, saludable y sana.

Con el tiempo logré convencer a la hermana Teresa de que no era pecado cuidarse a sí misma, si ese cuidado le permitía ser un adecuado instrumento de Cristo. Su superiora asistió a una sesión y su actitud fue un apoyo extraordinario. Sugirió trasladar a la hermana Josefina a la casa matriz y permitirle a Teresa vivir con otra hermana con la que se llevara bien. También aceptó trabajar con el hospital para buscar una mejor reorganización del personal.

Lo mejor de esa sesión, creo, fue que Teresa volvió a nadar. Le dije a la madre superiora que la natación era un instrumento excelente para aprender a manejar el estrés. Además le dije que si no se le abría esta posibilidad, era posible que la hermana Teresa necesitase tomar tranquilizantes. Así, Teresa compró un traje de baño con faldilla y empezó a nadar temprano en las mañanas en la Asociación de Jóvenes Cristianas.

En esa sesión parecía haber rejuvenecido diez años, su rostro brillaba y por primera vez la vi reír. Cuando le pregunté cómo estaba, me abrazó y gritó: "Me encanta nadar". Se rió de escuchar su propia voz llena de entusiasmo y duró quince minutos describiendo la piscina, la temperatura del agua y la sensación de su cuerpo al nadar. "Mis tensiones desaparecieron, me siento fresca y renovada".

Me dijo que estaba durmiendo bien, que lloraba menos y que sus ataques de ansiedad habían disminuido. La hermana Josefina se había ido a otra parte y su amiga vivía ahora con ella. El trabajo seguía siendo abrumador, pero era la única cosa abrumadora en su vida. Con mi respaldo se iba haciendo más capaz de pedir apoyo en su unidad. La madre superiora había llegado incluso a ordenarle tomar unas vacaciones e ir a visitar a su familia en el verano. Me dijo: "No he ido a casa en diez años".

Durante la terapia nuestras "zonas de tiempo" chocaron, pero la colisión nos enseñó muchas cosas a las dos. Pude apreciar la alegría y sentido de la vida que le daba a Teresa el hecho de ser religiosa. Llegué a valorar su comunidad, aun cuando el énfasis en el cuidado a los demás seguía haciéndose en detrimento de sus propios miembros. Teresa pudo ver que para enfrentar las demandas que nos plantea la vida actual necesitaba algunas de las habilidades de las personas modernas. Necesitaba tener seguridad en sí misma, aprender a manejar el estrés y poner límites a su trabajo. Aprendió que podía ser una buena monja y una buena cliente de terapia. Al referirse a la natación en esta última sesión dijo: "No puedo creer que Dios no apruebe que yo haga algo que me ayuda tanto".

PARA LAS PERSONAS QUE PERTENECEN A LA GENERACIÓN DE LOS MAYORES la terapia es un concepto extraño. En un relato publicado en el *New Yorker* encontré esta frase de una mujer: "Debes estar fuera de tus cabales para darle a un psiquiatra un dinero con el que podrías comprarte un par de zapatos". Me acuerdo de una viuda a quien le sugerí una terapia y ella me respondió: "Si voy a terapia, ¿eso me devolverá a mi marido?"

Mi cliente Rosa quería ayudar a su madre, quien estaba bajo la presión que le producía tener un nieto delincuente y un hijo en bancarrota. Rosa pensó que si su madre abordaba estas situaciones con un terapeuta podría mejorarse de sus ataques de ansiedad. Después de un trabajo bastante prolongado logró que su madre fuera a donde un terapeuta local. Luego de la primera cita, su madre le dijo que ya había pasado su chequeo de salud mental y que no tenía que volver. "¿Le contaste sobre la quiebra, le hablaste de tu nieto o de tus ataques de pánico?", le preguntó Rosa. Su madre le respondió indignada: "Claro que no. Nada de eso es asunto de él".

La mayoría de las personas mayores no consideran la terapia como parte de su mundo. Cuando van a donde un terapeuta no siempre perciben los beneficios. Hay algunos que se esfuerzan tanto en hacer buena cara frente a las situaciones que es imposible saber las razones que los llevaron allí.

Leo llegó a mi consulta enviado por su médico debido a su adicción a los medicamentos. Cuando le pregunté datos relacionados con su vida me respondió que todo iba a pedir de boca. Tenía una esposa maravillosa, un muy buen trabajo y amigos estupendos. Cuando le pregunté sobre los medicamentos, me respondió que su médico creía que él tenía un problema pequeño pero él se sentía estupendamente. Por último, ya desesperada, le pregunté: "¿Hay algo en su vida que no sea maravilloso?" Pareció desconcertado y me respondió: "Jovencita, todo está perfectamente bien, gracias".

¿Por qué no les gusta a las personas mayores la terapia? En primer lugar, la idea casi nunca se les pasa por la mente. Cuando estaban jóvenes, se guardaban los problemas para sí mismos, oraban o hablaban con sus parientes. Era muy extraño que abordaran el problema con personas que no fueran de la familia. Si lo hacían buscaban apoyo espiritual en los ministros de su iglesia, en amigos muy cercanos, en los médicos, en los meseros de los bares o en los peluqueros. Lo más probable es que trataran de ocuparse de otras cosas para enfrentar el estrés. Algunos recurrían al alcohol, otros golpeaban a sus hijos, pero la mayoría sabían enfrentar los problemas de modo relativamente saludable. Mi padre pescaba. Mi abuelo iba al billar o a jugar damas chinas. La tía Grace se ocupaba del jardín y criaba pájaros cantores. La tía Henrietta le hacía bromas a todo el mundo.

Las personas mayores no sólo no tienen ninguna experiencia con las "curas habladas" sino que han sido entrenadas para hacer lo opuesto. Aprendieron que palabras como *cáncer* y *divorcio* se mencionaban en voz baja. Se les enseñó que hablar de algo, en cierta forma, lo hacía aparecer más real. Por tanto, una forma de protegerse de los eventos dolorosos era no mencionarlos, hacer como que no existían. La psicoterapia es todo lo contrario a esta teoría.

Así, cuando las personas mayores van a terapia, con frecuencia la asumen de modos bastante peculiares. Un padre que fue a una sesión familiar con su hijo me pidió que le dijera a su hijo que se dejara de tonterías y que mantuviera su matrimonio. Una mujer me dijo que su terapeuta anterior era espantoso: "El muy tonto se sentaba frente a mí sin decir ni una palabra".

Las sesiones de terapia familiar con representantes de distintas generaciones son interesantes. Muchas veces los padres consideran una traición lo que para los hijos es un trabajo duro y honrado; y lealtad familiar, lo que para los hijos es una actitud defensiva. Conservar las apariencias puede ocasionar problemas. Pienso en Daniel, cuyos padres eran alcohólicos. Trató de hablar sobre su adicción a la bebida y ellos afirmaron que solamente se tomaban una copa de vino una que otra vez. Cuando él les dijo que se habían pasado de tragos en el cumpleaños de su hijo, ellos respondieron que ese día estaban muy cansados. Daniel no logró que sus padres enfrentaran su problema. Siguió visitándolos, pero decidió que sus hijos se quedaran en casa pues no quería exponerlos al espectáculo de sus abuelos borrachos.

Las personas mayores temen ser estigmatizadas cuando algún médico les recomienda psicoterapia. Crecieron en una época en la que las enfermedades mentales eran temidas y odiadas. Muchos prefieren enfrentar el sufrimiento y no la vergüenza, ni admitir la derrota que para ellos implica la terapia.

Hay muchos que no tienen los medios económicos para pagar una terapia o, aunque los tengan, la encuentran muy costosa: pagar sólo para hablar con una persona, especialmente si ésta es cincuenta años menor, casi en pañales todavía, como me dijo un cliente en una ocasión. Por tanto, es extraño que vayan a donde los psicoterapeutas y cuando lo hacen se sienten incómodos. Hay unos pocos que sí van, pero para la mayoría la sola idea es inquietante. Mi madre médica tenía muy poco respeto por los "quejicas". Ella respetaba mi trabajo con personas seriamente perturbadas, pero se maravillaba de mi paciencia con "toda esa gente que se dedica a mirarse el ombligo".

VICKY Y ANA (35 y 68 años)

"Antes de hablar con Vicky,
yo creía que era feliz"

VICKY LLAMÓ A PEDIR UNA CITA PARA SU MADRE, que según ella necesitaba trabajar algunos problemas con un terapeuta. Le pregunté qué pensaba su madre y ella se rió. "Bueno, digamos que preferiría un tratamiento de conductos".

Vinieron al día siguiente. Ana llevaba un traje rosa pálido, tacones bajos y un bolso que hacía juego con sus zapatos. Vicky tenía slacks de lino y un top de seda hindú bordado con pedrería. Era delgada y hermosa, pero su rostro denotaba tensión.

Ana era educada, recatada y hablaba en voz baja. Toda su vida había sido secretaria ejecutiva en una compañía local de seguros. Trabajó en una época en la que las mujeres habían entrenado a los hombres para que fuesen sus jefes. Ana se veía claramente incómoda de estar en mi consultorio, pero estaba ansiosa por hacer lo correcto. Vicky, por su parte, casi inmediatamente me empezó a contar que vivía en Nashville con sus dos hijos adolescentes y que formaba parte de prácticamente todos los grupos de apoyo que se conocían en los alrededores: glotones anónimos, jugadores anónimos, drogadictos anónimos y deudores anónimos. Vicky dijo que su ex esposo no había podido mantener a la familia y que ella atribuía sus problemas económicos a Ana, pues ésta le había enseñado que el hombre debía mantener a la mujer, aunque a decir verdad eso no había funcionado para ninguna de las dos. Las palabras salían a borbotones de la boca de Vicky, mientras que su madre permanecía sentada con las manos cruzadas sobre las piernas y con una sonrisa de angustia en el rostro.

En cierto momento la interrumpí para preguntarle qué creía que podía hacer yo por ellas. Vicky dijo que su madre tenía muy baja autoestima y que ella deseaba que enfrentara sus problemas. "¿Qué problemas?", le pregunté a Ana. Ella movió la cabeza y dijo en tono adolorido: "Yo no sé. Antes de hablar con Vicky, yo creí que era feliz".

Vicky dijo: "Madre, estás negando totalmente la realidad. Confía en mí. Yo puedo identificar los síntomas". Cuando Vicky me dijo que su madre no se había repuesto nunca de un divorcio muy amargo, Ana dijo suavemente: "A mí me pareció amistoso". Cuando Vicky describió el matrimonio de sus padres como carente de amor, Ana dijo: "Bueno, en realidad no fue totalmente sin amor". Vicky suspiró: "Tienes que enfrentar tu pasado".

Vicky describió muchas peleas entre sus padres, las palabras duras que se entrecruzaban e incluso un amorío que tuvo su padre cuando ella era niña. Ana la interrumpió para decir: "Vicky recuerda tantas cosas que yo olvidé, que me sorprende cuando me dice que esas cosas pasaron".

Vicky dijo que por culpa de sus padres ella no había podido tener relaciones exitosas con los hombres. Hizo alusiones al abuso y habló con palabras muy duras sobre su padre y sus abuelos. Ana tosió educadamente, pero Vicky hizo caso omiso de esta señal de inconformidad y siguió hablando de sus problemas. Como madre soltera, había tenido que luchar mucho. Su hija era rebelde y su hijo había experimentado con las drogas. No tenían tiempo ni dinero suficiente. Las escuelas no eran seguras. Ana estaba claramente molesta con la verbosidad de su hija. Cada cierto tiempo interrumpía para decir con suavidad: "¿De veras es tan terrible?" Eso molestaba a Vicky, quien creía a ciegas en la importancia de la franqueza.

Yo me sentía incómoda en medio de estas dos mujeres pertenecientes a "zonas de tiempo" tan diferentes, culturalmente hablando. Tenían recuerdos distintos, diferentes niveles de comodidad relacionados con la apertura a los demás y diferentes ideas en lo relacionado con la forma de enfrentar el dolor. Ana creció en un mundo que le enseñó a mantener los problemas en la familia. Vicky creció en un mundo en el que la negación era malsana. Yo tenía que hablar con cada una de ellas en sus respectivos idiomas.

Sus paradigmas para determinar quién gozaba de salud mental eran diferentes. Ana había aprendido a ser dócil, agradable y a sufrir en silencio; Vicky aprendió que una persona mentalmente sana debía expresar sus emociones. Chocaban permanentemente. Lo que para Vicky era procesar los sentimientos, para Ana eran quejas. Lo que para Vicky era enfrentar los problemas familiares, para Ana era traición. Desde luego, sus respectivas personalidades jugaban un papel importante. Vicky era más firme y comunicativa, Ana era más callada y reservada. Claro está que esas personalidades habían sido moldeadas por la época en que les correspondió crecer.

Hubo un momento en el que Vicky levantó los brazos y me dijo: "Gracias a Dios que estoy aquí para contarle lo que en realidad sucedió. Mi mamá habla de su vida como si fuera una romántica". Ana, demasiado educada para contradecir a su hija en público, dijo con suavidad: "Creo que estás exagerando".

Yo quería asumir una perspectiva generacional respetuosa con las dos mujeres, pues las dos tenían su parte de razón. El pasado quizá era peor de lo que Ana recordaba y mejor de lo que Vicky sentía. En un mundo ideal, Ana debería ser capaz de procesar los hechos con mayor realismo y con más profundidad, y Vicky de animarse un poco y no sumirse en lo negativo.

Vicky representa lo que Robert Bly llama "la adolescente perpetua", siempre a la caza de gurús. Para hablar de su madre siempre recurría a su terminología moderna y Ana accedía complaciente a ser definida en esos términos. La infelicidad de su hija fue lo que convenció a Ana de venir a la psicoterapia; las heridas que estaban abiertas eran las presentes en la memoria de su hija. La amaba y haría cualquier cosa para no perderla. Si Vicky fuera más feliz, Ana estaría preparando galletas para sus dos nietos y cuidando su jardín.

Me identificaba con las dos mujeres. Yo estaba entre ellas cronológica, literal y simbólicamente. Cuando mi madre vivía, yo mantenía cierta tensión con ella porque, como Ana, ella negaba todas las dificultades del pasado. Le gustaba pensar que siempre habíamos sido una familia feliz y maravillosa, al menos hasta que mi padre sufrió el derrame. Sus recuerdos distorsionados me molestaban. Además, yo puedo sentir pena por mí misma de una manera más parecida a la de Vicky que a la de Ana. Ni ella ni yo fuimos condicionadas para sacar el mayor provecho de la vida.

Me gustaban la urbanidad y la valentía elegante de Ana y comprendía que Vicky sintiera esa necesidad de hablar del pasado. Mi trabajo era lograr que ninguna de las dos monopolizara el relato de los recuerdos familiares. Aunque la versión de Ana fuera más suave, merecía respeto. Anhelaba lograr comunicarles a las dos las habilidades de cada una de las generaciones. Ana podía echar mano de nuevas habilidades para procesar la información y tener una actitud más abierta en lo tocante a sus sentimientos y Vicky podía aprender a dejar tranquilas algunas aguas.

La vida de Vicky, en una ciudad bastante dura, era difícil y Ana estaba envejeciendo sin ninguna compañía. Las dos se necesitaban mutuamente. Si bien las estructuras superficiales eran muy diferentes, era fácil ver que se querían mucho. Había una estructura profunda en común y era el deseo de ofrecer a los hijos de Vicky el calor de una familia unida. Sin importar cuán equivocada estuviera Vicky en relación con su madre, lo que en realidad quería era que ésta última tuviera una mayor autoestima. Ana, por su parte, haría cualquier cosa por Vicky, incluso soportar esta terapia demasiado personal.

Al terminar nuestra sesión, les pregunté si querían programar otra. Ana miró a Vicky, quien dijo: "Claro que sí, apenas estamos empezando". Le pregunté a Ana qué quería ella y me sorprendió su respuesta tan honesta: "Nunca pienso qué quiero hacer, sino qué debo hacer".

Vicky reaccionó: "Mamá, eso no es saludable. Ésa es precisamente la razón por la que estamos aquí".

Yo intervine: "Ustedes están aquí en parte porque no están de acuerdo sobre qué es saludable. Mi objetivo es ayudarles a trabajar sobre estas diferencias a fin de que las dos lleguen a disfrutar la una de la otra".

Al salir, Vicky me abrazó y dijo: "Mamá está sufriendo y yo quiero que las cosas se arreglen. Yo creo que la terapia nos va a ayudar". Ana, con una sonrisa un poco incómoda, me dijo: "Buenas tardes".

LA GENERACIÓN DE ANA VALORA ENORMEMENTE la lealtad y la moderación. Algunas veces estas cualidades llegan a adquirir proporciones heroicas, otras sirven para encubrir serios problemas. Por ejemplo, representantes de las generaciones anteriores podrían hablar del tío Martín como alguien "a quien le gustaba mucho tocar a los demás", mientras que para una persona moderna el tío Martín había cometido incesto.

La reina Isabel y la princesa Diana son buenos ejemplos del choque de paradigmas. Las dos mujeres ejemplifican las virtudes de sus "zonas de tiempo". Diana era abierta, espontánea y auténtica. Isabel es reprimida, estoica y digna. Diana fue educada en una época post-freudiana, post-Spock y post-Maslow. Era una mujer con una mentalidad influida por la psicología, capaz de procesar sus sentimientos, compartir su dolor y analizar sus reacciones frente a cualquier evento. Isabel se guarda sus sentimientos y cumple con su deber. Compartir su dolor le resultaría tan difícil como montar en patines en línea o programar una computadora.

La madre de Alicia tiene muchos problemas de salud y vive con ella. Para Alicia cuidar de su madre no es un problema sino un privilegio. Sin embargo, hay días en que todo le sale al revés en la casa y en el trabajo. Entonces se queja del estrés al que está sometida o dice sentirse abrumada. Su madre de inmediato reacciona negativamente y dice que se va a vivir en un hogar geriátrico. Entonces Alicia tiene que calmarla y asegurarle de nuevo que quiere vivir con ella. Alicia me dijo: "Lo que para mí es una simple expresión de sentimientos, para mi madre es rechazo. Se siente obligada a actuar".

La generación de nuestros padres enfrentó el dolor y el trauma tratando de darles menor importancia de la que tenían. Cuando mi suegra estaba ya muy enferma, yo quería hablarle del estrés al que estábamos sometidos, dejar aflorar los sentimientos y poder decirle: "Te quiero". Mis suegros hacían bromas y evitaban hablar de la gravedad de la situación. Phyllis miraba televisión y jugaba cartas en su cama en el hospital. Eran muy amables conmigo pero estoy segura de que pensaban que yo era demasiado emocional. A mí me parecía que estaban pasando por alto asuntos importantes.

La diferencia en la forma de manejar las emociones lleva a malos entendidos. Las quejas de los hijos adultos hacen enojar a los padres, que tienden a considerarlos como llorones. Piensan que su hijos tienen muchas cosas que ellos no tuvieron y no saben apreciarlas. Por otra parte, los hijos escuchan con escepticismo los relatos de sus padres acerca de la felicidad de sus familias. Los hijos adultos confrontan a sus padres por lo que para ellos era abuso y éstos últimos están convencidos de que sólo se trataba de conservar la disciplina.

Hay muchas familias rotas como resultado de este choque de paradigmas. Los hijos adultos quieren simplemente reconocer y perdonar, pero no pretender que las cosas malas nunca sucedieron. Los viejos ven a sus hijos como flores delicadas que distorsionan la historia y sólo recuerdan lo malo. Lo que queremos es saber la verdad, y nuestros padres nos responden: "¿Para qué volver sobre ello?"

Estas diferencias en ocasiones se vuelven tragicómicas. Estaba dirigiendo una discusión sobre problemas familiares en Kansas cuando una mujer mayor afirmó que nadie en su familia había tenido problemas graves. Quizá era cierto, pero ninguna de las personas que nacieron después de 1950 le creyó. Y lo que sigue sólo pudo suceder en 1990: Una vez fui entrevistada por una periodista de radio que se había divorciado hacía poco. Estando al aire, empezó a contarme la historia de su vida y cómo después de una terapia ella había enfrentado a sus padres reclamándoles el haber crecido en una familia que evitaba los conflictos.

No quiero hacer una exaltación romántica del pasado. También existían el abuso sexual, físico y psicológico. La negación puede impedir que muchos problemas graves se solucionen. Hay ocasiones en las que la falta de cierta sofisticación psicológica ocasiona problemas a las personas. La represión y la obsesión por el deber a expensas de la persona pueden dar origen a la depresión y a la fatiga. Reprimir los sentimientos por años y años puede ser fuente de relaciones débiles, siempre bajo sospecha, y síntomas somáticos. Las tensiones pueden desembocar en dolores de cabeza, comportamiento pasivo-agresivo o peleas por las herencias.

Las personas que mantienen silencio frente a los desacuerdos no son necesariamente amorosas. El silencio puede hacer que problemas muy sencillos se vuelvan inmanejables. Muchas personas mayores podrían tener mejores relaciones si pidieran lo que desean. Se llenan de resentimientos que habrían podido disiparse si se hubieran expresado. Las personas incapaces de plantear sus necesidades pueden ser pasto de la amargura. Las personas mayores han pagado con creces su cuota de martirio, mal humor y represión.

Muchas cosas que debieran hablarse ni siquiera se mencionan. El espectacular suicidio del padre de Bess Truman derrumbó totalmente a su madre, quien se convirtió en "prisionera de la vergüenza" y casi nunca volvió a salir de casa. Bess se tuvo que hacer cargo de su madre inválida por el resto de su vida y Harry Truman dudó en lanzar su candidatura a la presidencia porque temía que el suicidio se ventilara públicamente. Si la madre hubiera podido hablar acerca de su pena quizá habría podido regresar al mundo de los vivos y hacer más fácil su vida y la de su familia.

Sin embargo, la situación es más compleja de lo que parece. La pena se expresa de diversas maneras. En el pasado se brindaba mucho apoyo así fuera a través de pasteles, chistes y ofertas de trabajo. En la actualidad es posible que las personas en dificultades se abran más, lo que no necesariamente quiere decir que reciban más apoyo. Es posible que reciban menos respaldo efectivo.

MONA Y JUNE (93 y 60 años)
"Trato de no pensar demasiado en ello"

JUNE ME LLAMÓ PARA PEDIRME UNA CITA PARA SU MADRE. Seis meses antes el único hijo hombre de Mona había muerto en un accidente automovilístico. Desde entonces ella se estaba desmoronando: no comía y pasaba mucho tiempo durmiendo. Su médico le atribuyó este descenso a su avanzada edad, pero para June lo que Mona tenía era una profunda depresión. Le advertí que muchas personas mayores rehusaban ir a psicoterapia y su respuesta fue: "Allí estaremos mañana".

Al día siguiente June trajo a Mona, que estaba vestida con un kimono de seda negra y zapatillas. Tenía el pelo bien arreglado y de un blanco intenso. Elogié su corte y me respondió orgullosa: "Lo hizo June". Esta última sonrió y dijo: "Desde niña me ha gustado jugar con el pelo de mamá".

Cuando le pregunté a Mona por su salud, me respondió: "Nada me duele ni me molesta, mi única queja es mi falta de energía".

June llevaba un vestido suelto, sandalias y collar de vértebras de culebra. Era administradora de un instituto de arte y estaba en licencia actualmente para cuidar a Mona. Me dijo: "Vine a casa hace tres meses a visitar a mamá y me di cuenta de que ella estaba necesitando ayuda. Pesaba cuarenta kilos y había dejado de salir de la casa. Actuaba como si estuviese lista para morir".

Mona dijo: "Le he dicho a June que estoy cada día más vieja, pero ella no quiere aceptarlo".

"Mamá, tú estás deprimida".

Mona negó ese argumento con un movimiento de su mano, pero dijo: "June es una buena hija".

"En la actualidad soy la ayuda personal de mamá, su cocinera, su chofer, su asistente y su secretaria social". Añadió que había tratado de hacer que Mona se interesara por sus viejas amistades, que asistiera de nuevo a presentaciones de danza o a conciertos (todas estas actividades le habían gustado siempre), pero ella no se animaba con nada y añadió: "Todo esto es totalmente inusual en mamá".

June preparaba sopas y ensaladas deliciosas e invitaba amigos a cenar. La reacción de Mona era: "Por favor no me hagas comer, no tengo hambre". Un día June preparó una hamburguesa vegetariana y Mona dijo que le parecía un ratón muerto. Por último, June decidió reñirle y le recordó algo que Mona le había enseñado cuando era pequeña: "Si no puedes cambiar la vida, cambia tu actitud".

"Mamá, dime por qué eres tan negativa", le dijo un día June. "¿Te cuesta mucho decir 'tengo la suerte de poder disfrutar de esta maravillosa comida preparada por alguien que me quiere mucho'?'"

June rió y dijo: "Nunca antes había reñido con mi madre, pero me alegra haberlo hecho porque después de eso dejó de quejarse".

"Ahora estoy mejor", dijo Mona. "June me ha hecho volver a vivir".

"Todavía tienes mucho por vivir", le dijo June.

En su juventud, Mona tuvo muchas aventuras. Su familia era amante tanto del aire libre como de la vida cultural de las ciudades. Creció hablando inglés y checo. En una ocasión bailó ante el Príncipe de Gales. Disfrutó mucho su niñez en el campo, sus años de estudiante y de bailarina, y su vida de esposa y madre. Se le iluminaban los ojos cuando hablaba del pasado. Solamente cuando hablaba de la muerte de su hijo se le veía como una vieja-vieja.

"Mamá perdió su interés por la vida cuando murió Frank", dijo June.

Mona añadió: "Perder a Frank ha sido la peor experiencia de mi vida".

Le pregunté con suavidad: "¿En qué forma ha tratado de elaborar su pérdida?"

Mona titubeó: "Trato de no pensar demasiado en ello".

"Mamá, pero si no piensas en otra cosa", dijo June.

Mona necesitaba hablar de sus sentimientos, pero yo no estaba segura de si era justo pedirle esto a una mujer de noventa y tres años que prefería "no pensar demasiado en ello". Como muchas otras personas, había tratado de ignorar la tragedia. Este método le había funcionado con pérdidas anteriores, pero no le servía en esta ocasión. Mona podía beneficiarse de otras formas modernas para enfrentar la tragedia.

Dije que tal vez podría sentirse mejor si venía a hablar conmigo acerca de Frank. Le pedí que trajera sus fotos. June dijo: "Mamá tiene guardadas sus cartas, quizá podría traerlas". El rostro de Mona se tensionó pero asintió con la cabeza. Yo dije: "La próxima vez hablaremos sobre su hijo. Quiero que tenga unas pocas sesiones en las que pueda expresar su tristeza".

Mona terminó la sesión diciendo que había sido muy afortunada en la vida, que había nacido en una familia muy bonita y que después había tenido la suya propia, también muy hermosa. June la interrumpió diciendo: "Mamá, no has tenido una vida afortunada sino muy difícil. A tu hermano lo mataron en la guerra y perdiste a tu padre siendo aún muy joven. Cuando apenas tenías cincuenta años murió tu esposo y ahora perdiste un hijo".

Mona pensó en lo que June había dicho y respondió: "Todo el mundo tiene que pasar por esas experiencias, pero siempre he tenido personas lindas a mi alrededor. Siempre he podido disfrutar de las cosas de la vida".

June dijo: "Mamá tiende a negar sus penas", a lo que Mona respondió: "June es más emocional que yo".

"Las dos tienen razón", les dije. "Mona, usted ha logrado manejar sus penas poniendo el énfasis en las cosas positivas. Sin embargo, ahora ya no tiene la capacidad de encontrar con qué gozar. Creo que si tratamos este problema, es posible que su vida adquiera de nuevo su aspecto agradable".

Mona dijo: "Espero que June se dé cuenta de que nada de esto tiene que ver con ella. Yo la quiero muchísimo". Los ojos de June se llenaron de lágrimas y le dijo: "Yo también a ti, mamá. Precisamente por eso quiero que hables con la terapeuta".

MONA TENÍA LA MAYORÍA DE LOS PROBLEMAS QUE ENFRENTAN los viejos-viejos: pérdida de las personas amadas, una salud precaria y depresión. La forma en la que enfrentaba los problemas, que le había servido cuando era joven, ya no era adecuada. Necesitaba algunas de las habilidades propias de nuestra generación para procesar estas situaciones. Mascullar sola su tristeza no le iba a ayudar a salir de su pena.

Ambas generaciones saben cosas importantes acerca de cómo elaborar las penas. Es bueno saber enfrentar los problemas, pero en algunos casos la mejor forma de manejar una situación imposible es alejarse de ella. En algunos casos lo mejor es compartir los sentimientos tristes; en otros casos es mejor hacer bromas o trabajar. La clave es encontrar un equilibrio adecuado.

Vale la pena admitir que un aspecto positivo de envejecer es que en algunas ocasiones les permite a las personas decir la verdad. Quienes estarían listos a objetar algún relato están muertos, e incluso con los que están vivos el estatuto de las limitaciones pierde vigencia. Muchos hijos adultos dicen haber tenido conversaciones profundas y densas con sus padres acerca de las historias familiares. A medida que se van acercando a la muerte, muchas personas deciden hacerle frente a temas como el aborto, el suicidio y otros fantasmas que tienen guardados en el ropero.

Muchas personas mayores de ochenta años pueden decir, por primera vez en la vida, lo que sus hijos significan para ellos. Mis tías y tíos ahora me dicen que me quieren, algo que no hicieron cuando éramos menores. Con frecuencia los abuelos pueden ser mucho más expresivos con su nietos de lo que fueron con sus propios hijos. Los hombres viejos se permiten a sí mismos llorar cuando están profundamente conmovidos, lo que les sucede mucho más fácil y frecuentemente.

Una de las verdades difíciles que finalmente nos tocó enfrentar en nuestra familia fue la enfermedad mental de mi abuelo. Tanto el diagnóstico como el tratamiento estaban apenas en sus primeras etapas. La superstición y el prejuicio sustituían a la información. A las personas con esquizofrenia o trastorno bipolar con frecuencia se las dejaba solas y deambulaban haciendo el papel de bobos del pueblo, o se las encerraba de por vida en espantosas instituciones.

Mi abuelo paterno fue víctima de esta ignorancia. Cuando niña sólo supe que mi abuelo, en su juventud, se había internado por su propia voluntad en un hospital mental en donde pasó la mayor parte de su vida adulta. Antes de enfermarse, era un hombre brillante y muy atractivo, un comerciante de ganado e inventor muy respetado en Christian County, Missouri. Cuando lo conocí, había sufrido una fractura de cadera debido a una terapia de electrochoques mal administrada que lo dejó cojo. Mis padres me llevaron a visitarlo, pero él les pidió que no volvieran, diciéndoles: "Les ocasiona demasiadas dificultades a ustedes y a mí no me importa mucho".

Mi padre hablaba de las dificultades económicas de su infancia y de sus muchos padrastros, pero jamás mencionaba la esquizofrenia, palabra que conocí siendo ya estudiante universitaria. Cuando mi padre estaba en la edad madura, me dijo que había pasado su vida entera tratando de no volverse loco. Incluso siendo adolescente, me di cuenta de que tratar de mantener la salud mental todo el tiempo era una especie de locura.

Pienso con tristeza en mi abuelo, quien murió antes de que se supiera mucho acerca de la etiología y el tratamiento de las enfermedades mentales; antes de que se hubieran desarrollado los medicamentos psicotrópicos. Hoy en día, con un diagnóstico acertado y la medicación correcta, mi abuelo podría haber trabajado y vivido la mayor parte de su vida en casa. Su familia podría haber gozado del apoyo de los psicoterapeutas y de otras familias con problemas similares. Sus hijos habrían tenido menos temor a su propio futuro. En la actualidad, las teorías acerca de las enfermedades mentales son más amables y a nadie se le rompe la cadera debido a los electrochoques.

Siempre que asumo una actitud crítica en relación con los errores que se han cometido en mi campo, pienso en mi familia y me siento muy complacida con los desarrollos de la psicología moderna. A principios de siglo, en los Ozark no había psicoterapeutas. Los mitos y las supersticiones ocupaban el lugar de los hechos científicos. La enfermedad mental era una vergüenza para la familia. Hoy la vergüenza es menor y la dignidad mayor; hay menos ignorancia y más franqueza. Me siento complacida con la psicoterapia y con la medicina moderna.

Saber cuidar de cada eslabón y engranaje es la primera
precaución en una labor reconstructora inteligente.

—ALDO LEOPOLD

A medida que nos aproximamos al nuevo siglo, los psicólogos deben hacer la síntesis de lo mejor de los dos modelos para enfrentar la vida. Muchos de nosotros estamos de vuelta y retomando ciertos métodos "anticuados". A principios del siglo veinte el humor era el arma principal para la supervivencia. Mi padre, que se alimentó con granos y sémola de maíz por semanas y semanas durante la Depresión, solía hacer bromas relacionadas con los distintos nombres que le daban a la misma comida dependiendo del día de la semana. Los domingos la llamaban "pavo"; los lunes, "carne". Sanadores modernos como Norman Cousins reconocen el valor de la risa; la terapia provocadora de

Frank Farleigh está encaminada a lograr que la gente se desbloquee y llegue a reírse de sus problemas.

En 1960, Fritz Perls escribió: "Decir 'tengo que hacerlo' equivale a decir 'lo resiento'". Muchos terapeutas animaban a sus clientes a liberarse de responsabilidades y obligaciones: "Si me siento bien, es bueno". Pero en los noventa empezamos a darnos cuenta de que sentirse útil es un tónico excelente para la salud mental. Las preguntas planteadas por Frank Pitman a sus clientes son un ejemplo de nuestros cambios. Antes solía preguntar: "¿Qué le hacen los otros a usted y cómo se siente?" Ahora pregunta: "¿Qué hace por los demás y cómo se sienten ellos con usted?" También en los sesenta recomendábamos a nuestros clientes "enfrentar la ira" o "sacar todo fuera". Hoy decimos que la ira en general no es productiva y que el control de la misma es responsabilidad de cada quien.

Los terapeutas cognitivo-behavioristas enseñan que la ansiedad, la depresión y otros comportamientos autodestructivos son el resultado de un pensamiento ilógico según el cual el individuo "se siente de la misma forma como piensa". Estos terapeutas ponen el énfasis en el autocontrol, en la actitud mental positiva y en no regodearse en los problemas. En *Feeling Good,* David Burns recomienda estrategias anticuadas: identifique lo positivo, sea optimista y centre su atención en lo que sí está funcionando. Burns dice: "No se sobrecargue con demasiadas cosas al tiempo". Este consejo se parece a: "No hay que ensillar las mulas antes de traerlas". Le recomienda a la gente mantenerse ocupada, lo que no es muy diferente a: "La pereza es la madre de todos los vicios".

Estamos dándonos cuenta relativamente tarde de que hay cosas que es mejor no exteriorizar nunca. Los terapeutas ya no recomiendan a sus clientes expresar todas sus emociones. Estamos aprendiendo que ninguna generación tiene el monopolio sobre una buena salud mental. La generación de los viejos tenía sus fallas, pero podían bailar en medio de la Depresión y sabían reírse de sus estómagos vacíos. Mi generación ha ayudado a sus padres a hacerse más amables y abiertos con los hijos, y más reflexivos en lo tocante a la relación con los demás. Nosotros somos más elaborados en lo que tiene que ver con la motivación humana.

La flexibilidad produce mejores resultados. Enseñarle a la gente cómo hablar sobre el suicidio de un miembro de la familia es positivo, como también lo es enseñarle a llevarle flores. Hablar con una adolescente violada acerca de sus sentimientos es bueno, pero también lo es enseñarle a escalar o a tejer. Un pastel de chocolate bien horneado o una buena taza de caldo de pollo pueden calmar un corazón adolorido. Servían en 1904 y también sirven hoy.

> *Yo aprendí de mi madre cómo amar a los vivos,*
> *a tener suficientes jarrones a la mano*
> *por si hay una emergencia y tienes que correr al hospital*
> *con rosas que cortaste del jardín,*
> *con las hormigas aún prendidas a sus tallos.*
> *Aprendí también*
> *a guardar en vasijas la ensalada de frutas*
> *para ofrecerla a toda una familia en duelo;*
> *a cortar peras y guardar los duraznos en conserva,*
> *y hasta a cortar en dos las uvas atravesando su piel oscura*
> *y sacarles las semillas con un cuchillo.*
> *Yo aprendí a asistir a los velorios*
> *aunque no conociera al difunto,*
> *y a apretar las húmedas manos de los vivos,*
> *mirarlos a los ojos y expresar mis condolencias,*
> *como si fuese capaz de comprender su pena.*
> *Aprendí que lo que digas allí carece de sentido,*
> *pero que recordarán tu presencia.*
> *Yo aprendí a creer*
> *que tenía el poder de mitigar las penas más profundas*
> *como si fuese un ángel.*

Así como los médicos,
aprendí a hacerme útil calmando el dolor ajeno,
y cuando logras esto, no puedes, aunque quieras, rehusarte.
En todas las casas que visites,
tu obligación es ofrecer consuelo:
una torta que acabas de hornear,
también la bendición que trae tu voz
y tu dulce contacto.

—JULIA KASDORF

Segunda parte

El descubrimiento de nuevas tierras:

Las relaciones entre generaciones

CAPÍTULO 5

El viaje juntos: Lo que llevamos con nosotros

Cuanto más viejos nos vamos haciendo, mayores
son los sufrimientos que enfrentamos.

— GOETHE

La vejez se parece a un vuelo en medio de una tormenta.
Una vez a bordo, no puedes hacer nada para evitarlo.

— GOLDA MEIR

LA ÚNICA COSA PEOR QUE TENER PADRES QUE ESTÁN ENVEJECIENDO es no tener padres que están envejeciendo. Los viejos-viejos van muriendo poco a poco. Primero, papá ya no puede trotar, después ya no puede hacer largas caminatas ni levantar objetos pesados. Más adelante deja de salir de vacaciones. Por último ya no puede conducir su coche. Mamá deja de ser la mejor cocinera del país, luego empezamos a temer que se envenene con comida dañada o queme la casa. Las familias tienen que ir ajustándose a cada habilidad que se pierde.

Es duro para un adulto ver a la madre que le dio la vida hacerse cada día más vieja y desvalida. Es doloroso ver al padre, que siempre sabía qué hacer, convertirse en un anciano confundido e inseguro. Los hijos que deben cuidar de sus padres enfermos enfrentan ciertos problemas que son universales: falta de sueño, acumulación de trabajo, imposibilidad de contar con su propio tiempo y sensación de no estar haciendo nada bien. Casi todos comparten el síndrome de "soy culpable no importa dónde esté", así como la oscilación entre la culpabilidad y la ira que produce la situación. Con frecuencia estallan y después se arrepienten de haberlo hecho.

El cambio de roles también es doloroso para los padres. No hay padre que disfrute teniendo que pedirle a su hija que lo lleve al baño, ni confesándole a su hijo que se le olvidó hacerle al médico una pregunta importante. Los padres se angustian de pensar que van a agobiar a los hijos. Temen perder su dignidad y su autonomía. Lo que les sucede no forma parte de su plan de vida.

Los hijos se sienten angustiados si hacen demasiado, y preocupados de no hacer lo suficiente. Temen enfrentar la desaprobación o el desconcierto paterno y tomar la decisión incorrecta en un momento en que las decisiones son verdaderamente importantes. Un error simple puede significar una muerte, recursos despilfarrados o arrepentimiento de por vida. La información nunca es adecuada y todos anhelan desesperadamente hacer lo correcto.

Ellen Goodman escribió acerca de un hombre que se vio obligado a quitarle las llaves del auto a su padre, quien le había enseñado a conducir. Escribió acerca de nuestro dolor y confusión en lo relacionado con el manejo de problemas tan delicados y dolorosos; además se lamentó de que no haya ningún experto que nos diga qué hacer por nuestros padres.

Como resultado de una noción equivocada de respeto por la intimidad, es posible que los miembros de una familia no sean capaces de ayudarse mutuamente lo suficiente. Los hijos adultos tratan de mantenerse en el punto medio para no ser sobreprotectores ni descuidados. Es posible que no se atrevan a preguntar: "¿Alguien está aprovechándose de ti?" "¿Necesitas dinero?" "¿Estás tomando los medicamentos adecuados?" Los padres pueden no atreverse a preguntar: "¿Crees que estoy perdiendo la memoria?" "¿Me ayudas a cortarme las uñas de los pies?" "¿Puedo irme a vivir contigo?"

La pérdida de las capacidades para defendernos en la vida es difícil para todos. El estrés se manifiesta de modos diversos. El tío Benny come demasiado, la tía Tillie llora, el tío Walter se aísla y papá le grita a todo el mundo. La hija mayor puede tender a mandar demasiado, el hijo menor a escabullirse por el garaje a fumar marihuana. Los métodos que cada persona adopte para enfrentar las dificultades pueden hacer colisión. El hablador acorrala al introvertido, el que acaba de fumarse un porro es descubierto por la tía abuela que fue al garaje a llorar. Los deseos de las personas no encajan bien. El papá puede estar deprimido y sin deseos de hablar cuando la hija experimenta una enorme necesidad de charlar con él.

Las tensiones surgen cuando las familias están luchando para enfrentar problemas nuevos y delicados. Nadie puede mantener una actitud agradable durante meses y meses. Una abuela que experimenta náuseas permanentemente puede impacientarse con un adolescente ensimismado. Los hijos mayores llegan a hacer visita estresados por los problemas de su rutina en la oficina o las dificultades en la escuela. Una mujer puede experimentar una profunda angustia y llegar a hacer un berrinche si tiene que pedir el traslado de su tía abuela a una casa de reposo. El abuelo grita en la mesa a la hora de la cena. Un hijo suave por naturaleza puede resultar gritándole al empleado de la compañía de seguros por algo relacionado con una cuenta por la hospitalización de su madre. Una conexión telefónica defectuosa con la abuela moribunda puede parecer el fin del mundo.

Todos queremos que las cosas funcionen, pero somos humanos. Todos les pisamos los callos a los otros. Llevamos nuestra carga de pasado y vivimos las dificultades del presente. Nuestros padres no fueron los padres perfectos, pero nosotros no somos los hijos perfectos. Nadie se hace más perfecto con la edad. Incluso cuando todos desean que las cosas terminen bien, es posible que surjan problemas. ¿Cómo podría ser de otra manera si estamos viajando por un territorio tan difícil y desconocido? Amar a los demás implica el desengaño.

La ancianidad puede ser una época de gran tristeza, pero también de gran consuelo. Una de mis clientas fue educada dentro de un catolicismo profundo, pero rompió con su fe en su juventud para hacerse budista. Su padre, que trabajaba en dos lugares diferentes para poder pagarle sus estudios en una escuela católica, nunca creyó que su hija mayor fuera a rechazar la enseñanza religiosa que significaba tanto para él. Estaba absolutamente convencido de que ella no podría ir al cielo y no podía perdonarla.

Mi clienta regresó al hogar paterno a cuidar a su padre durante las últimas semanas de su vida. Le leía la Biblia y rezaba con él, algo que no había querido hacer por años. Él le hizo preguntas acerca del budismo. El último día le dijo: "Creo que los budistas y los católicos van al mismo cielo. Al final estaremos juntos".

Estos largos y difíciles años pueden ser mejores si todos logramos ponernos de acuerdo en que debemos tolerar las imperfecciones de los otros y seguir adelante. Esta época de la vida en una familia requiere de las habilidades de todos, tanto de los representantes de la vieja generación como de los de las intermedias. Se necesitan valor, paciencia, estoicismo y capacidad de reír y olvidar los problemas. También la capacidad para expresar las necesidades, comunicar abiertamente las dificultades y saber elaborar el dolor. Una solución adecuada en este punto permite a los ancianos sentirse respetados y en paz con sus familias. Ellos aprenden a aceptar el cariño que les ofrecen sus hijos y los jóvenes tienen la oportunidad de crecer y llegar a ser verdaderamente adultos.

La familia Sánchez

*"Sé que se siente sola, pero me sigue
hasta cuando voy al baño"*

BLANCA PIDIÓ LA CITA PARA ELLA, para Ana, su hija adolescente, y para Teresa, su madre. Estaba decidida a buscar consejería familiar aun cuando sabía que la primera reunión iba a estar llena de mentiras y de situaciones difíciles. Le dijo a Teresa que la principal razón para la cita era Ana, y a ésta le dijo: "O vienes o te dejo sola con la abuela".

No encontré un grupo feliz en esa sesión matinal. Afuera teníamos un día típico de mayo, lleno de flores y con un cielo azul intenso. Adentro todo parecía gris y frío. Blanca empezó diciéndome que se había divorciado desde que Ana tenía cinco años y no se había vuelto a casar. Trabajaba para una compañía de seguros en la que era asistente administrativa. Se volvió hacia su madre y le preguntó: "¿Quieres hablar?" Teresa apenas la miró y Blanca dijo: "Mi mamá no quería venir. Ella vive con nosotras y me ayuda a pagar las cuentas. Tiene diabetes y está en diálisis. Precisamente este año su salud ha empeorado, tiene un serio problema de corazón y sus ojos le empiezan a fallar".

Teresa la interrumpió para decir: "Creí que íbamos a hablar de Ana". Ésta lanzó un suspiro profundo y Blanca dijo: "Ya llegaremos a Ana. La doctora quiere conocernos a todas".

Teresa remedó a su hija repitiendo en un tono desagradable: "La doctora quiere conocernos a todas".

Ana, levantando las cejas, dijo: "¿Para qué vinimos aquí?"

Cuando le pedí a Ana que hablara de ella, miró a su madre, quien le indicó que debía hablar y dijo: "No sé nada. Estoy en noveno grado. Odio la escuela".

De nuevo interrumpió Teresa: "Dile que vas reprobando matemáticas. Dile cómo nos haces sufrir a tu madre y a mí y que te niegas siempre a hacer tus tareas".

"Mamá, ya basta", dijo Blanca en tono fatigado.

"Ya basta", repitió Teresa en su tonito fastidioso. "Yo creí que estábamos aquí para hablar sobre Ana".

"¿Le dijiste eso?", interrumpió Ana airadamente.

En cinco minutos todas estaban enojadas con todas. Suavicé la situación proponiendo unas cuantas reglas de juego: No interrumpirse unas a otras y, como todas iban a hablar, lo mejor era que cada una hablara de sí misma y no de las otras.

Me volví hacia Blanca: "Quizá usted nos puede explicar por qué está aquí la familia".

Blanca se veía angustiada y temerosa, pero arrancó con su historia. "La llamé a usted después de una semana muy mala. Mamá estaba luchando contra una infección y recibí por correo la nota de matemáticas de Ana. El trabajo estaba muy pesado y todas las noches al llegar a casa me encontraba con mamá y con Ana peleándose. Supe que tenía que llamarla cuando Ana me amenazó con irse de casa y pensé: "Es una buena idea. A mí también me gustaría irme".

Teresa cruzó los brazos sobre el pecho y dijo: "Deja que Ana se vaya. La has maleducado al máximo. Nadie puede vivir con ella".

Ana irrumpió: "La abuela me grita todo el tiempo. Yo traté de hacer caso omiso de ella hasta que ya no pude más. Soy paciente con ella y tú lo sabes".

Blanca suspiró. Teresa miró con furia a Ana, quien parecía a punto de estallar. Repetí las reglas de juego y seguimos adelante.

Finalmente logré entender algunas cosas de esta familia. Teresa no salía casi nunca del apartamento: sólo cuando iba a las citas médicas. Posiblemente nunca fue una persona dulce pero había perdido su salud, su casa y a su marido. Tal vez por esto se había vuelto depresiva y exigente. Volcaba toda su ira sobre la familia. Ana era una adolescente típica, boquisuelta y algo menos que aplicada, pero en realidad no era lo que llamamos un verdadero problema. A pesar de sus estallidos, pude observar que Ana amaba a Blanca y quería complacerla. Me pareció que la relación entre Ana y Teresa sí estaba prácticamente muerta. Las dos estaban en un punto de sus vidas en el que tenían poco que dar y ya se habían herido tanto la una a la otra que era difícil esperar que las cosas mejoraran en un corto tiempo y sin grandes cambios.

Blanca estaba atrapada entre un trabajo estresante y una vida familiar más estresante aún. No tenía espacio alguno para ella, y su falta de seguridad en sí misma dificultaba todavía más su papel de mediadora entre una adolescente y una abuela enferma. Había sido educada para ser cariñosa y considerada con su madre. No sabía cómo hacerse respetar. Ana y Teresa tenían temperamentos fuertes y agresivos, pero Blanca era una persona que no sabía enfrentar conflictos y a la que se le dificultaba decir "no". Se la estaban comiendo viva.

Sospeché que Blanca podría manejar a Ana si no tuviera que hacerse cargo de su madre también. Sin embargo, la combinación estaba acabando con ella. No dormía bien, lloraba casi a diario y tenía migrañas.

Para terminar la sesión le pregunté a cada una cómo querrían que la familia estuviera dentro de un año. Ana dijo: "Me gustaría que la abuela y mi mamá me dejaran tranquila". Teresa dijo: "Espero que mi nieta no quede en embarazo o no resulte con problemas de drogas". Blanca dijo en tono muy triste: "Yo quisiera que nos lleváramos bien". Ana hizo una mueca y dijo: "¡Lo dudo!" Aun cuando estuve de acuerdo con ella, programé otra cita para la semana siguiente.

SEGUNDA SESIÓN

Blanca vino sola. Parecía extenuada y dijo que le estaba empezando una nueva migraña. Le ofrecí cambiar el día pero dijo que no, que necesitaba hablar. Le pregunté por las otras y dijo con tristeza: "Ninguna de las dos quiere dar su brazo a torcer. No tiene idea de las cosas que mamá dijo de la terapia. Ana se enfureció esta mañana y me castigó negándose a venir. Quizá habría podido convencerla pero, la verdad, quería un rato a solas con usted".

Luego empezó a contarme sus problemas. Su jefe era difícil de manejar y no tenía ninguna esperanza de ascenso en su oficina si no tomaba un curso de computación. No podía hacerlo mientras su hija y su madre estuvieran en el apartamento. Cuando llegaba a casa por las noches, Teresa la seguía a todas partes quejándose. "Sé que está sola, pero me sigue hasta cuando voy al baño", me dijo Blanca.

También me contó que su madre no tenía amigas ni intereses, y que no hacía nada para cuidarse a sí misma ni física ni emocionalmente. "Si la saco a comer, se queja por todo, incluyendo los precios. Cuando nos sirven la comida, dice que las porciones son demasiado grandes. Su única forma de interactuar es criticarlo todo". Con una mirada triste me dijo: "Viéndola actuar empecé a hacer un inventario mental de las cosas que quiero evitar cuando me vuelva vieja".

Luego continuó: "Casi una vez por semana, cuando estoy muy estresada por Ana, mamá dice en voz alta que ella sí no me va a abandonar. Yo pienso para mis adentros: Abandóname, por favor, abandóname".

Este comentario nos causó risa a las dos y Blanca pareció respirar más profundamente. Le pregunté por Ana y me dijo que básicamente era una buena chica que estaba atravesando el proceso de la adolescencia. Pasaba fácilmente de la tristeza a las exigencias. Sabía que Ana necesitaba más atención y ayuda en su vida social y sus trabajos escolares, pero ella había perdido la energía. La licencia que había pedido para atender la emergencia familiar se le estaba terminando y no estaba ni siquiera segura de poder seguir llevando a su madre a la diálisis. Tenía problemas económicos y temía incluso perder su empleo debido a sus migrañas. Le pregunté qué estaba haciendo por ella misma y me miró como espantada: "¿A qué se refiere?"

"Estoy preguntándole si tiene amigos, si hace algún tipo de ejercicio, si va al cine".

"¿Qué es cine?", respondió.

Sonreí y ella me dijo: "Lo que necesito en realidad es autorización para llevar a mamá a un hogar geriátrico".

"Yo no soy quién para dar esa autorización", le dije, "pero estoy aquí para que hablemos sobre la situación".

Lo que hice principalmente fue escuchar las reflexiones de Blanca sobre la tristeza que podría causarle a Teresa y lo culpable que ella se sentiría si no hacía lo que las otras dos querían. También le temía a su madre, a quien no había sido capaz de enfrentar nunca. De hecho, Blanca había tratado de hacerlo solamente una vez y se había quedado sin voz en plena discusión.

La animé diciéndole que ahora era más fuerte y que estaba en condiciones de hacer lo que era necesario. También la animé para que no pensara que las opciones en su vida hogareña tenían que ser radicales, es decir, que no pensara: "Soy una buena hija y dejo que mi madre arruine mi vida, o la abandono en una trampa mortal". Era posible ubicar a su madre en una institución y seguir visitándola, es decir, cumpliendo con sus deberes filiales. Le cité un proverbio muy antiguo que, hablando de las luchas de poder, dice: "O las evitas o las ganas".

Le dije: "Habla con tu madre acerca de lo que estás haciendo. Sé firme pero amable. Que ella sepa muy claramente que la piensas ir a visitar en cualquier lugar donde esté. Llévala a conocer diferentes instituciones. Déjala que se sienta controlando la situación al máximo posible".

Cuando terminó la hora, Blanca había decidido empezar a buscar una ubicación apropiada para su madre. Programamos la siguiente sesión para un mes después y al despedirse dijo: "Mi licencia está a punto de terminar; creo que lo mejor es aprovechar los días que me quedan para buscar una casa para mi madre. Pasaré por acá para contarle qué ha sucedido".

TERCERA SESIÓN (DOS MESES DESPUÉS)

Para mi sorpresa, Blanca y Ana llegaron juntas. Blanca parecía un poco más descansada y Ana también se veía más tranquila. Blanca dijo: "Logramos realizar la proeza. La semana pasada mamá se pasó a vivir a un hogar geriátrico que ella misma escogió".

La felicité por su firmeza y me respondió: "Sabía que debía hacerlo, ya era tiempo de ser una buena madre. Es demasiado temprano para saber si a mi madre le gustará ese lugar, pero no se ha quejado tanto como nos imaginábamos".

Ana dijo: "A la abuela nunca le gusta nada. Si no se está quejando todo el tiempo, eso quiere decir que le gusta".

"Paso por allí todos los días para ver cómo está", dijo Blanca. "El lugar es limpio, el personal parece muy atento y los residentes son comunicativos. Tiene una habitación con televisión para ella sola. Creo que la atención médica que está recibiendo allí es mejor que la de casa. La llevan a su diálisis y están controlando permanentemente sus niveles de azúcar en la sangre".

Le pregunté a Ana si había ido a visitarla y para mi sorpresa había pasado por allí dos veces al salir de la escuela. Se explicó diciendo: "Si voy a visitarla mi madre se siente menos culpable".

"Yo quería que Ana comprendiera que no era culpa suya que mamá estuviera en el hogar geriátrico".

Le pregunté a Ana si se sentía culpable y dudó un poco antes de responder, pero finalmente dijo: "Creo que mamá no hubiera tenido el coraje de hacerlo si yo no fuera reprobando matemáticas".

"En realidad sí me preocupabas tú. Sabía que necesitábamos tiempo para las dos, pero lo hice también por mí. Yo también quiero tener una vida".

Le pregunté a Blanca si se sentía mejor desde que Teresa se fue de casa, a lo que respondió: "Pongámoslo de esta manera: mis migrañas han desaparecido, ya me inscribí en un curso de computación y fui al cine con Ana".

"Por primera vez en unos diez años", interrumpió Ana, esta vez sin demasiado veneno.

La fatídica metáfora del progreso, que implica dejar muchas cosas

atrás, ha opacado totalmente a la idea del crecimiento, que implica

conservar muchas cosas dentro de nosotros mismos.

— G.K. CHESTERTON

Pensábamos dejar nuestra huella en el mundo,

pero fue el mundo el que dejó su huella en nosotros.

— WALLACE STEGNER

Si la adolescencia es la pérdida de la infancia, la vejez es la pérdida del estatus y el poder de los adultos. Los mitos culturales casi nunca hablan de la realidad de ninguno de estos dos estadios de la vida, los cuales implican disrupciones de gran envergadura tanto físicas como sociales y plantean un fuerte estrés psicológico. En los dos la persona se ve aislada con frecuencia: en la adolescencia debido a una perniciosa cultura de pares y en la ancianidad por la muerte de aquellos con quienes se compartían los recuerdos. Muchas personas mayores ocultan lo que está ocurriéndoles en su interior. Decir la verdad no es socialmente aceptable.

Es muy útil tratar de mirar la adolescencia y la ancianidad desde perspectivas culturales y de desarrollo. En la vejez, el malhumor puede ser el resultado de un dolor físico; la depresión puede estar relacionada con el aislamiento que los viejos padecen en nuestra cultura amante de lo joven. "Odio esta tarjeta de cumpleaños" o "No me voy a tomar esta sopa" no son necesariamente ataques personales. Los caprichos son fruto de la pérdida del control.

Los padres de los adolescentes con frecuencia se sienten totalmente desarmados frente a las presiones culturales y las exigencias del momento. Lo mismo les pasa a los hijos de ancianos. Muchos de los problemas tienen que ver con el desamparo cultural en el que vivimos.

En la actualidad, la mayoría de las personas viven hasta los setenta o los ochenta y muchos hasta los noventa años. En el pasado, una tía artrítica se iba a vivir con una sobrina y su esposo, o una viuda vivía con su hija. Ahora tenemos más opciones, lo que necesariamente no hace que las personas sean más felices. Muchas opciones pueden producir mayor estrés, más posibilidades de desacuerdos y más posibilidades de tomar decisiones equivocadas.

Necesitamos una nueva forma de pensar la ancianidad. Un reto del desarrollo es mantener abiertos nuestros horizontes. Un amigo mío, hombre de negocios, me dijo que encontraba muy aburridos a sus amigos jubilados. "Cuando trabajaban, viajaban y solucionaban problemas e interactuaban con todo tipo de gente, tenían sus propias opiniones acerca de los problemas sociales. Ahora están estancados". Pienso en Belinda, que se despertaba todos los días a la misma hora y tomaba el mismo desayuno con compota de ciruelas y tostadas. Luego hacía las mismas cosas a la misma hora, día tras día, año tras año. Era tranquila y bien organizada, pero no sabía mucho sobre sí misma ni del mundo exterior.

Es bueno tener rutinas pero también es bueno violarlas. Conozco a un hombre que tenía sesenta y cinco rutas hacia la oficina del correo para recoger su correspondencia. Era una persona despierta, "siempre alerta", como diría mi tía Margaret. Los viejos deben buscar la mezcla correcta de costumbres cómodas y experiencias nuevas. Sin las primeras tenemos el caos y sin las últimas, el estancamiento.

Lo mismo que los niños que están dando sus primeros pasos y los adolescentes, los padres viejos y enfermos causan ciertas crisis familiares. Las crisis hacen surgir nuestras verdaderas personalidades. Los pesimistas se vuelven "pesimistas a morir". Los optimistas enloquecen a los demás con su alegría. Hay personas que se encasillan totalmente en roles que podrían abandonar en situaciones menos extremas. Los introvertidos no volverán a hablar, los extrovertidos se harán oír en todas partes y los miembros de una pareja dejarán de ver las cosas de forma similar. Las relaciones precarias pueden hacer explosión total bajo el peso de la crisis.

Como dice Helena, una clienta mía: "En este momento soy una hija estupenda, pero una esposa terrible". La madre de Helena perdió la vista hace poco y ella la está ayudando en cuanto puede. Sin embargo, como trabaja tiempo completo casi nunca está en casa. Su esposo es cada día más crítico de su comportamiento y ella me dijo con tristeza: "En lugar de unirnos más en esta crisis, estamos separándonos. Andy es un esposo mal acostumbrado. Siempre he organizado mi vida alrededor de sus necesidades y ahora no puedo hacerlo. Cuando llego a casa hacia las nueve de la noche rendida y con hambre, él me está esperando. Yo desearía estar sola, pero me encuentro con un esposo que me expresa una desagradable combinación de cariño y malhumor, avidez y furia. Y, ¿adivina qué? Casi siempre terminamos peleando".

Patsy, otra clienta, tenía un problema un poco diferente. Su esposo, Dan, quería mucho a la madre de Patsy y, de hecho, se enfadaba mucho con su mujer cuando mencionaba el estrés que le producía tener a su madre en casa. "Claro que quiero a mi mamá, y quiero que sus últimos meses sean agradables, pero a veces necesito poderme quejar un poco con alguien. Mamá me da mucho trabajo. Debe tomarse quince píldoras al día, y debo administrárselas con exactitud y cuidado. No puede vestirse ni comer sola". Los ojos de Patsy estaban llenos de lágrimas. "No puedo quejarme con Dan, pues él me recuerda mi deber y lo santa que es mamá. Tampoco puedo quejarme con ella pues se sentiría tan culpable que se iría de casa. No quiero que se vaya, sólo quiero poder expresar algo de lo que estoy sintiendo".

Una buena información ayuda a las familias a tomar decisiones correctas, a tener expectativas razonables y a comunicarse de manera franca. Una buena información también ayuda a los miembros de la familia a sentirse menos solos, menos culpables y más dispuestos a perdonarse unos a otros. Esta información incluye saber cómo están las finanzas, qué disponibilidad de tiempo hay, con qué asistencia médica se cuenta, cuáles son los recursos que la comunidad ofrece, cuáles son los requerimientos en lo que a dieta y ejercicio de los mayores se refiere. Pero también es importante tener cierta información relacionada con los sentimientos de los miembros de la familia.

Todas las familias que tienen algún pariente muy mayor enfrentan ciertas tareas emocionalmente exigentes. La primera es saber en dónde hay resentimiento real y dónde no. Cuando se tiene un progenitor enfermo y viejo que creció en una cultura diferente y que ha experimentado alguna pérdida, es difícil determinar a qué obedecen sus reacciones. Algunos de los problemas están relacionados con las zonas de tiempo, otros con el estrés post-traumático. Una persona mayor puede preocuparse mucho por el costo de las llamadas de larga distancia, que era muy elevado hace algunos años pero que no es significativo en la actualidad. Una abuela puede querer hablar sólo unos pocos minutos por el teléfono. Una nieta puede sentirse herida por la parquedad de la abuela, sin darse cuenta de que una reacción así puede obedecer a actitudes que vienen de muchos años atrás.

Muchas personas ancianas repiten las instrucciones una y otra vez. Pueden llegar a las reuniones muy pronto y preocuparse porque los otros no llegan a tiempo. Esta tendencia a verificar varias veces y a llegar temprano puede ser una compensación por su fragilidad física o mental. Se sienten vulnerables y se preocupan de que los otros también lo sean.

En algunas ocasiones todo lo que tenemos que hacer es quitarle importancia a ciertas cosas de los viejos. No se justifica enojarse con una tía abuela imprudente sabiendo que tiene daño cerebral. No tiene sentido sentirse herido por las afirmaciones de un abuelo que está dopado con analgésicos, que sufre de asfixia o está frustrado porque recibe alimentación parenteral. Es más fácil perdonar a un hablador compulsivo si recordamos que el noventa por ciento de sus seres más queridos están ahora descansando en el cementerio.

Una amiga me hizo el relato de un almuerzo espantoso que había tenido con su abuela de ochenta años. Por una parte, parecía que no tuvieran nada de qué hablar la una con la otra. Y los pocos temas que surgían parecían iniciar una interminable cadena de respuestas emocionales. Beatriz dijo que sólo pudo entender lo que había pasado un poco más adelante. Ella se había hecho una imagen de la abuela de unos veinte años atrás, cuando era una mujer casada, con actividades culturales y con amistades. En la actualidad la abuela estaba sola y aislada en un condominio elegante.

Por otra parte, pensó que la abuela también estaría pensando en la Beatriz de hace veinte años, es decir, una estudiante radical y libre. Ahora era una ejecutiva que luchaba por ascender en la corporación en la que trabajaba y que en las noches atendía a un amigo que tenía sida. No quedaba nada de la estudiante de universidad con la que su abuela creía estar hablando. Mientras las dos mujeres siguieran encasilladas en las imágenes obsoletas que tenían la una de la otra, no podían tener una verdadera relación.

Cuando tratamos con los padres viejos, vemos las figuras poderosas y autoritarias que conocimos y además a personas que tenían la capacidad para enfrentar cualquier situación. También podemos vernos a nosotros mismos como cuando éramos niños, nerviosos, vulnerables y torpes. Estar con nuestros padres puede suscitar sentimientos desagradables relacionados con ellos y con nosotros, sentimientos que nunca estaríamos dispuestos a reconocer.

Cada pequeña discusión tiene tras de sí una buena carga histórica. Cuando nuestra madre nos pregunta en tono petulante: "¿Por qué llegas tarde a comer?", suele haber muchos fantasmas en la habitación: la madre de mamá, mamá cuando era más joven, nosotros cuando niños y quizá también el marido de mamá y nuestro actual compañero. Cualquier comentario puede estar marcado por décadas de experiencia familiar. No debe sorprendernos que una pequeña discusión pueda convertirse en un terremoto y que los rascacielos parezcan estar hechos de merengue.

La madre de Barry siempre le recuerda usar el cinturón de seguridad y conducir respetando el límite de velocidad, incluso ahora que él tiene cincuenta años y no ha tenido nunca ni el más mínimo estrellón. Marissa tiene cuarenta y cinco años y es muy buena cocinera, pero su madre sólo la deja poner la mesa. La madre de Antonia la llama "nena" y "mi pequeño lucero". Cuando Antonia está de buen genio, eso no la molesta, pero cuando está cansada y a la defensiva quisiera decirle: "Mamá, ya soy una doctora, no me llames nena".

Quizá el reto más difícil para los padres es darse cuenta de que sus hijos ya son adultos. Los padres pueden tener dificultades para renunciar tanto a su capacidad de "control" como a su derecho a "preocuparse por los hijos". Cuando los padres están sufriendo, están enfermos o solitarios, les cuesta mucho mantenerse relajados en relación con sus hijos. Quienes han experimentado alguna pérdida son conscientes de que las cosas más pequeñas pueden cambiarlo todo para siempre. Tienden a ser personas alarmistas y temerosas.

A medida que los padres se hacen mayores necesitan más ayuda de sus hijos. Es posible que para ellos su hijo siga siendo aquel niño que olvidaba hacer sus deberes escolares, o la hija esa muchacha rebelde que no estaba dispuesta a hacer lo que ellos esperaban. Estas imágenes viejas pueden impedirles a los padres ver claramente a los adultos que tienen frente a ellos y actuar en consecuencia. Algunos adultos, sin embargo, tienen una regresión cuando están cerca de sus padres, lo que impide aún más una posible actualización de la imagen. Cuando los adultos están con sus padres, tiene sentido hacer lo que toca sin que medie una solicitud, controlar los impulsos a responder como adolescentes irrespetuosos, evitar un comportamiento perezoso y patán, y decir "por favor" y "gracias".

Una de las mejores formas de actualizar imágenes obsoletas es hacer preguntas abiertas acerca del presente y luego escuchar de verdad las respuestas. Cuando un hijo siente que sus padres no son conscientes de lo que él es en la actualidad, vale la pena decir: "Mamá, ya hace veinte años que no colecciono estampillas" o "Sé que me gustaban mucho los sándwiches de roast beef, pero tengo el colesterol alto y ahora no como carne".

Las viejas imágenes de los roles de género también pueden interferir en la solución de conflictos. Tradicionalmente las mujeres hacían la mayor parte del trabajo de la casa y estaban encargadas del cuidado de los hijos. Sin embargo, en una era en la que la mayoría de las mujeres trabajan fuera de casa, las cargas domésticas deben compartirse. Las familias funcionan mejor cuando hay justicia. Los hijos adultos ponen en entredicho diversas habilidades. Lo que debemos preguntarnos es qué es justo y práctico y no cuál de los dos sexos está mejor diseñado para cuidar de los demás.

Viejos conflictos relacionales pueden aparecer en escena. Incluso ya bien entrados en años es fácil que mantengamos ciertos rezagos de problemas adolescentes en la relación con nuestros padres. Es posible que todavía nos enojemos cuando se nos critica por nuestra actitud hacia el dinero, o si se nos pregunta a dónde fuimos la noche anterior. Los padres también tienen recuerdos de épocas difíciles con nosotros. Pueden ver algunos de nuestros comportamientos como infantiles y pueden decirnos cosas como: "Siempre haces pucheros cuando las cosas no te salen como quieres". Esto puede ser cierto, pero ninguna persona de cuarenta y cinco años quiere que se lo digan.

La mayoría de las familias han pasado por épocas difíciles. Es posible que se haya presentado un divorcio muy complicado o que uno de los hijos haya estado en la cárcel en su juventud. Quizá el hijo menor fue un hijo pródigo que abandonó la familia por años y regresó en sus treinta. Un padre que abandonó a los hijos, tuvo una aventura o se jugó el dinero. Tal vez hubo situaciones de abuso o de alcoholismo. Los recuerdos desagradables no se desvanecen solamente porque uno de los padres está enfermo o depende de nosotros. De hecho, encubrir el pasado exige una gran cantidad de energía.

En general lo mejor es aceptar las penas pasadas y perdonar, pero no necesariamente olvidar. Me acuerdo de lo que me dijo mi amigo Bill sobre su madre. La relación entre ellos había sido muy tormentosa, pero finalmente hablaron con franqueza y se expresaron el amor que se tenían el uno al otro. A la muerte de ella, pudieron lograr un cierre sano de su relación. Sus últimas palabras para Bill fueron: "¿Cómo estás?" En el funeral, Bill reconoció: "Educarme a mí no fue una tarea fácil". Sonrió y dijo: "Siento mucho que el tiempo no me permita elaborar este tema". Pidió que se grabara lo siguiente sobre la tumba de su madre: "No era quejumbrosa".

La negación es otra forma de aferrarse a las imágenes del pasado hasta mucho después de que las personas relacionadas con estas situaciones hayan dejado de existir. Es una actitud comprensible y perdonable. Los hijos no quieren limitar el movimiento de sus padres y ellos no necesariamente quieren asumir más responsabilidades. La mayoría de nuestros mayores también ignoran ciertas señales que anuncian que no están totalmente bien porque las implicaciones son tremendas. No quieren dejar sus casas, sus autos o sus chequeras. No quieren dejar de viajar ni de caminar solos hasta el centro de la ciudad.

Los cambios se dan en forma gradual y es posible que no se pueda trazar una clara línea divisoria. Los hijos empezarán a sentir ciertas preocupaciones indefinibles, los padres se mostrarán defensivos en lo relacionado con sus capacidades, pero insistirán en que todavía pueden hacerse cargo de las cosas. Por lo general, lo que saca a las familias de esta actitud de negación es una gran crisis. Debido a los problemas de sus ojos, papá termina entrando con su auto en la sala de una casa. La abuela se cae y se queda tirada en el suelo durante un día entero porque no puede llegar hasta el teléfono. El tío Luis aparece borracho tirado en un andén. La tía Jennie cae en un engaño. Mamá jura que los rusos la están persiguiendo y llama a la policía a denunciarlos.

Siempre hay un incidente que nos pone a pensar que llegó la hora de hacer algo. Enfrentamos las situaciones con torpeza y cierto rechazo. La negación por un tiempo no es problema, se hacen planes de acuerdo con la situación actual y todos se van acostumbrando poco a poco. Papá deja de conducir en la noche. Mamá no vuelve a cocinar estando sola. Las cosas pueden marchar bastante bien mientras no haya un mayor deterioro y no se presente una nueva crisis.

Las familias más tristes son aquéllas en las que hay rupturas profundas entre generaciones y los padres no se atreven a pedir ayuda. No es posible actualizar las imágenes porque no hay comunicación. Algunas veces el hijo adulto no les ha perdonado a sus padres los errores del pasado. Hay otros casos en los que el hijo simplemente no se interesa por sus padres y la separación es tan profunda que un reencuentro es imposible. O quizás muchos años antes los padres desheredaran a un hijo porque se casó con alguien que no les gustaba o desobedeció alguna regla muy importante para la familia.

No siempre hay justicia en lo que se refiere a tener hijos que valoren verdaderamente a sus padres y sean realmente agradecidos. Padres que se mostraron negligentes o abusaron de sus hijos tienen hijos maravillosos. Padres muy amorosos tienen hijos que mantienen rencores y persisten en castigarlos por errores cometidos hace treinta años. Muchos padres tienen hijos dispuestos a venir en su ayuda, pero otros no. Los padres afortunados tienen hijos que valoran los problemas y el estrés que produce educarlos y están dispuestos a retribuirles su entrega.

Una clienta vino a consultarme debido a su padre, que se había mudado a su ciudad hacía poco. Él había vivido muy lejos durante años y su contacto se limitaba a tarjetas postales y llamadas telefónicas ocasionales. Pero cuando se enfermó, se fue a vivir cerca de mi cliente. Ella me dijo: "Ahora quiere una enorme cercanía, pero me abandonó hace años. Cuando se queja de que yo debía visitarlo con más frecuencia, me cuesta no experimentar cierto resentimiento. Cuando nació mi primer hijo ni siquiera me llamó".

Mi amiga Emilia invitó a María, su madre de ochenta años, a vivir en su casa y, junto con su marido, prepararon una bonita habitación para ella. Durante el almuerzo me contó lo extraño que le resultaba el cambio de roles. Su madre necesitaba ayuda para vestirse y conciliar su chequera. Cuando su madre salía en las noches, Emilia se preocupaba lo mismo que por sus hijos adolescentes. "Mi madre fue una ejecutiva exitosa cuando yo era niña. Ahora, antes de ir a la cama, me pide que la arrope y le lea un cuento".

Muchos adultos llevan a sus padres a sus diferentes citas y les ayudan con las compras, el manejo de la casa y el trabajo en el jardín. Manejan su dinero, les recuerdan que deben cepillarse los dientes y les hacen las llamadas telefónicas difíciles. Los acompañan a donde el médico porque ellos ya no pueden ni proporcionar ni recibir la información correcta.

Cuando se presenta la inversión de los roles y cambian las necesidades, surgen muchos problemas nuevos que, si se atienden a tiempo, permiten que la familia haga planes con los padres y no sólo para ellos. Los hijos adultos necesitan saber los nombres y números telefónicos de los amigos de sus padres, de sus vecinos, de sus abogados, de sus corredores de bolsa y de sus médicos. Los rituales para los días festivos pueden ser hoy muy diferentes de los de hace algunos años, por tanto es necesario hacer ciertas negociaciones. Los padres pueden necesitar confesar en dónde guardan sus papeles secretos, sus diarios, sus poemas de amor o sus certificados de depósito a término. Cuando mi madre murió no pudimos encontrar su libreta de direcciones y no nos fue posible informar de su muerte a sus amigos de toda la vida. Tampoco pudimos encontrar su dinero, que había distribuido en muchos bancos y entidades diferentes. Si hubiéramos realizado unas sesiones para programar estas situaciones, nos habríamos evitado éstos y muchos otros problemas.

El dinero, y no el sexo, es el tema que se mantiene en el mayor secreto en nuestros días, pero hay que abordarlo. Los hijos necesitan saber en qué estado se encuentran las finanzas familiares para poder hacer una planeación a largo plazo de los costos de la salud. Los padres deben confesar sus secretos y pueden surgir problemas alrededor de estas revelaciones. En algunos casos, cuando los padres se ven obligados a confesar que son ricos, sus hijos pueden reaccionar airadamente: "¡O sea que tenías todo ese dinero y no nos ofreciste nada para enviar a nuestro hijo al campo de verano el año en el que perdí mi empleo!" En otras ocasiones los padres deben confesar que han llevado un tren de vida superior a sus posibilidades y que se encuentran abrumados por las deudas.

Los límites físicos también cambian. De repente, los hijos tienen que ayudar a sus padres a realizar actos físicos muy íntimos. Muchos hijos adultos confiesan sentirse incómodos al ver a sus padres desnudos y tener que bañarlos, vestirlos y administrarles cierto tipo de tratamiento médico. Los padres también sienten cierta vergüenza. Carla me contó que tenía que cambiarle el pañal a su padre. Las primeras veces él se mostró lloroso y avergonzado, pero ella le dijo: "Tú me cambiaste los pañales muchas veces, ahora es mi turno".

Estas situaciones tienen que ver con qué dar y qué no dar. Las personas adineradas con frecuencia pagan por varios servicios, lo que no necesariamente es bueno para ninguna de las generaciones. Un masaje de espalda improvisado por un hijo puede ser mucho más eficaz que uno hecho por un profesional. Una ida al banco con la nieta es mucho más que un mero desplazamiento. Una hija que le ayuda a su madre a ordenar el ático gana algo con esta experiencia. Un nieto que ayuda a su abuela con su terapia física aprende algo importante que lo hace reordenar sus prioridades. Demasiada ayuda externa puede entorpecer el crecimiento de las dos generaciones. En ocasiones, lo ideal es que ciertas cosas las hagan los seres amados.

En las situaciones nuevas las familias tienen que tomar decisiones relacionadas con el tiempo, el dinero y el espacio. ¿Con qué frecuencia compartimos las comidas con nuestros padres? ¿Me atrevo a pedirle a mi hijo que me lleve a la iglesia? ¿Se molestará mi madre si le ofrezco cepillarle el pelo? ¿Debo decirle a la tía Connie que tiene mal aliento? ¿Se sentirá mal mi nieto si ya no puedo prepararle sus galletas? ¿Debo pedirle a mamá que se venga a vivir a nuestra ciudad? ¿Es hora de ofrecerme a manejarle su dinero?

Los parientes que ayudan demasiado suelen entrometerse en la autonomía de otros miembros de la familia. Algunos abuelos interfieren en la disciplina de los hijos de sus propios hijos. Una hija se comporta como un "pequeño Hitler" obligando a su madre a hacer ciertas cosas. También hay casos en los que los hijos ayudan muy poco y descuidan a sus padres creyendo que están siendo amables. Hay casos en los que es necesario violar la autonomía. Hay ocasiones en las que es necesario decir: "Yo me quedo con las llaves del auto antes de que tengas un accidente" o "Debes someterte a un tratamiento para curarte esa infección".

Uno de los temas más controversiales es el tiempo. Con frecuencia las personas mayores disponen de todo el tiempo del mundo. Hay viejos a los que les gusta jugar Monopolio con sus nietos o pasar una tarde entera buscando una tarjeta de cumpleaños, y no siempre comprenden que sus hijos están sometidos a presiones diferentes. Penny temía ir a casa porque sus padres siempre la hacían sentir culpable por no ir a visitarlos con más frecuencia y por no quedarse más tiempo con ellos. Los visitaba una vez al mes para cumplir con su deber, pero siempre salía sintiéndose manipulada y poco valorada. Nadie la pasaba bien. En verdad, el deber no es la mejor motivación. Las personas van a donde se sienten aceptadas y cómodas. Penny y sus padres estaban atrapados en un círculo vicioso.

John y sus hijos visitan a su madre con frecuencia en su lugar de retiro. Es un lugar muy bien acondicionado para las visitas familiares, tiene una heladería y un parque con canchas de básquet, cróquet y tenis de mesa. Mientras que habla con su madre, los dos miran a los muchachos jugar. Como ésta es una experiencia agradable para todos los interesados, John viene a visitar a su madre cuantas veces puede.

Sin embargo, las cosas son un poco más complejas. Hay personas mayores agradables y suaves, como la madre de John, que son abandonadas por sus familias. Los hijos adultos pueden estar muy ocupados con sus trabajos y no disfrutaron de la alegría de una vida familiar intensa. He conocido muchas personas mayores de muy buen carácter, cuyos mejores amigos son los que manejan los ascensores o las personas encargadas de hacer las entregas de las comidas a domicilio.

Mi generación tiende a preferir la cultura de los pares, es decir, nos quedamos con nuestros amigos. Nuestros padres vienen de una generación de cultura familiar. Se les dificulta comprender que podamos disfrutar de los amigos tanto como de la familia. Un cliente me contó que su madre quería que él fuese a cenar con ella el día de su cumpleaños, pero él tenía una fiesta con sus amigos ese día. Me dijo que la hubiera invitado pero que no estaba seguro de que para ella hubiera sido muy agradable. Ella se sintió herida y dijo: "¿Quieres decir que prefieres estar con tus amigos y no con tu madre?"

Los hijos mayores, aunque tengan mucho trabajo y estén bajo presión, deberían llamar a los viejos con frecuencia y regularidad, aun cuando sea para hablar muy poco. Lo mismo vale para las visitas. El pescado y los visitantes empiezan a oler mal después del tercer día. Ir a casa, estar allí unas veinticuatro horas y disfrutar la visita es mejor que posponer la visita para sufrirla durante una semana.

En familias con parientes mayores las despedidas son importantes. Son metafóricas y deben hacerse con cuidado. Es importante tocar a la persona o decirle palabras tiernas, hablar acerca de la próxima vez que van a estar juntos, darle un pequeño regalito o decir algo divertido, sonreír y hacer grato el momento. Siempre recomiendo a las familias tomarse todo el tiempo necesario para las despedidas; éstas son fundamentales para bien o para mal. Una despedida bien hecha puede salvar una visita difícil. Una despedida bien hecha puede abrigar las entretelas del corazón hasta la próxima visita.

Es esencial tener un programa de visitas y llamadas que pueda mantenerse a largo plazo. Las crisis suelen presentarse por épocas, pero hay ocasiones en las que las personas duran enfermas varios años. He visto situaciones muy deprimentes en las que miembros de la familia que habían sido siempre leales y se habían preocupado por una persona mayor, de repente se cansan y la abandonan. Esa persona se ve entonces enfrentada a vivir sola en los tiempos más duros.

Cuando los padres viven lejos es más difícil saber cuándo se presentan las crisis. Es imposible para los hijos tomar tiempo libre e ir a visitar a los padres cada vez que sucede cualquier cosa pequeña, pero cuando el padre o la madre tienen noventa años, cualquier cosa pequeña puede llegar a ser fatal. Si bien es muy fácil reconocer los errores después, es imposible saber qué es lo correcto en el momento de tomar una decisión. Muchos hijos anhelan de verdad estar con sus padres en el momento de la muerte. Permanecen en el hospital durante sus dos semanas de vacaciones, pero luego tienen que partir y reciben la noticia de la muerte unos pocos días después.

Con frecuencia asumimos que una persona vieja necesita más o menos ayuda de la que necesita en realidad. Es posible que la sometamos a una sobredosis de ayuda o que simplemente no estemos allí cuando de verdad nos necesite. Para determinar estas fronteras se necesita franqueza, capacidad de negociación y compromiso. Papá quizá necesita alguien que lo acompañe al médico, pero está perfectamente capacitado para podar su propio césped. Mamá puede necesitar alguien que la ayude a hacer las compras, pero puede no tener ningún problema para arreglar su jardín. Sería bueno disponer de cierto tiempo cada dos o tres meses para hablar con ellos sobre cómo van las cosas. Es posible que los viejos necesiten más ayuda y que los hijos necesiten explicarles que es necesario introducir en su vida ciertos cambios que van a afectarlos a todos. Es imperativo saber preguntar con frecuencia: "¿Cómo van las cosas? ¿Nos sentimos todos cómodos y bien?" Lo más importante es saber escuchar atentamente y tener presente que nadie tiene la culpa de que la situación sea difícil. Con tantas cosas complejas sucediendo al mismo tiempo, ¿cómo podríamos evitar las dificultades?

En cuanto sea posible, los mayores necesitan tomar las decisiones que afectan su propia vida. Es importante no hacerles lo que ellos pueden hacer. Es importante dejarlos que hagan por los demás lo que puedan. La reacción más común a la pérdida de opciones es la depresión. Sin embargo, hay un momento que se parece al juego en el que usted se cae de espaldas esperando que haya alguien para recibirle. El juego es más agradable si la persona que cae está tranquila y la persona que recibe es fuerte y amorosa.

En algunas familias las relaciones de los hijos mayores con sus padres no son tan buenas. Quizá las cosas han funcionado porque los separan bastantes kilómetros de distancia. De repente, el padre o la madre decide ir a vivir cerca y tener contacto diario. El hijo siente la angustia de que viejas rencillas vuelvan a salir a flote. Los padres temen irrumpir en la vida de su hijo o que éste quiera dominarlos.

Los problemas entre hermanos pueden volver a revivir. Las viejas tensiones vuelven a ocupar puestos importantes. Imágenes aparentemente olvidadas plantean problemas de nuevo. Mamá tiene confianza en el hijo mayor pero no en el menor. Papá se siente más cercano a los hijos, pero ignora a la hija. La hermana menor empieza a temer que la mayor vuelva a querer mandar, como hace algunos años. Los mellizos siempre hacen un frente único y desplazan al hermano menor. Todos estos problemas entre hermanos, que habían quedado atrás, pueden resurgir e interponerse en la vía que lleva a la solución de los problemas. Los hermanos pueden tener distintas ideas de quién debe hacer cada cosa, lo que da origen a una buena cantidad de problemas adicionales. Estos desacuerdos pueden ser difíciles de solucionar para quienes tienen una larga historia de desacuerdos sobre quién debe limpiar la mesa o alimentar al perro.

Aunque algunas de las disputas más fuertes sobre los testamentos son producto de la codicia de cada uno, en la gran mayoría de los casos éstas tienen que ver con cuál era el o la favorita de papá o mamá. Un abogado me dijo en una ocasión: "Si usted verdaderamente quiere conocer a alguien, comparta con él una herencia". Había visto verdaderas batallas por la tierra, los objetos de plata e incluso fotografías de infancia. Los hermanos pueden sentirse molestos por quién fue el elegido para vivir cerca de los padres, quién es el albacea del testamento y a quién se le permitirá conducir el auto de papá. Una pelea por quién hereda el anillo de matrimonio o la mesa de la cocina busca determinar quién hizo más por mamá. Los hermanos que siempre compitieron por la aprobación paterna ahora compiten por el velero o por la ropa blanca y los manteles.

Cuando la situación se pone tensa, los viejos patrones tienden a reaparecer. Los acentos se agudizan. La gente habla con menos corrección gramatical y usa más frases de su infancia. La hermana mayor se vuelve mandona. El hermano menor espera que los demás hagan el trabajo. El del medio busca desesperadamente su papel. El bebé de la familia hace una rabieta súbita, pero este bebé tiene ahora cincuenta y cinco años.

Los hijos adultos pueden temer no estar a la altura y ser útiles de verdad. Jerry quería acompañar a su madre que tenía parkinson, pero debía trabajar sesenta horas a la semana y era padre de dos adolescentes. Me dijo: "No puedo ir a visitar a mi madre ni a los partidos de mis hijos si no quiero faltar al trabajo. Decida lo que decida, siempre tengo problemas con alguien".

Julia era banquera y tenía unos treinta y cinco años cuando su padre sufrió un serio ataque cardíaco. Trabajaba de ocho a cinco y tenía un niño de tres años, uno recién nacido y una casa enorme. Era miembro de la junta directiva del colegio, voluntaria de un hospital y estaba en clases de tai chi. Después de unas pocas semanas de estar visitado a su padre y a su angustiada mamá, Julia se dio cuenta de que tenía que dejar algo de lado y dijo en tono amargado: "Mi vida funcionaría si dejara de dormir".

Algunos hijos adultos padecen de temor al abandono. Cuando estamos cuidando a un padre viejo, estamos cuidando a alguien que nos va a dejar. Vivir cerca de los padres y acompañarlos en su muerte puede significar mayor dolor para el hijo. Nada es abstracto ni distante. Todo duele. Cuanto más amemos y cuanto más abiertos seamos con nuestros padres, mayor dolor vamos a sentir al final. Los padres viejos tienen también sus propias angustias. Ellos temen perder el control y ser un estorbo. Temen terminar atrapados en cuerpos sin mente o en mentes con cuerpos que no funcionan.

La ansiedad es contagiosa. Muchas enemistades familiares se hacen evidentes en las crisis de salud y en los funerales. Éstas son épocas de alto riesgo para las familias, pero con humor, ejercicio, buena alimentación y descanso es posible controlar los niveles de ansiedad. La gente necesita usar todas las herramientas a su alcance para poder hacer frente a las situaciones. Los que no tengan métodos saludables para enfrentar el estrés desarrollarán métodos enfermizos.

Los padres ancianos obligan a sus hijos a admitir que tienen limitaciones, que no pueden hacerlo todo. Los hijos adultos no tienen el dinero, el tiempo, las condiciones de vida, la sofisticación psicológica o el conocimiento médico que les permita manejar las situaciones perfectamente, es decir, no pueden hacer lo suficiente. Nunca pueden compensar a sus padres por el don de la vida. No pueden impedir que sus padres sufran, estén tristes y, por último, no pueden evitarles la muerte. Sin embargo, por medio de charlas abiertas, planes adecuados y buena disposición, los hijos pueden hacer las cosas lo mejor posible. Así les queda la satisfacción de haber hecho lo que estaba en sus manos. Todos podemos aprender siempre algo nuevo del amor.

Cuando los padres envejecen, las familias se hacen las grandes preguntas sobre el sentido, la finalidad de la vida, Dios y lo que pasa después de la vida. Durante la ancianidad, la gente necesita hablar de sus creencias. Idealmente las diferencias se minimizan con la tolerancia, pero no todas las familias son tan afortunadas.

Una preocupación común a todos es si debemos o no ocultar las malas noticias a los viejos. Los hijos no saben si contarles que un amigo que vive lejos ha muerto, o si deben informarles sobre los problemas económicos o familiares. En general, es un error mantener secretos. Hay una tendencia a "protegerlos" de lo que está pasando en la vida de los otros adultos. Cuando los viejos se percatan de ello, se sienten aislados y abrigan sospechas; también se sienten inútiles y rebajados. La información clara y la retroalimentación franca es lo que nos mantiene en contacto con la realidad. Dejar a los demás fuera, sin importar los motivos, es hacerles un mal.

En la cultura actual se considera aceptable corregir a los niños. Decimos: "No comas con la boca abierta" o "No es correcto eructar en público". Es posible que no siempre les guste, pero eso los educa. Sin embargo, pensamos que es descortés hacer esto con los adultos, a menos que sean nuestros compañeros cercanos o nuestros empleados. Esta costumbre puede ser dañina. Todos tenemos hábitos desagradables y es posible que se hagan cada vez peores si nadie nos recuerda que los tenemos. Sin retroalimentación, la gente puede llegar a volverse descortés, ensimismada y excéntrica y salirse del alcance de los demás.

Saber dar esta retroalimentación es un verdadero arte. Es importante decir: "Te digo esto porque me importas y valoro nuestra relación". Por último, es importante hilar fino, tratar de no repetirnos ni dar demasiada importancia a las cosas. Es mejor decir: "Mamá, yo vendría con más frecuencia si me preguntaras por mis hijos. A mí me gustaría hablar de sus vidas contigo", que decir: "No te soporto, no me das nunca ni la más mínima oportunidad de hablar". Es posible que nuestra crítica constructiva sea escuchada si va precedida y seguida por un elogio.

Es correcto pedirles a los parientes viejos que no usen palabras con sabor racista. Explíqueles claramente por qué hay cierta forma de hablar que a usted le molesta. Déjelos hablar de sus experiencias con personas de otras razas y cuénteles las suyas. Mire documentales históricos y lea libros de historia con ellos. Hable acerca del tipo de sociedad en la que le gustaría educar a sus hijos. Sea respetuoso pero firme. Una amiga insistió en que su padre dejara de contarle chistes racistas. Cuando éste empezaba a contarlos ella se levantaba de la mesa y finalmente logró que dejara de hacerlo.

Si bien las personas mayores, por lo general, son excelentes conversadoras, es posible que necesiten alguna ayuda para empezar. Hágales preguntas, hable lentamente, déles el tiempo que necesitan para recordar y organizar sus ideas. Pregunte sobre los lugares en los que la familia ha pasado vacaciones, luego pregunte detalles de lo que haya sucedido en esos lugares. Haga preguntas en las que la persona mayor pueda hablar del mundo cultural y político de su época: "¿En dónde estabas cuando murió tal presidente?" "¿Cuál fue la primera película que viste en tu vida?" Pregunte acerca de objetos y de personas: "¿Cómo era tu casa?" "¿Qué recuerdas de tus padres?" "¿De tus abuelos?" "¿Cuáles son tus canciones favoritas?"

Una buena manera de entablar una conversación es desarrollar alguna actividad. Muchas personas mayores hablan más fácilmente mientras cocinan, desgranan maíz, tejen o pescan. Una buena manera de escuchar historias familiares es mirar y escoger fotos viejas. Es un terrible error no hallar tiempo para esta actividad. Cuando un pariente anciano muere, la persona más joven se queda con un cajón lleno de fotos sin nombres y sin haber escuchado un montón de historias familiares.

Recuerde que la generación de los viejos valora mucho la acción. Cuando mi cuñada Pam le ayudó a su abuela a congelar maíz y enlatar tomates, tuvieron algunas de su mejores charlas. Cuando mi vecina Marlene y su padre limpiaron el garaje, él le contó los detalles de su primer matrimonio. Cuando mi cliente Julia y su padre restauraron sus muebles, tuvieron la primera y única charla acerca de su relación.

Los regalos también pueden ser importantes. La tía Betty agradeció mucho una lámpara para la cabecera de la cama, pues así podía leer cuando tenía insomnio. A mi suegro le encantan los rompecabezas. A la mayoría de las personas mayores les gustan mucho las frutas, las hortalizas y las cosas hechas en casa. Mi suegra adora las películas de John Wayne. Nada hace más feliz a la tía abuela Myra que un regalo para su perrito Cookie, ya sean galletas o juguetes para masticar. Un paseo al campo o una visita a la ciudad natal también son regalos maravillosos. Las plantas también: son jóvenes y vivas y necesitan atención.

También es bueno mirar películas viejas y escuchar música de su época, lo mismo que mantenerlos actualizados sobre lo que sucede en el mundo. Asegúrese de que siempre tengan libros, películas y conciertos nuevos. Hábleles acerca de la situación política actual y de los eventos culturales. Es especialmente gratificante ayudar a la gente a hacer algo por primera vez. Mi abuelo aprendió a hacer esquí acuático cuando tenía setenta años y hasta su muerte llevó en su billetera una fotografía suya en la que estaba esquiando. El tío Randall tiene ochenta años y está aprendiendo a manejar un computador. Mi amiga Lucy empezó a tomar clases de piano cuando tenía setenta y ocho años. Sé de muchas mujeres que se volvieron escritoras o artistas a los setenta.

Las personas mayores por lo general disfrutan mucho contando o escuchando chistes. Muchas situaciones tensas pueden solucionarse con una buena carcajada y muchas conversaciones tristes han podido salvarse introduciendo una nota divertida al final. Despídase en forma tal que deje en el recuerdo una sonrisa.

Esté abierto a las diferencias en el lenguaje. No diga grocerías ni use jerga moderna. No insista en hablar acerca de los sentimientos y acepte el amor que se expresa más con hechos que con palabras. Como lo anotó Holden Caulfield hace tiempo, una madre puede demostrar su amor con un delicioso caldo de pollo. Por otra parte, está bien que un hijo adulto hable de sus sentimientos, especialmente de los positivos. A los viejos les gusta oír que son amados y respetados. Casi nadie se molesta cuando se le dice que lo apreciamos.

Diga lo que cree que debe decirse. El tiempo vuela y no es buena idea postergar las conversaciones sobre las cosas verdaderamente importantes. No le tema a demostrar su afecto física y verbalmente, toque, abrace, tome la mano, haga masajes de espalda y diga: "Te quiero".

Todas las situaciones familiares son diferentes, pero unas cuantas reglas se pueden aplicar a todos los casos. Trate a los demás como quisiera que lo trataran a usted cuando esté en esa situación. Anime a los miembros de su familia a tener amigos de todas las edades, en parte para que no todos envejezcan al tiempo. Con los viejos-viejos espere desengaños, incomprensiones y días malos. Incluso con las personas jóvenes y saludables no siempre todo va bien. La vejez es una situación realmente difícil, con muchas tristezas y frustraciones.

Todas las personas involucradas en una crisis familiar necesitan algo de tiempo para sí mismas durante el día. Cuando mi madre estaba enferma, yo salía a caminar al atardecer. Aunque el día hubiera sido tremendamente estresante en el hospital, podía manejar mejor las cosas si contemplaba la puesta del sol. Mi cliente Becky vivía con su madre cuyo vértigo de Ménière la mantenía siempre con náuseas y mareo. Becky era una hija cariñosa y atenta, pero siempre buscaba tener un rato para ella en las tardes, tomarse una copa de vino y escuchar la radio.

Busque la unión familiar alrededor de algo que les guste a todos. Si bien la estructura superficial de la comunicación puede ser estresante, es posible que todos compartan el sentido profundo. Todos quieren que todos se sientan amados y valorados y todos quieren tiempo para poder divertirse. Siempre que sea posible, hable de lo que usted disfruta y valora. Comparta los recuerdos felices y las esperanzas en el futuro. Tenga fe en que todos los miembros de la familia pueden crecer hasta el momento de su muerte. Esté pendiente de los cambios en actitudes y comportamientos.

CAPÍTULO **6**

Con añoranza del cielo

La tragedia de la vejez no es que uno sea viejo sino que uno es joven.

— Oscar Wilde

Si hubiera sabido que iba a vivir tantos años, me habría cuidado mucho más.

— Eubie Blake

A LOS TREINTA AÑOS UNO SE PREOCUPA POR SU FIGURA, a los cincuenta, por sus capacidades, a los setenta, por todo: teme perder el control de sí mismo, los amigos y su propia vida. La vejez no sólo debilita el corazón; los viejos pierden el pelo, la fuerza muscular, la memoria, la fortaleza y la agilidad. Se pierden las papilas gustativas, la libido y la capacidad de dormir profundamente. Muchas personas pierden su trabajo que, por estresante que sea, le da sentido a muchas vidas. Los viejos pierden la salud y por último la esperanza. Como respondió la tía Grace una vez que le pregunté cómo estaba: "Digámonos la verdad: voy cuesta abajo y cualquier progreso es temporal". O como dijo Phyllis: "Los años dorados no son tan dorados: tienen demasiado cobre".

Este capítulo es una especie de guía hacia ese otro mundo. Trata de indagar qué están sintiendo los ancianos y por qué; ubica algunos de sus comportamientos en un nuevo contexto. Muestra qué tienen frente a ellos, todas sus pérdidas y temores. Es el capítulo más triste del libro.

En él comparo a los viejos con víctimas de un desorden de estrés postraumático. Examino el costo psicológico de este estadio del desarrollo, así como su salvación. Los viejos no se vuelven desagradables por que sí, sino debido al peso de los acontecimientos. Hemingway escribió: "La peor muerte es la pérdida de lo que fue nuestro centro vital". Muchos viejos-viejos pierden ese centro. Su falta de interés por los demás, su irritabilidad y todas sus quejas son reacciones típicas del desorden de estrés postraumático.

> *Me siento como un avión al final de un largo vuelo, a oscuras,*
> *buscando un aterrizaje seguro.*

— Winston Churchill, ya jubilado

Metáforas

La vejez se presta para las metáforas. Es como el firmamento. Para los jóvenes el firmamento es azul y tiene unas pocas nubes que desaparecen rápidamente. A medida que envejecemos, las nubes se hacen más espesas y ya hacia el final el firmamento está totalmente encapotado. El barómetro muestra un fuerte descenso en la temperatura y se ve venir la tempestad que se formó en el horizonte.

Hipócrates fue el primero en comparar la vida con las estaciones, y la vejez con el invierno. Hace ya muchos años Horacio escribió: "Vienen años tristes. Decimos adiós a la risa, al amor feliz y al sueño fácil". Chateaubriand comparó la vejez con un naufragio. El día en que cumplió sesenta y nueve años, Whitman se llamó a sí mismo "barco viejo, desmantelado, gris y abollado, inhabilitado, acabado". En 1936, Freud le escribió a Stefan Zweig: "Todavía no puedo acostumbrarme al dolor y la tristeza de la vejez y espero con impaciencia el largo viaje hacia el vacío".

A sus sesenta años, May Sarton escribió con optimismo: "Las alegrías de mi vida no tienen nada que ver con la edad. Son cosas que no cambian. Las flores, la luz de la mañana y de la tarde, la música, la poesía, el silencio, los jilgueros de rama en rama..." Pero después de sufrir una trombosis, cuando pasó a la ancianidad, escribió: "Estoy aprendiendo que un grito que sale del corazón de un viejo produce demasiados estragos y angustia en quien lo escucha porque no se puede hacer nada para ayudarle en su ruta descendente".

Sarton luchó mucho para aceptar que dependía de los demás. Escribió sobre las odiosas instituciones para los ancianos. "Hay cierta relación entre una prisión y un lugar en el que los humanos no pueden valerse por sí mismos". Como tuvo que prescindir de muchas de las cosas que amaba, se preguntó: "¿Qué puedo conservar de lo que todavía quiero?" Durante estos años, muchos de sus amigos enfermaron y murieron. Luego afirmó: "Todas las personas de más de sesenta y cinco años habitan en un mundo despoblado". Finalmente escribió: "La esperanza es lo último que muere".

Pérdidas

QUIENES DISFRUTABAN ESCRIBIENDO CARTAS, ya no pueden escribir pues su letra se vuelve temblorosa e ilegible. Los lectores ávidos no pueden leer. Los caminantes no pueden caminar. Los escaladores no pueden escalar. Ya no pueden trabajar en el jardín ni cocinar ni bailar. No van más al cine o a conciertos porque hay poca luz y les cuesta caminar. W.H. Auden, ya en su vejez, comenzaba sus conferencias diciendo: "Si alguien allá atrás no puede oírme, por favor no levante la mano porque tampoco veo bien".

Ya no es posible ir a la iglesia ni a hacer las compras. Pienso en la tía Grace junto al tío Otis tendido en su reclinomática. Él había sido un vendedor muy ágil, pero ahora tenía Alzheimer y la tía Grace, problemas con su tensión arterial. Un día le dijo: "Otis, ¿alguna vez pensaste que llegaríamos a esto?"

Las piernas de los atletas fallan. Los amantes de las bicicletas se las regalan a sus nietos. Los campeones de carrera temen no poder llegar ni al baño. A medida que el cuerpo envejece, los intereses que le dieron sentido a la vida empiezan a desaparecer. Por supuesto que hay algunos viejos de ochenta años que siguen corriendo y muchos que pueden todavía hacer ejercicio. La natación en particular es el deporte más suave. Pero la verdad es que no hay muchos atletas que puedan seguir practicando su deporte hasta el final. El ejercicio proporciona placer, alivia el estrés y mantiene a las personas alerta y optimistas. Sin éste, muchas pierden agilidad mental y se hacen cada vez más depresivas y ansiosas. La sensación que tienen con relación al cuerpo es, como dice Yeats, la de "estar atado a un animal moribundo".

Algunos viejos pierden la memoria reciente. Cada día les cuesta más encontrar las llaves del auto y las gafas para leer. Confunden los nombres y llaman a sus hijas con los nombres de sus hermanas, y a sus nietos con los de sus hijos. Olvidan los nombres de las personas que conocieron la semana pasada. Olvidan qué hicieron ayer.

La relación entre vejez y memoria es paradójica. Los viejos olvidan muchas cosas y a la vez su vida está llena de recuerdos. Todas las cosas que ven les recuerdan algo. Muchos viven cada día más inmersos en el pasado. Ram Dass nos brinda una posible explicación a esto. Antes de su trombosis tenía visión de futuro, pero después de ésta el futuro equivalía a decadencia y debilitamiento. Por eso regresaba con su pensamiento a momentos más felices de tiempo atrás.

Al envejecer, la mayoría de las personas experimentan cierta pérdida de interés o capacidad sexual. Muchos expertos recalcan que esta pérdida no es inevitable ni necesaria. Con creatividad y comunicación los viejos pueden tener vidas sexuales satisfactorias. Ésta es una buena noticia para algunos, pero no para todos. Muchas personas anhelan tener autorización para disminuir el ritmo, especialmente en esta cultura obsesionada con el sexo. Lo que buscan es la libertad para no dejar que el sexo determine sus relaciones y no tener que angustiarse por su funcionamiento.

Esto me hace recordar un chiste muy popular en Nebraska. Un hombre encuentra a una rana que le dice: "Bésame y me convertiré en una hermosa princesa". En lugar de besarla, el hombre la mete en su bolsillo. La rana le dice: "¿No quieres besarme para tener una bella princesa?" El hombre le responde: "A mi edad, francamente prefiero tener una rana que habla".

Esto no quiere decir que la pérdida de interés sexual no produzca cierto dolor. Pienso en Joe, un viejo cliente, que lamentó profundamente la pérdida de su poder sexual. Se estaba quedando calvo y su barriga había crecido. Sus coqueteos, hasta hacía poco muy bien recibidos, empezaban a parecer ridículos. Para Joe el sexo no era uno de tantos otros placeres: era algo definitivo. Estaba perdido.

La enfermedad afecta las conversaciones. Los viejos hablan de las personas en coma, de la incontinencia, del oxígeno, de la quimioterapia, de los servicios de salud, del enfisema y de la gota. Hablan de los testamentos, de los funerales, de la viudez reciente y de los que acaban de morir. Hablan de todas estas cosas porque su vida está llena de ellas. Una vez, en una conversación muy larga acerca de los problemas de salud de sus amigos, el tío Clair me miró y dijo: "Nuestro problema es que hemos vivido demasiados años".

Al envejecer algunas personas se confunden, se vuelven olvidadizas y en ocasiones ligeramente delirantes, especialmente cuando viven en instituciones en las que todos los días pasa lo mismo, pues corren el riesgo de perder el concepto del tiempo y de lo que sucede fuera de la institución.

La enfermedad afecta al modo de ser. El dolor, la frustración y la falta de ayudas para enfrentar el estrés pueden dar origen a una especial irritabilidad. Cuando uno está mareado, congestionado o demasiado cansado corre el peligro de volverse gruñón y depresivo. Paul, un vecino que padece dolor crónico en la espalda, me dijo: "Deberías haberme conocido antes del problema de mi espalda. Yo era bastante divertido". Tenía razón: ahora no era muy divertido. Siempre se le veía tenso y cansado y muy pocas veces estaba dispuesto a charlar con los demás. Cuando Paul se dio cuenta de que tenía muchos más días malos que buenos perdió su optimismo. Decía con gran tristeza: "Nada es fácil. Todo requiere esfuerzo. El cuerpo no es una habitación cómoda".

Pienso en Lila, siempre pronta a encontrar los aspectos negativos. Si viajaba, el recuerdo que tenía era una comida desastrosa o un día lluvioso. Si tenía una fiesta deliciosa, reparaba en que el vino no estaba suficientemente frío o en que el clarinetista desafinaba. En una ocasión, mirando las fotografías de la boda de unos amigos, dijo en tono inquietante: "Están felices, por ahora". Lila no fue siempre así. En su juventud era bastante despierta y optimista, pero muchos años de deficiencia cardíaca congestiva habían estropeado su energía y su optimismo.

La enfermedad puede dar origen a diversos círculos viciosos. El dolor está presente, así que se necesitan las drogas que pueden incapacitar o eventualmente dar origen a mayores problemas físicos y más dolor. Una persona muy voluminosa no puede hacer ejercicio debido a la artritis, por tanto se hace cada día más pesada y la artritis empeora. La enfermedad, la inactividad física y la depresión con frecuencia van unidas. Los medicamentos se oponen los unos con los otros. Los tratamientos pueden solucionar un problema pero agudizar otro. La enfermedad afecta la capacidad de resistencia, lo que a su turno nos vuelve más vulnerables a nuevas enfermedades.

El dolor, que hace a las personas más dependientes, también hace que muchas de ellas se vuelvan irritables. Y esto, a su vez, puede ahuyentar ayudas potenciales. Una persona ansía con desesperación trabajar, pero el trabajo le hace daño. Un hombre que ha padecido un ataque cardíaco quiere escalar una montaña por última vez, pero teme que el ejercicio acabe con él. Incluso las tensiones entre las parejas pueden hacerse más difíciles si uno de los miembros de la pareja siente que el estrés está exacerbando su enfermedad. Las discrepancias se vuelven asuntos de vida o muerte: "No pelees conmigo o harás que se me suba la tensión".

Las reacciones negativas de las personas enfermas no tienen necesariamente un tinte personal. Es más fácil ayudar si uno no se irrita por estos comportamientos, sino que los ve como parte de la reacción general al estrés de la ancianidad.

Lo sorprendente es ver cómo la gente se adapta a circunstancias tan difíciles. Los seres humanos se acostumbran a todo y muchas personas saben sacar provecho de cualquier situación. Me acuerdo de la tía Henrietta, que bromeaba con el personal del hospital que la ayudó cuando se fracturó la cadera. También pienso en Emilia y Carlos. Emilia tiene diabetes y no puede dar sino unos pocos pasos y Carlos sufre de insuficiencia cardíaca congestiva. Los dos decidieron que continuarían viviendo como siempre. Llevan la silla de ruedas en la parte trasera del auto y así van a todas partes. Entre una y otra actividad agradable, la mayor parte de su vida está llena de sufrimiento, pero siempre tienen algo interesante que hacer.

Adicionalmente está la pérdida del entorno. Los vecinos de siempre mueren o se van a vivir a otro lugar. Las tiendas de la esquina y los cafés son reemplazados por supermercados. Las ferreterías desaparecen y los centros comerciales se multiplican. La panadería que hacía esas galletas tan fantásticas ha sido reemplazada por una vídeotienda. Incluso los músicos, los artistas de cine y los políticos que conformaban su mundo han muerto. En su lugar ahora hay gente más joven, cuyos nombres son difíciles de recordar. Los árboles desaparecen. Los ríos cambian sus cauces.

El hogar es el depositario de la memoria y al perderlo existe el peligro de que se pierda la conexión con la verdadera esencia. La tía Betty vivió en una granja en Idaho que ella y mi tío compraron durante la Depresión. Al principio estaba rodeada de naturaleza, pero el paisaje que ella conocía ya desapareció. Como su casa estaba cerca de áreas boscosas, se convirtió en una zona atractiva para vacaciones y su pueblo ahora está de moda. La zona se ha llenado de jóvenes ejecutivos que viven en las viejas granjas, además de nuevos cafés y locales de comidas rápidas entre los restaurantes tradicionales.

La última vez que fui a visitarla, Betty me llevó a la montaña para mostrarme el lugar en donde ella y Lloyd iban a recoger arándanos sesenta y cinco años atrás. El camino a la montaña era un sendero de piedras, pero ahora íbamos por una amplia carretera hacia una estación de esquí. Betty desconocía todas las nuevas edificaciones, y lo que quería era encontrar su viejo sendero. Lo buscamos un buen rato, pero la montaña había sido transformada para albergar las nuevas construcciones. Cuando por fin ubicamos su sendero, tras uno de los condominios, Betty insistió en que lo recorriéramos.

A medida que íbamos subiendo, mi tía empezó a respirar mal y tenía la cara enrojecida. Paraba con frecuencia y aminoraba el paso. Su equilibrio era precario y resbaló dos veces. A pesar de esto, estaba disfrutando su caminata. No se dio cuenta de las cicatrices que los transportadores de los esquiadores y las carreteras habían dejado en la montaña. Sólo vio su montaña como era hace sesenta y cinco años; también se vio a sí misma como una joven esposa y a Lloyd como un apuesto leñador.

Me mostró los viñedos y sus flores favoritas. Por fin logré convencerla de que se sentara a la orilla del arroyo, mientras que yo iba a buscar el lugar en donde estaban los arándanos. Nunca lo encontré, pero le dije que sí lo había visto y ella fingió creerme.

El hogar era para mi tía mucho más que una casa. Era la tierra, las bayas, los caballos y las personas que había conocido. Fue perdiendo su casa por pulgadas: primero el paisaje, luego su compañero y por último su granja. Poco después de mi visita, Betty se fue a vivir a la ciudad, a una casa para personas mayores. Fue una decisión dura para ella y para sus hijos, pero los inviernos de Idaho ganaron la batalla. Nadie quería que ella se viera atrapada semanas y semanas sin compañía alguna y con carreteras intransitables.

Dada la importancia que tiene el hogar, la decisión de irse a un nuevo espacio es a menudo una de las más difíciles en este estadio de la vida. Todavía estamos aprendiendo a organizar los hogares geriátricos. Con mucha frecuencia las instituciones atienden las necesidades institucionales y no las de los pacientes. Recuerdo una visita a una vieja clienta que estaba en el hospital. Carola acababa de sufrir una trombosis y estaba muy débil y nerviosa. Justo cuando acabábamos de empezar nuestra conversación, llegó una asistente a darle terapia ocupacional. Carola le rogó: "¿No podríamos hacerlo un poco más tarde? Estoy muy cansada y Mary está aquí". La asistente le contestó: "Mi turno termina dentro de media hora, así que tenemos que hacerlo ya". Esperé hasta que terminaran la sesión, después de la cual, a pesar del cansancio, Carola todavía quería hablar conmigo. Justo cuando empezábamos de nuevo, llegaron a hacerle la terapia respiratoria. La persona encargada también tenía que hacerlo inmediatamente para poder salir. Yo comprendía la urgencia de estas trabajadoras, pero Carola fue la única que no obtuvo lo que más necesitaba y deseaba, y ella era la enferma.

Nuestros ancianos necesitan ser dueños de la mayor cantidad de control y capacidad de relacionarse con los demás que sea posible. Es importante que puedan seguir yendo a su iglesia, que vean a sus amigos y familiares, y que vayan a sus almacenes preferidos, a los parques y a los cafés. Que tengan sus propios muebles, cuadros y libros. Necesitan teléfono y periódicos, computadoras y revistas, es decir, todo lo que han tenido durante su vida a fin de que puedan permanecer conectados con el mundo.

Necesitan la libertad de tomar todas las decisiones posibles en lo que respecta a su vida. En algunas instituciones, los residentes son "orientados a la muerte". Los "buenos", es decir, los obedientes, mueren primero. Algunas instituciones son decoradas como centros de asistencia diurna y se trata a los viejos como niños. En su libro *Fountain of Age,* Betty Friedan describe un lugar en el que les hacían todo a los residentes. Las personas mayores estaban separadas de las jóvenes y pasaban el día mirando televisión. Friedan llama a estos lugares "corrales de juego para adultos".

Afortunadamente muchos hogares son mejores. La mayoría de los miembros del personal en estas instituciones están trabajando allí porque les gustan los viejos y quieren ayudar. Los problemas no surgen por falta de motivación sino por falta de fondos e información sobre cómo manejar los sumamente difíciles problemas de la ancianidad. Las dificultades surgen de nuestra falta de sabiduría colectiva en la valoración de los viejos.

Necesitamos rituales culturales que ayuden a las familias a dar el paso del hogar a la casa de ancianos. Conozco el caso de una mujer a la que engañaron para llevarla a una de esas instituciones. La invitaron a dar un paseo y jamás volvió a ver su hogar. Mi clienta Regina me habló del traslado de su abuela a un ancianato. La abuela se negaba a dejar su casa de toda la vida, pero sus hijos estaban preocupados por ella. Se le olvidaba soltar el agua del inodoro y la casa olía mal. Un domingo se tomó todas las medicinas que debía tomar en la semana. A veces decidía preparar un pastel de carne y se le olvidaba sacarlo del horno. Finalmente, la abuela cedió a la presión de sus hijos. Regina dijo: "Mamá quería que las cosas ocurrieran tranquilamente, lo que en su concepto quería decir que nadie se pusiera especialmente sensible. Yo fui a acompañarla porque quería asegurarme de que la abuela se sintiera autorizada para llorar.

Le dije que tenía todo el derecho de sentirse triste y que en su situación yo también lo estaría".

Necesitamos "fiestas de despedida de los vecinos" y ceremonias de "despedida de la casa y el patio". Necesitamos rituales para "entrar en la nueva casa". Por ejemplo, la abuela de Regina era pianista. Siempre le habían gustado las canciones alegres, las canciones sincopadas y el fox-trot. Pidió que en su funeral solamente se tocara ese tipo de música. Regina se las arregló para tenerle un pequeño piano eléctrico en su nueva habitación el día de su llegada. Le pidió al personal de la institución que se reuniera para escuchar a la abuela tocar "Maple Leaf Rag".

Sería interesante realizar ceremonias como la de la bendición del lugar, u orar para pedir buena suerte, felicidad y nuevas amistades. Necesitamos rituales tranquilizadores para que los viejos se sientan amados y parte integral de la comunidad. Pienso en la costumbre budista de bendecir los nuevos hogares. Las oraciones, las flores, las lecturas, la música y los abrazos ayudan a facilitar el paso de la persona a su nueva vida. Escribir cartas de presentación a los miembros del personal puede ayudar para que el nuevo residente sea tratado como una persona. Estas cartas pueden formar parte de la ceremonia.

Los cambios son duros incluso para personas saludables y jóvenes. Es difícil imaginar el estrés que puede producir salir de una casa que amamos mucho para instalarnos en un lugar que nos produce no sólo desconfianza sino pavor. ¿Cuántas veces no hemos oído a algunas personas decir que preferirían morir a tener que irse a vivir en una de esas instituciones? Los rituales y las ceremonias pueden servir para suavizar la transición y hacer que ésta no se sienta como un abandono total.

UN DÍA CERCANO A LA NAVIDAD estaba en el supermercado y de pronto oí a una mujer muy mayor hablando con el cajero mientras que pagaba el papel higiénico y las curitas que estaba comprando. Ésta le decía: "Todas las personas a las que amo ya están bajo tierra. Lo único que quiero es estar con ellas. Empiezo a sentir añoranza del cielo. ¿Por qué me tiene Dios aquí por tanto tiempo sufriendo y sola?" Hay un momento de la vida en el que los amigos empiezan a desaparecer. Los hermanos que nos visitaban con frecuencia mueren o ya no pueden desplazarse. Los grupos de amigos se desbaratan. Las rutinas sociales que tejieron una vida entera se pierden. Willa Cather describió esta sensación como "ir a una obra de teatro en la que la mayoría de los actores han muerto".

Las comunidades ayudan a las personas a mantenerse saludables. En 1988 James House, de la Universidad de Michigan, encontró que la falta de relaciones sociales constituía un gran riesgo para la salud, tanto como el cigarrillo y la tensión arterial alta. Una investigación que se realizó en Roseto, un pueblo de inmigrantes italianos en el que ya habían vivido tres generaciones de las mismas familias, demostró que las personas vivían más tiempo cuando se quedaban en Roseto que cuando se mudaban a otro lugar. Este aumento en las tasas de longevidad producido por la pertenencia a una comunidad se denomina efecto Roseto.

En Norteamérica, las personas de setenta y cinco años o más que viven solas presentan una tasa de mortalidad 2.5 veces más alta que la de quienes viven acompañadas. Incluso las personas que tienen plantas o mascotas viven más tiempo que aquéllas que no tienen nada de qué ocuparse. Hay investigaciones donde se demuestra que las personas que entablan conversación con otros en las salas de espera de los médicos tienen posibilidades de mejorar más rápido. En algunas casas para ancianos se acostumbra escuchar grabaciones con las voces de los seres amados para calmar a los residentes y ayudarles a dormir. Claramente, una manera de ayudar a las personas mayores es asegurarse de que siempre haya alguien que las acompañe.

Mantenerse alerta y conectado con el mundo es un reto. Hacer visitas puede ser una manifestación de amor, pero hacerle visita a un compañero de tenis después de que éste ha sufrido una trombosis incapacitante también es un trabajo. Duele mucho ver a un amigo querido con tubos para alimentarlo, ponerle suero y medicinas. Hay un momento en el que la mayoría de los amigos de una persona mayor ya han sido enterrados. Florene dice: "Me gustaría poder enviar e-mails al cielo".

Cuando se deteriora la salud de uno de los miembros de una pareja, el otro también se afecta. O bien los dos dejan de hacer ciertas cosas o el que está mejor sigue haciéndolas solo. Mi clienta Marilyn me dijo que su madre hizo sola un viaje en un crucero para celebrar sus cincuenta años de matrimonio. Ella y su marido habían programado esto durante años y además habían ahorrado dinero para hacerlo, pero él ahora no podía caminar y estaba hospitalizado, convaleciendo de una cirugía. Insistió vehementemente en que ella disfrutara del crucero. La madre de Marilyn llama a su esposo para relatarle sus experiencias. Trata de que el relato sea lo más divertido posible para que él lo disfrute a través de ella. También llama a Marilyn todos los días para saber cómo está él y para decirle a ella la verdad. "Nunca me sentí más solitaria que contemplando las puestas del sol en el océano y mirando las estrellas sola mientras que la banda tocaba una canción de Glenn Miller".

Para muchas personas, la peor de todas las pérdidas es la del compañero o compañera. Betty y Lloyd ya llevan casados más de sesenta años, pero ahora Lloyd tiene Alzheimer. Betty me escribió hace poco: "Él no me comprende y yo no lo comprendo... No puedo dejarlo partir, pero tampoco puedo lograr que se quede".

A. D. Hope escribió que a medida que se hacen mayores las parejas "se separan cada día más". Esto puede ser cierto, pero también es cierto que las parejas comparten recuerdos y rutinas. Se preocupan el uno por el otro y también se animan mutuamente. Suplen las deficiencias del otro. El que puede caminar bien lleva la silla de ruedas. El que oye bien contesta el teléfono. Se dice que al perder a su cónyuge, las mujeres se quedan solas haciendo el duelo y los hombres la reemplazan. Sin embargo, para casi todos los viejos-viejos es imposible superar el duelo.

Es un milagro que las personas puedan sobrevivir a la muerte de sus cónyuges. Hay tantos viudos y viudas, y nosotros tendemos a subvalorar la magnitud de cada tragedia individual. Esperamos que la gente se recupere muy rápido de sus penas. Les prestamos atención por unos cuantos meses y luego confiamos en que sigan adelante. Aunque la mayoría de las personas no se recuperan tan rápidamente, lo que sí hacen es dejar de hablar de ello. Los demás asumimos, entonces, que ya se sienten mejor y esto no es cierto.

Muchos de los viudos mantienen un cierto tipo de relación con el muerto después de su fallecimiento. Los fantasmas no existen literal sino metafóricamente. Los viudos incluyen a sus compañeros en sus oraciones y en sus conversaciones. Muchos hablan con ellos mientras que comen o cuando visitan sus tumbas. Están esperando volverse a encontrar en el cielo. Sus compañeros han muerto, pero la relación no.

Trabajo

EN MI CIUDAD NATAL HAY UNA MUJER VIEJA que atiende a su hijo Tom, de sesenta años que es un bueno para nada. Bueno, no es exactamente un bueno para nada; lo que sucede es que nunca maduró ni se fue de la casa. No trabaja y le gusta mucho la comida que su madre prepara. Por supuesto, en el transcurso de los años ha sido pasto de las críticas de la gente del pueblo por su pereza y dependencia. Si bien es cierto que tienen cierta razón, yo quiero apuntar que su madre es la mujer de ochenta y cinco años más joven de toda la ciudad. Cuando la veo en la tienda, se mueve ágilmente de un lugar a otro buscando duraznos frescos para un pastel —el de duraznos es el favorito de Tom— o comprando cajas grandes de cereal —a Tom le encanta comerlo mientras que ve televisión. Como psicóloga podría anotar fácilmente los aspectos enfermizos de esta familia, pero lo que resulta relevante aquí es lo útil que se siente la madre y lo afortunada que es de tener un objetivo en su vida.

Cuando yo estaba en la universidad, una de mis supervisoras era la doctora Lana Edwards, una psicóloga de cerca de setenta años que dirigía una unidad para enfermos de esquizofrenia. Todavía me parece verla en su terapia de grupo, vestida con sus trajes de lana y zapatos terapéuticos, con el tejido sobre sus piernas, haciendo observaciones inteligentes y amables a los pacientes. Eso sucedió hace veinte años y el verano pasado me enteré de que la doctora Edwards todavía trabajaba en la misma unidad. La persona que me lo contó dijo: "Debe tener unos ciento diez años ahora".

La pérdida del trabajo ha matado a más de una persona. Para los hombres que tienen pocos intereses distintos al trabajo, los primeros años después de la jubilación son críticos. Les toca encontrar nuevos modos de organizar su tiempo, nuevas formas de ganarse el respeto de sus familias y de sentirse útiles. Las mujeres, que están más acostumbradas a repartir el tiempo entre el trabajo y la casa, por lo general se las arreglan mejor. Hay muchos casos en los que pueden conservar su trabajo hasta la muerte.

Especialmente cuando las personas pierden algunas de sus capacidades, es importante que puedan hacer uso de lo que les queda para ayudar a los demás. Una gran fuente de placer para las personas mayores es acompañar a sus amigos a hacer mandados. Preparar un pastel para un nieto, enseñarle a utilizar una radio de onda corta o ayudar a otro residente en un ancianato a encontrar el camino al comedor los hace sentirse útiles, lo que es esencial para la persona.

La pérdida de la belleza física es muy dura para algunas mujeres mayores. Si una mujer ha sido siempre espectacular, unas manchas en la piel, unas cuantas libras de más y unas arrugas pueden afectar profundamente ciertos problemas centrales de identidad. Las mujeres de belleza corriente por lo general se las arreglan mejor. Tienen menos que añorar, pues sus identidades se construyeron a partir de las relaciones con los demás y no a partir de su propia figura. Ann Menbroker escribió: "La manera de mantenernos hermosas es evitar los espejos y mirar a quienes de verdad nos devuelven amor en su mirada".

Desorden de estrés postraumático

> *Mi propuesta para definir a un optimista es:*
> *persona que no ha vivido muchos años.*
>
> — DORIS GRUMBACH

> *Todos vamos a morir desnudos y solos en algún*
> *campo de batalla que no elegimos.*
>
> — THOMAS CAHILL

En *Qué pasa con las niñas de hoy* escribí que una forma de pensar en los adolescentes es verlos como personas que siempre están bajo los efectos del LSD. De manera similar, un modo de pensar en los viejos es verlos como si fueran víctimas crónicas de un desorden de estrés postraumático, porque la mayor parte de ellos son personas normales y saludables a quienes el mundo se les está viniendo encima.

Cuando se habla de desorden de estrés postraumático estamos haciendo referencia a una serie de síntomas que experimentan las personas después de haber estado sometidas a un estrés excesivo. Hay diferentes reacciones frente a las pérdidas. Algunas personas ven riesgos en todas partes. Se sobresaltan, se preocupan por cualquier cosa y se molestan con facilidad. Pueden ser irritables y tienen dificultades para dormir o para concentrarse. Con frecuencia sufren de depresión y tienen pesadillas. Pueden experimentar la culpabilidad del sobreviviente o perder su fe en Dios o en cualquier otra cosa en la que creían antes. Pueden convertirse en pesimistas crónicos, con la idea de que la vida ya terminó para ellos.

Atendí en mi terapia a dos viudas que sufrían de desorden de estrés postraumático. Sus reacciones eran muy distintas. Julia experimentaba una emotividad exacerbada. Cecilia, una parálisis de las emociones.

Julia y Cecilia se distinguían también por el tipo de pérdida que habían sufrido. Julia había perdido a un esposo muy amado. Su pena, si bien profunda, era limpia y no estaba atravesada por complicaciones adicionales. El matrimonio de Cecilia era el típico "no puedo vivir con él, pero tampoco puedo vivir sin él" y su pena era más confusa y compleja. Ella se demorará más en sobreponerse.

JULIA

"El eje de mi vida no estaba en mí,
ni en él. Estaba entre los dos".

CUANDO CONOCÍ A JULIA, acababa de perder a Arturo, su esposo durante cincuenta y dos años. Éste pereció a causa de un ataque cardíaco y cuando Julia lo encontró muerto, sufrió un shock físico. Cuando vino a verme ya se había sobrepuesto al golpe inicial y a las primeras noches de soledad, pero me recordó un pequeño incidente de la autobiografía de Mark Twain. Al regresar de Europa, Twain se enteró de que su hija había muerto repentinamente. Escribió que se sentía como si un rayo hubiera atravesado su cuerpo y se preguntó si sería capaz de sobrevivir a ello.

Julia se sentía culpable por prepararle a Arturo huevos con salchichas, por no haberlo obligado a hacer ejercicio, por no haberlo salvado y, por último, por haberle sobrevivido. Pasó muchas noches despierta, preocupándose por la salud de otros miembros de la familia y de algunos amigos. Iba y venía entre la preocupación por su propia salud y el deseo de que alguna enfermedad terminal la sacara de su sufrimiento.

Cuando olvidaba por algunos instantes que Arturo estaba muerto, lo recordaba con sobresalto. Muchas veces puso la mesa para los dos, se sentó sola y rompió en llanto en medio de la cena. Arturo estaba de alguna manera entretejido en las redes de su vida y era inconcebible pensar que se había ido. Todas las mañanas, al despertar, la realidad volvía a golpearla de frente y duro.

Julia vivía una resaca de dolor. Tenía siempre la sensación de que las cosas no estaban bien. La primera vez que vino a verme me citó unas líneas de una canción de Vern Gosdin: "El dolor más profundo del corazón está escrito en una losa". Quiso saber si yo había perdido a alguien y me dijo: "Si no es así, es imposible que pueda entender lo que estoy sufriendo".

Dijo que lo más difícil había sido darse cuenta de que el mundo seguía su curso, que aunque su corazón estaba roto, los vecinos seguían cuidando sus jardines, leyendo el periódico y sacando sus perros a pasear. Los noticieros de la noche seguían en la televisión, los niños jugaban básquet y el carrito de los helados seguía pasando frente a su casa.

Aunque trabajaron juntos en su pequeño negocio, no pelearon nunca. Julia me dijo: "No teníamos que pelear. Nos entendíamos con la mirada". Arturo tenía un gran sentido del humor, era descomplicado y calmado y Julia extrañaba su tranquilidad. "Me calmaba sólo con contarle lo que me estaba pasando. El eje de mi vida no estaba en mí ni en él. Estaba entre los dos".

Ahora que Arturo se había ido, Julia estaba preocupada por su estabilidad mental. Sus hijos herían sus sentimientos y las pequeñas molestias que Arturo hubiera espantado se quedaban y le hacían mella. "La memoria de Arturo era mejor que la mía", me dijo. "Cuando yo olvidaba algo, lo primero que hacía era preguntarle a él. Se acordaba incluso de las películas que me gustaban a mí. Ahora no tengo quién me acuerde de nada, no tengo a quién preguntarle: 'Oye, ¿en qué año hicimos eso?'"

No podía escuchar música ni concentrarse para leer, pero sí podía caminar. Todos los días salía a caminar en un parque en las afueras de la ciudad. Por él corría un arroyo junto al cual Julia encontró algo de paz: "Mirar el agua me ayuda a aceptar la muerte de Arturo".

Le gustaba verme y tomar café con su amiga Magda. Me dijo: "Cuando tenía a Arturo no necesitaba a otras personas, pero eso ha cambiado". La curación verdadera fue producto de una ocurrencia totalmente fortuita. Un día en que Julia estaba sola mirando una revista, de pronto oyó el timbre de la puerta. Era un niño de dos años que vivía en la casa vecina. Troy entró de una vez y caminó por todas partes haciéndole muchas preguntas. Ella llamó a su madre para preguntarle si el niño podía quedarse un rato y dos horas más tarde lo llevó a casa.

Desde entonces el timbre sonaba todos los días. Abría la puerta esperando ver a Troy con sus botas de vaquero, listo para una nueva aventura. No quería enamorarse pero lo hizo. Troy era un niño persistente, la hacía reír muy a su pesar. Siguiéndolo a todas partes, ofreciéndole galletas e indicándole qué podía y qué no podía tocar, olvidó su pena y me dijo un poco más tarde: "Troy me trajo de nuevo al mundo. Me ayudó a ver que lo mejor de todo es que la vida sigue su curso".

CECILIA
"El año en el que el cielo se derrumbó".

CECILIA Y YO NOS CONOCIMOS EN ENERO, después de la muerte de su esposo a causa de una leucemia. Rafael había sido abogado y duraron casados treinta y nueve años. Con la ayuda del hospital y de un buen médico, Cecilia lo había cuidado en casa. Ese mismo año había perdido a su madre, a su padre y a su sobrino favorito. Fue el año en el que "el cielo se derrumbó".

La osteoporosis de Cecilia había empeorado últimamente. Desde la muerte de Rafael, había tenido dos fracturas de las vértebras. Debido a esto tenía dolores permanentes y su apetito no era muy bueno. Me dijo: "Yo creí que iba a sentirme mejor después de su muerte. Nuestro matrimonio no fue ninguna maravilla y yo no pude moverme de casa durante su último año. Pero no me siento mejor, me siento vacía".

Su matrimonio con Rafael no era muy feliz. No había ningún maltrato, pero no eran compatibles. "Rafael vivía dedicado a la oficina", me dijo. Nunca pudo encontrar el momento para tener una cita a solas con Cecilia, ni tomar vacaciones en familia. De hecho, era bastante frugal. Cuando Cecilia quería gastar algo de dinero en ella o en los hijos, él le decía: "Terminarás comiendo alimento para perros". Cecilia alternaba los métodos de respuesta, a veces peleaba y otras ponía cara de tristeza para conmover a Rafael. Ninguno de los dos era afectuoso y en ocasiones permanecieron juntos por pura conveniencia. Vivieron educadamente sin interactuar casi nunca y con un cúmulo de dolor sin resolver entre ellos.

Me tranquilizó que Cecilia no tratara de endulzar la verdad de su relación con Rafael. No era víctima de la "amnesia" que afecta a algunas personas tras la muerte de su cónyuge. Algunas tienden a olvidar las cosas malas y a recordar solamente las buenas, aunque la relación haya sido mayoritariamente negativa. Aunque esto puede reconfortar a la persona temporalmente, también puede dar origen a una nueva relación fallida. También puede ser la causa de conflictos con otros miembros de la familia que tengan una visión más realista del pasado. Aunque Cecilia no estaba muy comprometida afectivamente, sus recuerdos de Rafael eran honestos. Me lo expresó de esta manera: "Le voy a contar la pura y simple verdad acerca de Rafael, aunque la verdad rara vez es pura y nunca es simple".

Desde la muerte de Rafael, Cecilia se despertaba todas las mañanas preguntándose: "¿Cuál es el sentido de todo esto?" Miraba televisión y leía novelas de misterio. Dejó su costurero y su grupo de oración y evitaba encontrarse con los otros miembros de la familia. Un día que riñó con sus nietos, su hija le dijo: "Mamá, estás llena de ira", afirmación que la sorprendió pues ella no sentía absolutamente nada.

Cuando le recomendé que llevara un diario de sus sentimientos, me dijo: "¿Qué sentimientos?" Le dije que si se daba tiempo, éstos iban a aflorar. Cecilia estaba escéptica, no había sido nunca una persona abierta, pero estuvo de acuerdo en que iba a cooperar. Estaba cansada de vivir en un mundo "sin sabores".

Vino a verme durante varios meses y con el tiempo hizo algo muy poco usual: empezó a hablar de sus sentimientos. Para su sorpresa, cuando hablaba de Rafael sentía ira, remordimientos, amor y odio. Elaboró el duelo de perder a sus padres y a su sobrino. Lloró por su salud debilitada y por su dolor físico. En una sesión, expresó la preocupación de que sus hijos pensaran que ella era un estorbo. En otra, habló de su aislamiento de todas las personas excepto de las viudas. Describió un día en el que ansiaba tocar el saco de un hombre, y el olor de las lociones le producía dolor.

Es mucho más difícil elaborar la pena de una relación conflictiva. Las personas que como Cecilia experimentan una fuerte ambivalencia acerca de una persona que han perdido, tienen más dificultades para elaborar el duelo. Solamente cuando Cecilia se permitió compartir sus sentimientos empezó a desbloquearse. Sólo después de haber vivido las emociones negativas pudo empezar a experimentar sentimientos positivos.

Llegó un momento en el que Cecilia logró ser una persona feliz. Aprendió a conducir y a manejar su dinero. Le encantaba tener libertad para cocinar o no cocinar y para comprar regalos para ella y sus nietos. Volvió a sus clubes e hizo una amistad profunda por primera vez en su vida. Viajó con la familia de su hija y lo disfrutó mucho, así como los lugares que visitaron. Me dijo: "Por fin pude tener esas vacaciones familiares que siempre quise".

UNA REACCIÓN COMÚN AL TRAUMA es volver una y otra vez al relato del suceso traumático. Pienso en Gail, que todo lo relacionaba con la muerte accidental de su esposo en un tren. Si alguien hablaba del clima, ella decía: "Cierto, eso me recuerda el clima el día en que Walter murió". Si alguien decía que iba a comprar un pastel, ella decía: "A Walter le encantaba el pastel de chocolate". Si alguien le hablaba de un viaje a Canadá, ella decía: "Walter quería ir a Canadá, pero lo mató un tren".

La necesidad de relatar una y otra vez el hecho traumático sirve a las personas no para transmitir información sino para hacerse una especie de terapia. La negación y la represión son física, emocional y mentalmente costosas. Parte del proceso de recuperación consiste en dar rienda suelta a los sentimientos, lo que eventualmente puede aliviar y calmar a la persona.

Como cualquier otra víctima de un desorden de estrés postraumático, los viejos se obsesionan con el hecho que los traumatizó. Los aniversarios pueden dar pie a reacciones postraumáticas y a nuevos traumas. Por último, los miembros de la familia pueden observar que la persona está deprimida e irritable o escucharle historias interminables sobre la salud, pero no relacionan esto con un posible desorden de estrés postraumático.

Los viejos suelen interesarse por los relatos acerca de la salud de personas a quienes ni siquiera conocen. Escribiendo esto me acuerdo de Josefa. Un día fui a almorzar a su casa y el único tema fueron los problemas de salud. Tenía bursitis en la rodilla y tenía que tomar Darvocet y cortisona. El frío le hacía mucho daño y había estado hospitalizada por una neumonía. Fue donde un neumólogo y éste le prescribió prednisona. Y como si sus problemas no fueran suficientes, me contó una historia de una mujer a quien yo no conocía, pero que estaba acumulando líquido en los pulmones. Decía una y otra vez que a su amiga se le habían endurecido los pulmones.

No era fácil seguir su relato mientras que comíamos sopa de arvejas. Estaba apenas empezando a trabajar con viejos y todavía no me había acostumbrado a estos temas. Me pareció bastante aburrido y a la vez me descompuso. Hoy en día mi reacción habría sido muy diferente. Después de haber pasado varios años con viejos, los relatos sobre la salud ya no me afectan.

Al principio esta conversación sobre las enfermedades me desconcertaba. ¿No tienen suficiente con sus enfermedades para ocuparse de relatar las de los otros? ¿No les aburren todos esos problemas de salud? Pero ahora entiendo. Los viejos viven en el "reino de los enfermos" de Susan Sontag. Muchos pierden el temor a hablar de los intestinos, de los catéteres y de las heridas abiertas. Nos cuentan los detalles más increíbles de los procedimientos médicos. Me acuerdo de una charla con Gladys sobre sus cálculos biliares. Al hacerme su relato me dijo: "Me sacaron un galón de orina".

La enfermedad es el campo de batalla de los viejos. Aquel en el que haremos nuestra última parada. Como todas las víctimas de un desorden de estrés postraumático, a los viejos les interesan estas historias. Hablan de ello para superar sus traumas, hablan de los problemas de salud porque éstos son los desastres que tienen más a la mano. Como dice Bettelheim: "Aquello de lo que no podemos hablar nunca puede superarse".

Siempre me han interesado las historias de desastres. Ellas ponen de presente lo peor y lo mejor del género humano. Las historias particulares también nos enseñan mucho. Cuando María Antonieta, la hermosa y maleducada reina francesa, fue recluida en la Bastilla, su cabeza se llenó de canas de la noche a la mañana. Pero en sus últimos meses, muriendo de hambre, encadenada a la pared en una mazmorra oscura, logró comportarse con dignidad.

Los relatos de desastres nos ponen de presente qué pueden hacer los seres humanos cuando se los pone contra la pared. La vejez es nuestra propia historia de desastres, nuestro escenario definitivo. Cada uno de nosotros sentirá que su barco se está hundiendo; nos sentiremos perdidos y lejos de casa. Según nuestra forma de actuar surgirán las peores y las mejores historias.

Las personas que pasan por un desorden de estrés postraumático oscilan entre sentirse abrumadas por las emociones y no sentir absolutamente nada. En algunos casos, cuando no pueden comunicar sus sentimientos, desarrollan manías o problemas físicos. Algunas personas no pueden superar los traumas. Pienso en mi bisabuela Lee, que era una persona pesimista. Cuando yo era niña la evitaba porque siempre estaba criticando a alguien o quejándose de algo. Vivía con su hija, mi abuela Glessie, y no la dejaba tranquila ni un momento. Cuando se enfadaba con Glessie, tiraba la comida contra la pared y gritaba e insultaba sin piedad a mi dulce abuela.

Cuando llegué a ser adulta, supe lo traumática que había sido la vida de mi bisabuela Lee. A su esposo lo había matado un coche cuyo conductor había huido. Su yerno había enloquecido y ella desarrolló una artritis tan grave que no podía levantarse sola y por eso permanecía en la sala de mi abuela. Tenía dolores permanentes y había perdido todo su dinero por culpa de unos vendedores de aceite de culebra que resultaron ser unos charlatanes. Una persona más tranquila habría podido manejar sus tragedias en forma diferente, pero ella era así y la vida la había golpeado y amargado. Cuando la conocí, era una de esas personas que, como dijo Robert Frost: "No tenía nada que mirar con orgullo en su pasado ni nada que mirar con esperanza en el futuro".

El desorden de estrés postraumático produce dolor, ira y conmoción, y hace que la persona proyecte una imagen de furia, apatía o depresión. Esto me hace pensar en Eugenia, que va a visitar a su tía una vez por semana en el ancianato. La tía Alicia llama a su residencia "nido de culebras" y culpa a Eugenia de lo que le está pasando. Critica su forma de vestir y su peinado y se queja porque no va a visitarla con más frecuencia. Nunca le pregunta nada sobre su vida y por esto Eugenia odia ir a visitarla. Sin embargo, no es capaz de faltar porque no cree justo que alguien tenga que vivir completamente solo.

La tía Alicia nunca fue lo que podríamos llamar un ejemplo de salud mental. Sin embargo, se las arregló bastante bien hasta la muerte de su marido y hasta que le empezó una ciática. Sus problemas de salud y su depresión le quitaron la energía de por vida. A medida que se fue haciendo más y más introvertida y negativa, sus amigas se fueron retirando y la situación se hizo cada vez peor. En la actualidad sólo tiene a Eugenia.

Las obsesiones también pueden desarrollarse como reacciones al trauma. Nosotros tuvimos una vecina que sólo pensaba en que el olmo del jardín se le iba a caer encima de la casa. La preocupación no la dejaba dormir en las noches y hablaba todo el tiempo acerca del inminente desastre. Entonces hizo que cortaran un árbol precioso y totalmente sano porque nadie pudo convencerla de que no corría peligro alguno. Otra mujer, que perdió a su marido, estaba convencida de que los vecinos le estaban robando sus hortalizas y las herramientas del jardín. Oía ruidos en la noche y aun cuando las herramientas seguían en el garaje por la mañana, su explicación era que el ladrón se cuidaba de devolverlas antes del amanecer.

Las adicciones también puede ser reacciones al trauma. Muchos alcohólicos funcionales se hacen menos funcionales después del trauma. Bebedores sociales que no tienen nadie con quien hablar se vuelven alcohólicos; algunos abstemios deciden beber para poderse dormir los primeros meses después de la muerte del cónyuge. Muchos viejos no tienen a nadie que les ayude a controlarse. Es posible que ya no puedan hacer lo mismo que antes, pero todavía pueden beber. Cuando su padre estaba muriendo, Ellen vino a terapia. Era la hija mayor y la única que vivía cerca de sus padres. Su padre había sido un médico eminente y su madre, una mujer de sociedad. Toda su vida habían conservado el gusto por el martini. Al padre de Ellen le diagnosticaron un cáncer y esto los había llevado a beber para matar la pena. Ellen no pensó nunca que iba a tener que enfrentar un problema de bebida en su familia.

Un desorden de estrés postraumático puede dar origen a una carrera truncada. Es como si la persona necesitara toda su energía física exclusivamente para sobrevivir. Por supuesto, las reacciones son diferentes según la naturaleza del trauma, la resistencia de la víctima y la calidad de apoyo que tenga.

Siempre hay sorpresas. Hay personas débiles que se vuelven duras como el acero y otras que parecen unas fortalezas se vuelven inútiles. Las personas aisladas y las que no logran sobreponerse entre un trauma y otro corren un riesgo mayor de ensimismamiento.

Carl Jung creía que si los viejos no desarrollaban fuerza interior se volvían defensivos, dogmáticos, depresivos y cínicos. El único remedio verdadero para el desorden de estrés postraumático es el crecimiento interior. El tratamiento debe encaminarse a restablecer el control y la conexión con el mundo. Lo más efectivo para las personas es saber que siguen siendo amadas y capaces de amar. La capacidad de hacer del sufrimiento propio una fuente de ayuda a los demás, o lo que Jay Lifton llamó la "misión del sobreviviente", también ayuda a los viejos a reponerse de las pérdidas.

Sin embargo, mientras las personas no cuentan sus historias pueden estar poco interesadas en ayudar a los demás o en otros temas. Un abuelo puede no darse cuenta del éxito de un nieto no porque no lo quiera, sino porque está preocupado exclusivamente por los sucesos traumáticos de los últimos meses. La tía Tillie puede no preguntarle nada a su sobrino sobre su nuevo trabajo porque lo que le preocupa es su próxima cita con el médico.

Hay personas que saben preguntar y también escuchar al otro con calma, solidaridad y respeto. Los viejos necesitan desesperadamente de estos sanadores naturales, es decir, de personas que no tengan prisa y que se preocupen por lo que ellos están pensando y sintiendo.

Tener intereses nuevos, adquirir habilidades y tener nuevas relaciones también ayuda a la gente a salir adelante. Los viejos necesitan amistades que vengan de años atrás y amigos nuevos que les aporten nuevo aire a su vida. Otra posibilidad de crecimiento para los viejos es poder adquirir algunas de las habilidades de las generaciones más jóvenes. Un padre puede aprender a abrazar a su hijo adulto y a decirle "te quiero". Una madre puede aprender a afirmarse a sí misma y a exigir lo que necesita. Los padres pueden aprender a abordar temas que antes los avergonzaban.

Debido a todas las pérdidas que experimentan, los mayores pueden amargarse y volverse tristes y reconcentrados. Sin embargo, las personas que no declinan con la edad se vuelven individuos más integrados, más profundamente humanos, más genuinos y más comprensivos. Aprenden, citando a Auden, a "amarse los unos a los otros, o perecer".

Nuestros mayores necesitan lugares en los que puedan recibir cuidados físicos adecuados y en los cuales sean respetados. Desde luego, la importancia de la proximidad física es enorme. Las tareas diarias más sencillas son mucho más fáciles de manejar cuando hay una familia que nos rodea. La unidad hace más fácil la vida no sólo para las personas mayores sino también para las jóvenes que cuidan de ellas. Tengo una amiga en Oregon que construyó una cabaña para sus padres en el jardín posterior de su casa. Al principio las visitas de los padres eran breves, pero a medida que éstos se fueron haciendo mayores sus visitas se iban alargando más y más hasta que se establecieron allí. Fue necesario hacer muchos ajustes, pero finalmente todos se sintieron muy satisfechos con la situación. Mi amiga pudo ayudar a sus padres. Los abuelos podían disfrutar de las presentaciones musicales y de los partidos de fútbol de los nietos y además comer con ellos los días de fiesta y los fines de semana. Más adelante, los nietos pudieron acompañar a los abuelos en sus últimos días de vida.

Los viejos también necesitan tener médicos cerca, tanto física como emocionalmente. Médicos que los atiendan integralmente, profesionales en quienes puedan confiar y que verdaderamente se preocupen por su bienestar. Necesitan personas que estén dispuestas a escucharlos cuando hablan de dolor físico o emocional y que estén dispuestas a defenderlos dentro de su sistema de asistencia médica. Tener médicos que los conocieron cuando eran más jóvenes y que conocen a las familias también es útil.

Los viejos también necesitan apoyo. Uno de los mejores grupos de apoyo que conozco es un grupo de viudas que se reúne semanalmente para desayunar en una cafetería de la ciudad. Centros para personas mayores, grupos de la iglesia, hostales para personas mayores, clubes para jugar cartas y grupos de costura son espacios donde los viejos pueden recibir el apoyo que necesitan para recuperarse de las pérdidas.

El estrés es acumulativo. Los viejos ya soportan tanto estrés que un suceso relativamente pequeño puede agobiarlos. Cuando una persona se entera de que un amigo tiene un cáncer terminal, una noticia inesperada relacionada con un revés económico insignificante puede parecerle una tragedia. Una clienta que supo enfrentar heroicamente la pérdida de su esposo se hizo pedazos con las molestias burocráticas relacionadas con la decisión de donar el cuerpo de su esposo para la ciencia. Es importante lograr ubicar las penas pequeñas dentro del contexto de las grandes.

Cuando visitamos a los viejos vale la pena preguntarles por lo relacionado con su salud y la de sus amigos. Si ha muerto algún amigo, pregunte datos relacionados con éste. ¿De dónde venía la amistad? ¿Qué recuerdos agradables tiene de él o ella? ¿Cómo murió? Es posible que los viejos necesiten hablar de la situación que les produce angustia antes de lograr ubicarse en el presente.

El humor también ayuda. Una clienta a la que le costó mucho sacar una cita con su médico, decidió llamarlo y decirle: "Le pediré al conductor del coche mortuorio que me deje en su consultorio". También es bueno hablar a los viejos de sus logros y no de sus fracasos. Podríamos decir: "Recuerda los buenos momentos y no los desagradables" o "Aprende de tus errores, no desperdicies un minuto más de tu vida". Lo más triste de la vejez no son las pérdidas sino la imposibilidad de crecer gracias a las experiencias.

CRYSTAL

"La música llega al corazón".

ENTREVISTÉ A CRYSTAL, TERAPEUTA MUSICAL, en el Manor, un hogar geriátrico local. Nos tomamos un café y Crystal me habló de los residentes. Antes de irse a vivir allí, muchos de ellos habían tenido su propia casa, habían viajado y sus vidas habían sido interesantes y productivas. Ahora vivían allí por problemas de salud. Crystal dijo que la adaptación al Manor era un proceso duro. Las instituciones acaban con la autonomía y la espontaneidad: todo está programado. Hay muchas reglas y caras nuevas. En su opinión, la música acalla la pena y le proporciona una voz amable al individuo.

Crystal tiene una organeta que lleva de habitación en habitación. Muchas de las personas mayores que viven allí siempre han deseado tocar algún instrumento musical, pero nunca tuvieron la oportunidad. Ella se las proporciona. Si alguno está demasiado enfermo para tocar, Crystal le pregunta qué canción desea oír. Programa su día de forma tal que nunca necesite estar apresurada.

Lo que todos los residentes necesitan con urgencia es alguien que les dé tiempo. Con mucha frecuencia le sacan álbumes de fotografías para mostrarle fotos de sus padres y de sus familiares. Crystal les pregunta cosas como: "¿Qué problemas ha tenido?" o "¿Cómo conoció a su marido o a su esposa?" Siempre trata de hacer énfasis en los buenos momentos y en los logros. Los recuerdos de las bodas suelen ser divertidos y felices. A veces acaricia las manos de los residentes. Una vez un anciano le dijo: "Tú eres mi mejor amiga".

Justo en la mañana de nuestra entrevista, Crystal había estado en el entierro de una residente. Era una mujer que casi nunca salió de su habitación ni dejó de tocar su piano. Los otros residentes se reunían frente a la puerta de su cuarto para escuchar sus conciertos. Como componía canciones y le gustaba practicar todo el tiempo, Crystal la convenció de que compartiera su música con grupos pequeños y le imprimió un cuaderno con las canciones compuestas por ella.

"La música le habla al corazón", dijo Crystal. Un hombre que había padecido una trombosis llora cada vez que oye música. Incluso los pacientes que sufren de demencia o tienen Alzheimer siguen el ritmo con los dedos de la mano o con los pies.

Crystal me dijo que en el Manor hacían todo lo posible para que los pacientes se mantuvieran en contacto con sus seres queridos. Ofrecían comidas para "las parejas" y adornaban las mesas con velas y flores. Animaban a los viejos a vestirse bien y a tomarse fotografías con su compañero o compañera. Ésta era una de sus actividades preferidas. Los residentes con frecuencia tienen hijos adultos y nietos que los quieren especialmente y vienen a visitarlos a diario, los sacan para comer fuera o para dar paseos, y asisten a sus presentaciones.

Crystal observó que los residentes suelen interesarse los unos por los otros. Se preocupan si la amiga no come. Se defienden unos a otros, visitan a los que no pueden moverse y les envían tarjetas. Siempre están atentos para pedirle a Crystal que toque la canción favorita de cada uno. Crystal dijo que, en ocasiones, algunos de los residentes querían ser siempre el centro de atención, responder todas las preguntas y hacer la selección de canciones. Luego dijo riendo: "No saben relacionarse bien con los otros. No son los más populares".

Crystal dijo que el deseo principal de los residentes era conservar la salud y ver a sus familias. Estos ancianos nos ayudan a mantener las cosas en perspectiva. Ninguno tiene dinero, pero los que son alegres tienen gente que los quiere. Una mujer de noventa años tiene un amigo que está en segundo grado y la visita con frecuencia. Crystal espera llegar a ser como sus residentes favoritas cuando sea vieja, es decir, de buen genio, bondadosa y nada quejumbrosa.

Crystal no es una profesional en el campo de la salud mental, pero está dispuesta a proporcionar los dones del contacto físico y la risa. No da demasiados consejos, sólo está dispuesta a escuchar los relatos tristes y a animar a las personas para que disfruten de los recuerdos gratos.

Es difícil exagerar cuando nos referimos a la dificultades de la ancianidad. Los viejos-viejos viven su invierno en la Antártida y experimentan eso que los esquimales llaman *perlerorneq*, es decir, perciben el peso de la vida. Con frecuencia están asustados, solos y perdiendo todo lo que les es más preciado. Sus reacciones, por tanto, se parecen a las de otros supervivientes en condiciones de estrés extremo.

Yo suelo aconsejar a los hijos adultos que piensen siempre en la situación general y no se fijen en los detalles. Los viejos son los pasajeros de nuestro barco; son las personas con quienes tenemos el privilegio de surcar el océano de la vida. Sólo nos tenemos los unos a los otros. No se trata únicamente de una carga sino también de la alegría de ayudar a quienes amamos. Es nuestra oportunidad de mantenernos unidos, de dar amor y de crecer nosotros mismos. Por supuesto que hay momentos en los que ayudar al otro no es fácil. Hay momentos dolorosos y desagradables, pero pocas personas se arrepienten de haber sido útiles. Nos ocupamos de los viejos porque es bueno para ellos, pero también para nosotros.

CAPÍTULO 7

El río más fatigado

Desde un profundo amor a la vida,
Desde la esperanza y el temor liberados,
Damos gracias a Dios,
Sea quien sea este ser,
Porque no haya vida que dure sin que nunca se extinga;
Ni hombre que se libre de la muerte;
Porque hasta el río más fatigado
llegue seguro hasta la mar.

— ALGERNON CHARLES SWINBURNE

ESTE CAPÍTULO SOBRE LA MUERTE TIENE MÁS POESÍA que todos los demás, en parte porque la muerte es un suceso de tal magnitud que lo mejor es abordarlo a través de la metáfora. Los poetas escriben con más elocuencia que cualquier científico social. También hay una enorme brecha entre el lenguaje de la ciencia y el de la experiencia humana, brecha que refleja un problema aún mayor: la gran división que hay en nuestra cultura entre el corazón y la mente, entre el alma y el cuerpo. El lenguaje de la experiencia personal subjetiva es radicalmente diferente al que se utiliza para hacer las descripciones técnicas y objetivas de este suceso. Esa dualidad en el sistema del lenguaje dificulta escribir sobre la muerte. Después de todo, la muerte es una experiencia unificada. Cuerpo y alma, corazón y mente, sujeto y objeto se transforman. Cuando hablamos de la muerte sin asumir en cierta forma esta unidad, sonamos como cabezas huecas.

Por lo general, en todos los lugares y las épocas, la muerte se ha hecho visible y reconocible y está profundamente ritualizada. Hasta hace poco la mayoría de las personas morían en casa. Los niños veían la muerte, a menudo las muertes de los abuelos, incluso las de los padres. Las familias preparaban los cuerpos para el entierro, y los vecinos venían a acompañar a la familia que permanecía junto al féretro. La muerte era un suceso comunitario. Ahora, por primera vez en la historia de la humanidad, las personas mueren en los hospitales y en las instituciones, con frecuencia lejos de la familia y rodeadas de máquinas y de extraños.

En el siglo XIX y a principios del XX, la muerte era una experiencia familiar en la que todos participaban. Si bien esta omnipresencia de la muerte daba lugar a una relativa morbosidad, también era en cierta forma un llamamiento para que todos la afrontaran. La muerte no podía pasarse por alto como ahora. Los versos que incluyo a continuación forman parte del poema "Mortality" (Mortalidad), que era el favorito de Abraham Lincoln y nos comunica con gran profundidad cómo se veía la muerte en un lugar y un momento específicos.

> *¿De qué se enorgullece el espíritu de los mortales?*
> *Cual fugaz meteorito, cual nube veloz,*
> *El reflejo de un rayo, el golpe de una ola,*
> *Pasa de la vida a su reposo en la tumba...*

Así como la muchedumbre se va —como flor o semilla
Que se marchita para dar vida a otros.
Así la muchedumbre viene —incluso a quienes vemos
Repetir muchas veces el cuento antes contado.

Pues somos como nuestros padres fueron;
Nuestros ojos contemplan los parajes que también ellos vieron,
Bebemos en la fuente que bebieron y nos cobija el mismo sol;
Y seguimos la ruta que ya ellos caminaron.

Lo que pensamos ya lo pensaron nuestros padres;
La misma muerte que nos atemoriza, los atemorizó a ellos;
Y la misma vida a la que nos aferramos se aferraron ellos,
Pero ello se aleja de nosotros como un pájaro al vuelo...

Es el guiño de un ojo —sólo un soplo de aliento—
Lo que va de la vida en plenitud a la pálida muerte,
Del resplandor de los salones a la negra mortaja y al féretro.
¡Oh! ¿De qué se enorgullece el espíritu de los mortales?

— WILLIAM KNOX

Generalmente se guarda constancia de las últimas palabras de los famosos y de los villanos. El padre de William Saroyan le dijo a su esposa: "Tahooki, no golpees a los niños". O. Henry dijo: "Enciende las luces, no quiero irme a casa en la oscuridad". Anna Pavlova dijo: "Alista mi vestido de cisne". Parker Pillsbury le preguntó a su amigo Henry David Thoreau poco antes de la muerte de éste último: "Pareces estar al borde del río oscuro y yo me pregunto, ¿qué imagen tienes de la otra orilla?". Thoreau le respondió: "A cada mundo, su tiempo".

Las últimas palabras tienen una profunda carga. En el último momento un número sorprendente de personas dicen: "Te quiero" o "Gracias". Con frecuencia las últimas palabras se interpretan metafóricamente. Por ejemplo, las últimas palabras de la madre de una amiga mía hablando con ella fueron: "¿Qué talla eres?" Para mi amiga eso fue la expresión de lo que en realidad le importaba a su madre. Las últimas palabras de mi abuelo fueron: "La cena fue maravillosa", algo típico en él, hombre amante de la buena comida y de la familia.

Los últimos deseos tienen un enorme poder. Algunos pueden ser reconfortantes. Un abuelo que les pide a sus hijos amarse los unos a los otros puede ayudar a una familia con problemas a encontrar la paz. Una madre puede darle ánimos a su hijo para que se case con su compañera o para que se reconcilie con su hijo. Un padre puede pedirle a su hija que deje de beber o que vuelva a estudiar. Otros pueden poner a los sobrevivientes en aprietos. Un abuelo moribundo puede decir: "Mi última voluntad es que te hagas cristiana". O un esposo puede decir: "Prométeme que nunca te volverás a casar". Una buena respuesta a estas últimas peticiones podría ser: "Prometo no olvidar lo que me pediste".

Studs Terkel dijo: "La razón por la que no lamento morir es porque tuve una vida muy agradable". Hay muchos viejos que no son tan afortunados: se llenan de desesperanza cuando miran hacia un pasado que les trae a la memoria decisiones equivocadas, tiempo desperdiciado y oportunidades desaprovechadas. Muchas personas sienten que hubieran podido ser mucho mejores de lo que fueron. Las palabras más tristes que alguien puede pronunciar o escribir son: "Lástima que no lo hice". Como dijo W.S. Maugham: "Toda mi vida creí en un después. Pero ahora ya no hay después".

Las personas con frecuencia dicen que desearían borrar algunos momentos de su vida: palabras duras, días dedicados a la autocompasión, momentos de actitud huraña que pudieron haber sido divertidos, o comidas familiares desperdiciadas peleando. La gente lamenta, como dice Ferlinghetti. "Haber estado refunfuñando cuando habrían podido estar bailando".

A veces se cometen errores cuyas consecuencias pueden durar toda la vida. Hay quienes se dedican a empresas superficiales y sólo al final descubren el amor o la belleza. Hay casos en los que a la hora de la muerte se habla de las clases de piano que nunca tomaron, las vacaciones de las que nunca disfrutaron, o los años en los que estuvieron demasiado ocupados para dedicarse a los hijos. Estos arrepentimientos pueden verbalizarse y ser escuchados.

Cuando le preguntaron a Aldous Huxley qué cosas cambiaría de su vida, él respondió: "Habría sido más amable con la gente". La mayoría de las personas desean haber sido más generosas. Particularmente cuando la hora de la muerte se aproxima, surge un deseo de dejar recuerdos amables. Todos queremos hacer algo noble antes de morir. Es una forma de obtener alguna victoria frente a la derrota que es la muerte.

Con alguna frecuencia se hacen debates sobre las ventajas de una muerte lenta o una repentina. Como sufrí los padecimientos de la muerte lenta y penosa de mis padres, soy claramente partidaria de la muerte repentina o al menos de un rápido descenso. Nadie quiere pasar por meses y meses de costosos experimentos médicos y semanas de dolorosa hospitalización. En ocasiones se sufre demasiado. Como dijo Daniel Pinkwater hablando de la muerte de su madre: "No dejaríamos que un perro sufriera tanto".

Como todos los finales, la muerte es enormemente importante. Las circunstancias en las que se produce pueden volverse metafóricas. Cuando una persona dulce muere pacíficamente, en ello encontramos un mensaje. Cuando una persona dulce muere en medio de la angustia, también ahí encontramos un mensaje acerca de la condición humana. Muchas personas quieren lo mismo: morir en casa con los seres amados cerca y sin demasiado dolor o indignidad. Muchos desean tener una última oportunidad para cuestionar sus vidas.

Los japoneses tienen una palabra que expresa la intensidad de experimentar dos emociones fuertes a la vez; *wabi-sabi* significa hermosura y tristeza. Necesitaríamos una palabra así en todos los idiomas. Una palabra que describiera la mezcla de alegría y tristeza que produce tener que dejar una magnífica compañía, siendo amados y amando, pero vacíos y solos, todo a la vez, en el mismo momento. Es el sentimiento que tenemos cuando escuchamos un buen jazz, música clásica, o cuando leemos un poema que nos conecta con el alma de otra persona, pero que también nos recuerda la tragedia de nuestra vida.

Tener conciencia de la naturaleza efímera de la vida con frecuencia da lugar a un amor profundo. Como dijo Abraham Maslow, después de la muerte de un ser amado: "Me hiere la belleza de las flores y de los bebés". La proximidad de la muerte convierte a la vida en un bien precario y la escasez aumenta el valor de lo disponible. Hay una enorme dulzura en lo efímero. Muchos viejos sienten, como lo escribió Hortense Calisher, que "la belleza nos bombardea desde todos los ángulos posibles".

Y, ¿lograste que la vida te diera lo que querías?
Sí.
¿Y qué querías?
Poderme considerar amado. Sentirme amado en esta tierra.

— Raymond Carver

La aceptación es el último gran don de la vejez. Al final, si las personas son afortunadas y sabias, pueden ver su vida como una totalidad y sentirse satisfechas. No fantasean con el pasado ni hablan sin parar de sus errores y desgracias, sino que son conscientes de haber disfrutado de momentos maravillosos. Pueden mirar hacia atrás con orgullo, tanto en lo que tiene que ver con su trabajo como con sus relaciones.

Incluso cuando la muerte está llamando a su puerta, los que saben enfrentar las cosas lo siguen haciendo. Como escribió Pearl S. Buck: "Lo que nos permite enfrentar el futuro es el pasado". Siempre hay sorpresas, pero por lo general las personas llevan consigo su fortaleza, sus habilidades y sus actitudes hacia ese nuevo país que es la vejez. Cuando le preguntaron cómo creía que iba ser el más allá, Eleanor Roosevelt dijo: "Como quiera que sea, me atrevo a decir que voy a ser capaz de enfrentarlo".

Los angustiados siempre se sentirán angustiados. Los alegres seguirán siendo relativamente alegres. Los investigadores han tratado de definir un estado de felicidad que responda por un 80 por ciento de la actitud alegre de una persona. En su informe afirman que después de un diagnóstico de cáncer o de haber ganado una lotería, el nivel de felicidad sufre una modificación temporal, pero que después de un corto período regresa al estado normal.

Un año después de enviudar, a mi abuela le descubrieron una leucemia. Tenía hijas que pudieron ir a cuidarla. Cuando se sentía suficientemente fuerte, jugaban cartas y escuchaban música. Sus amigas iban a verla con cierta regularidad. Mi madre le ayudó a controlar los dolores, lo que le permitió morir en casa. Aun cuando estaba muriendo, su último año fue bueno. Recuerdo la ternura en su mirada, esa mirada que decía cuánto le gustaban los niños, las flores y las puestas de sol. Cuando la felicité por su capacidad para enfrentar las situaciones, me dijo: "¿Qué alternativa tengo? De todos modos me voy a morir, y lo mejor es hacerlo con dignidad".

La mayoría de las personas encaran la muerte sorprendentemente bien. Como dijo Ray Barger, un viejo amigo mío: "Nadie vive por siempre". Las personas con mucha fortaleza interior pueden manejar cualquier situación, incluso su propia muerte y las muertes de los seres amados. A menudo los momentos más heroicos de una persona son los cercanos a la muerte. Es importante no impedirle a nadie que enfrente el momento de su muerte. El sufrimiento proporciona la posibilidad de fortalecer el carácter y comportarse con valor. Marcel Proust escribió: "La felicidad es buena para el cuerpo, pero la fortaleza del carácter se la debemos al dolor". Bob Dylan dijo: "Tras todas las cosas bellas siempre ha habido algún tipo de dolor".

La mayoría de los viejos experimentan una decadencia física que va emparejada con un enorme crecimiento psicológico. Esto es algo sorprendente. La gente normal se convierte en filósofa. Una persona cuyo cuerpo falla y cuya vida está sometida permanentemente a diversos tipos de pérdidas, no tiene más alternativa que recapacitar acerca del sentido de la vida. Cuanto más forzados nos vemos a aceptar ciertas cosas, mayor capacidad de aceptación desarrollamos. La tía Henrietta dijo: "Todas las despedidas implican una lección acerca de las pérdidas". A medida que la vida se hace más complicada, muchos viejos aprenden a valorar lo bueno que les queda. A medida que los cuerpos se vuelven frágiles y vulnerables, las almas por lo general se hacen más fuertes y resistentes.

Junto con la tristeza viene el crecimiento en compasión, comprensión y sabiduría. La mayoría de las cosas que aprenden los mayores no se reflejan en su cociente intelectual. Los viejos se vuelven más complejos, más profundos, con miradas más amplias y cada día más auténticos. En el sufrimiento los viejos encuentran valor y en la tristeza, sabiduría.

La religión ayuda a soportar las grandes tristezas de la vida. El cristianismo, por ejemplo, enseña que la muerte no es otra cosa sino el paso a la eternidad. Así, si bien se teme al proceso mismo de la muerte, no hay nada que temer más allá. La fe también conecta a la gente con algo más grande y más importante que uno mismo, pone el sufrimiento en contexto y da esperanza en el futuro. La fe y la oración pueden ser enormemente reconfortantes. A medida que las personas van aproximándose a la muerte, muchos deciden leer la Biblia, la Torah, el Corán u otros textos religiosos.

Un médico a quien conozco les lee a los pacientes moribundos poemas de Walt Whitman. Se da cuenta de que el lenguaje científico no sirve de bálsamo a quienes están muriendo. Muchos de los intereses cuando se está a las puertas de la muerte son espirituales, no médicos. Él dice que Whitman cura espíritus heridos y ayuda a las personas a ver la muerte como parte de algo hermoso y natural. El poeta Walter McDonald escribió: "La tierra vuelve a reverdecer, sea como sea".

La naturaleza ofrece gran consuelo al moribundo. En su lecho de muerte muchas personas recuerdan los lugares hermosos donde han estado, hablan de árboles, de ríos, de montañas, de lagos y de playas. Disfrutan de los pájaros, las flores, las mariposas y las estrellas. A medida que la muerte se aproxima, encuentran placer tratando de buscar la relaciones entre lo que fue antes y lo que permanecerá después de su corta vida. Un bosque, un gatito o un cielo azul pueden ser todos antídotos en el mundo del enfermo, que se encuentra rodeado de jeringas, frascos de medicinas y máquinas de monitoreo. Pueden significar un oasis de placer sensual en un mundo de dolor y pena.

Cuando he perdido personas cercanas, he encontrado consuelo relacionando su recuerdo con mis experiencias cotidianas. Mi padre y yo pasamos muchos ratos felices pescando; por eso cuando agarro un pez grande lo dirijo al cielo para que él lo pueda ver. Relaciono a la abuela de Jim con las Pléyades o Siete Hermanas, porque en su familia eran siete hermanas. A mi madre la asocio con las puestas de sol, porque solíamos caminar juntas a esa hora del día. La caída del sol también me recuerda a mi abuela, quien salía a caminar con mi madre al atardecer, en su rancho en Colorado. Al contemplar estos fenómenos naturales me siento más cercana de las personas que amo.

Muchas personas sienten un gran consuelo al pensar que se reunirán con sus semejantes al otro lado del río. La canción "Going Home" dice así:

No está lejos, está cerca, al otro lado de la puerta. Ya se hizo todo el trabajo,
no necesitaremos más cuidado. Los ciegos ya no temen más.
Mi madre me espera allí, mi padre también espera. Hay muchos allí reunidos.
Todos los amigos que conocí. Voy a su encuentro. Voy rumbo a casa.

O como cantara Ralph Samuel en "I'll not be a Stranger":

No seré un extraño al llegar a esa ciudad. Tengo amigos que viven allí. Habrá
conocidos y muchos de mis seres amados me darán la bienvenida. Todos ellos
estarán esperándome en la puerta.

Muchas personas asocian el cielo con la salud y la sensación de totalidad. Los enfermos sanarán, los pobres serán ricos, los tristes serán felices y los solitarios encontrarán allí a sus familiares y amigos. En el funeral de mi madre, el tío Fred hizo un recuento de todas las noches que habían pasado sentados conversando y dijo: "Espero que pasemos la noche entera conversando cuando nos encontremos de nuevo en el cielo".

Los poetas escriben sobre la muerte, pero incluso los que no somos poetas necesitamos metáforas para comprender esa inmensa e incomprensible experiencia. Townes Van Zandt dice que la muerte es como "atar los cordones de mis zapatos voladores". Para Robert Frost, la muerte era como bosques nevados.

Hoy es otoño y las frutas caen
Y la larga jornada va hacia el olvido...

Es el tiempo de irse,
y de decirse adiós a uno mismo,
y de encontrar una salida del ser caído...

Construye bien la nave de la muerte, tu arca,
y dótala de comida, pastelillos y vino
para ese largo vuelo hacia el olvido...

— D. H. LAWRENCE

Deja que el último resplandor de la tarde
entre por las hendijas al granero; así parece
que todo tiene movimiento, mientras el sol desciende.

Deja que el grillo haga su monótono canto
como una mujer que toma las agujas y la lana.
Dejemos que la noche venga.

Deja al rocío condensarse sobre el azadón
abandonado en la pradera. Deja que las estrellas aparezcan
y la luna revele su cuerno plateado.

Deja que el zorro regrese a su arenosa cueva.
Deja que el viento calme y el establo oscurezca.
Deja que llegue la tarde.
Deja la botella en la acequia, y hasta la cuchara
en los copos de avena, y el aire en los pulmones,
deja que llegue la tarde.

Déjala entrar, como ella quiera, y no temas.
Dios no nos abandona...
Deja que la tarde llegue.

— JANE KENYON

Las personas más adorables que he tenido cerca son las que están al borde
de la muerte. No pierden el tiempo escudándose tras su identidad —rico,
pobre, gordo, ágil, necesitado, budista, el hijo mayor de un alcohólico—.
Nada de esto parece importante cuando estás muriendo y te encuentras
reducido al nivel básico del ser.

— DALE BORGLUM

La vejez de los padres puede ser una experiencia dolorosa y maravillosa a la vez. Es posible que para la familia sea la época de mayor crecimiento. Muchas personas dicen: "Sé que esto puede parecer extraño, pero el último año fue el más maravilloso en la vida de mis padres. Para mí fue el mejor. Para ellos fue el mejor. Nuestra relación se hizo tan profunda y estrecha como nunca antes" o, "El dolor y el sufrimiento fueron espantosos pero todos aprendimos algo con esta experiencia. No hubiera querido que las cosas fueran diferentes".

Las épocas de crisis suelen ser el crisol en el que se forja lo mejor y lo peor de las familias. En ellas se descubre al débil y al canalla, pero también al fuerte y al bondadoso. En el mejor de los casos, son la oportunidad para que la familia se fortalezca y potencie el valor en sus miembros. Todos se unen para tomar las decisiones correctas, y la familia se ve enriquecida con el poder de esa experiencia.

Los humanos tendemos a amar más a quienes están a nuestro alrededor y reciben nuestros cuidados, y a odiar a quienes denigramos e ignoramos. Los seres amados nos revelan su encanto. Mejoramos lo que valoramos y valoramos lo que mejoramos.

Los momentos más honestos y llenos de amor en la familia son aquéllos relacionados con el cuidado de los demás y con las despedidas. Después de una muerte, todo lo que tenemos es el recuerdo de cómo nos portamos en el momento del adiós. Una pregunta frecuente suele ser: "¿Hicimos lo correcto? ¿Hicimos todo lo que podíamos?" Una respuesta positiva nos produce una gran satisfacción y una negativa, una gran tristeza.

Lo mismo vale para la familia entera que para la pareja. Con frecuencia éstas viven sus mejores momentos cuando se aproxima el fin de su vida. Los compañeros tienen la oportunidad de ser verdaderamente generosos, pueden pedir y recibir el máximo uno del otro, apoyarse mutuamente. Hombres que nunca en su vida cocinaron aprenden a hacerlo para poder prepararle la comida a su esposa enferma. Por primera vez en la vida, algunos esposos asumen la función de mimar y alimentar al otro. Las esposas aprenden a hacerse responsables del auto, el jardín y el dinero, a la vez que sirven de enfermeras a su marido. Las mujeres débiles logran llevar al baño a su marido, que es dos veces más grande que ellas. Las parejas logran encontrar el modo de pasar el tiempo y animarse mutuamente. Otis ayuda a Grace con el jardín. Grace le corta las uñas de los pies a Otis. Clair le prepara la malteada a Agnes para disfrazar el sabor de sus medicamentos. Henrietta le sostiene la mano a Max, quien está en el hogar de ancianos. Con frecuencia el amor que se demuestran unos a otros, en estos momentos de la vida, es el más profundo que han experimentado.

Las familias que están juntas a la hora de la muerte de alguno de sus miembros reciben muchas recompensas. Los hijos adultos tienen la oportunidad de dar las gracias y de recompensar a sus padres por su ayuda. Los padres tienen la oportunidad de recibir la gratitud de los hijos y de descansar como los árboles en invierno. Es la última oportunidad que tienen para ayudar a crecer a los hijos; con frecuencia los padres se sienten muy orgullosos de verlos respondiendo a los retos de estos momentos.

Los hijos se ven fortalecidos por la dificultad de esta etapa y saben que necesitarán esa fortaleza cuando les llegue su vejez. También aprenden a manejar la enfermedad y las despedidas. Al cuidar de mi madre moribunda pude observar cómo manejaba el dolor. Le encantaba recibir visitas porque la hacían pensar en otra cosa. Estaba ávida por escuchar chistes y noticias del clima. Pude ver la alegría que le daban las cartas y las tarjetas que le llegaban.

La vi sonreír al escuchar música de violines o al recordar algún verano. Vi la gran diferencia que hacían una enfermera agradable y un médico respetuoso. Aprendí algo acerca de la paciencia en medio de una enorme frustración. Aprendí la importancia de los triunfos pequeños y temporales, de esos cortos momentos de victoria que pueden ser rescatados de las fauces de la derrota. Tomé algunas notas que pienso sacar cuando llegue mi hora.

Durante estos procesos ocurren cosas insólitas en la familia. El papá le da un cariñoso abrazo al hijo, o la mamá cuenta sobre su aborto. Se discute el suicidio o una sentencia a la cárcel. En la caldera del dolor se cuecen nuevos aspectos del carácter. Este último estadio proporciona a los hijos y a los padres posibilidades para conocerse mejor.

Cuidar de los padres con frecuencia proporciona a los niños y jóvenes más tiempo con los abuelos e incluso con los bisabuelos. Esto es bueno para los muchachos de todas las edades, pero muy especialmente para los adolescentes. Los abuelos son más sabios y más amables que sus compañeros de edad, les proporcionan muchas enseñanzas y les abren nuevas perspectivas. Están menos ocupados que los padres. Como dijo una mujer: "Mis padres siempre me están pidiendo que me apresure y mis abuelos me dicen que deje la prisa".

La manera como tratamos a nuestros padres influencia nuestro crecimiento y desarrollo en las diferentes etapas. Esta época es una etapa importante tanto para ellos como para nosotros. ¿Seré cariñosa o distante, responsable o hedonista? Las decisiones que tomemos no sólo afectarán a nuestros padres sino que podrán afectarnos a nosotros mismos. Todos tenemos la oportunidad de "cultivar el alma", como dice el psicólogo Frank Pittman.

Mi cliente Roberto permaneció alejado de sus padres. Ellos quisieron que sus hijos fueran médicos y él había sido el niño malo, el que no les dio gusto en eso. Su hermano mayor era el preferido. Terminó medicina en la Universidad de Columbia, se dedicó a la investigación y logró ganar mucho dinero. Era el orgullo de sus padres. Roberto era carpintero, y en esa familia eso equivalía a ser un completo inútil.

Después de la muerte de su padre, la madre, ya mayor, se enfermó. El hermano médico le pagó un hogar geriátrico muy costoso, pero estaba demasiado ocupado para visitarla. Cuando iba a verla, era impaciente y siempre estaba de prisa. Su vida era tan exigente y estresante que no le permitía ver en perspectiva la soledad de su madre. Cuando Roberto iba a visitarla, le dedicaba mucho tiempo. Jugaban parqués y miraban álbumes de fotografías. Miraban películas juntos y era él quien le cortaba el pelo y las uñas. Ahora ella adoraba a Roberto por su entrega, una cualidad que siempre estuvo presente pero que no era valorada en otras épocas.

Poder ayudar a nuestros padres en estos años difíciles es una de las mejores oportunidades que tenemos para crecer. Ya no somos unos niños indefensos; por el contrario, podemos ser una ayuda verdadera. Si nos negamos a asumir este reto, una parte de nosotros seguirá siendo infantil e indefensa, y nuestro crecimiento se trunca. Los relatos que siguen corresponden a dos tipos totalmente diferentes de familia. Una es una familia bastante normal, con algunos hijos más cercanos a sus padres que otros. El otro es un relato menos común, de un padre y un hijo muy distanciados el uno del otro. En los dos, la despedida del padre fue una experiencia transformadora.

LA FAMILIA MOTA
"¿Qué hizo papá para merecer esto?"

A PRINCIPIOS DE DICIEMBRE, vino Bety para hablar sobre las fiestas. Estaba pasando por su acostumbrada depresión estacional, pero lo más importante es que estaba muy angustiada con la planeación de la comida de Navidad. La familia había pasado por un año espantoso. En abril su padre había sufrido un derrame cerebral incapacitante. Estaba jugando scrabble cuando se quejó de dolor de cabeza y se desplomó en la silla. Bety dijo: "En un momento nuestra vida cambió total e irreversiblemente. El derrame lo dejó lisiado y afásico, dejó de bastarse por sí mismo y mamá se tuvo que retirar de su trabajo para cuidar de él".

El año había estado lleno de lecciones difíciles. "Supimos de verdad quiénes eran nuestros amigos", dijo Bety. "Algunos de sus amigotes salieron totalmente de su vida. Otros venían todos los días y traían hortalizas cultivadas en sus huertas o vídeos para ver con ellos. Me di cuenta de cómo eran mis hermanos".

Hizo una pausa y respiró profundamente. "Mi papá no era perfecto. Era un padre típico de los cincuenta, trabajaba demasiado, era muy estricto y no era dado a mostrar su afecto. Yo era su preferida, pero con mis hermanos era muy duro".

Le pregunté cómo estaban portándose los hermanos con su padre. "Esto nos trae de nuevo a la Navidad. William, mi hermano mayor, vendrá a cenar con nosotros, pero pasará la Nochebuena en los casinos. Llama a papá una vez al mes, pero por lo general está demasiado ocupado para ayudar. Me irrita mucho su egoísmo, pero es un príncipe si lo comparamos con Samuel.

"Samuel se fue de casa cuando terminó el colegio y no volvió nunca. Está totalmente alejado de los viejos. Siempre tuvo la sensación de que papá me quería a mí y mamá a William. Una vez tuvimos una pelea por un auto viejo y eso le bastó para cortar con la familia". Bety se detuvo y respiró profundamente. "No vendrá a casa para Navidad. Lo odio porque lo que está haciendo hiere a mis viejos".

Bety me contó cosas tristes que les pasaron durante el año. Su padre había perdido el sentido del tiempo y podía ser muy impaciente. Si ella o su madre se retrasaban unos pocos minutos, empezaba a angustiarse porque pensaba que habían tenido un accidente. En una ocasión riñó con Bety porque no le servía un pavo que estaba preparando, le repitió una y otra vez que tenía hambre y que sabía que ya estaba listo. Por último ella, desesperada, le sirvió el dichoso pavo, que todavía estaba crudo en el centro. "Se comió el pavo sangrante con tal de no admitir que se había equivocado".

Su padre estaba tomando medicamentos para adelgazar la sangre y una vez que se cayó en las escaleras de la entrada casi se desangra. En otra ocasión lo arrestaron por ebriedad y alteración del orden. Lo que pasó en realidad es que iba por la calle haciendo eses y hablando trabado porque estaba perdido y triste. No pudo explicar que había padecido un derrame, y entonces lo detuvieron.

El primer traumatismo familiar lo produjo el derrame y el segundo lo produjo el sistema médico, por sus exigencias económicas y burocráticas. Bety llevaba a sus padres hasta el hospital y a las citas con los médicos. Los ayudaba con los complejos formularios que exigían las compañías de seguros y con las interminables e incomprensibles facturas. Estaba trabajando con la orientación de una terapeuta del lenguaje para ayudar a su padre a recuperar el habla.

Para referirse a la época de la hospitalización de su padre, Bety dijo: "Puede ser una experiencia muy enriquecedora si uno no desfallece". Me contó que había una enfermera que llamaba a su papá "cariño" y lo trataba como si fuera un bebé porque no podía hablar claramente. Por último Bety le gritó: "Está hablando con mi padre. Es un hombre, no un lactante".

El cuidado de sus padres le exigía tiempo completo, especialmente porque ninguno de sus hermanos le ayudaba. Bety tenía hijos en casa y su esposo era candidato al Senado. Me dijo: "Yo quiero ayudar a mis padres. Necesito ser una buena hija". William nunca estaba disponible cuando se lo necesitaba. Bety dijo con amargura: "Él piensa que yo haría cualquier cosa para molestarlo".

Cuando Samuel la llamaba de vez en cuando para preguntar por sus padres, lo que ella quería era gritarle: "¿Por qué los abandonaste? ¿Qué hizo papá para merecer esto?"

Ahora, con su padre desmoralizado e inútil, odiaba pensar en las fiestas. Le di ánimos para que les pidiera ayuda a sus hermanos. No podía controlar sus actos, pero al menos podía hacerles saber lo que necesitaba. Hablamos de qué podía hacer para agradar a sus padres y a sus hijos. Le aconsejé que tratara de disfrutar las fiestas en cuanto le fuera posible. Ésta podía ser la última navidad de su padre.

SEGUNDA SESIÓN

Volví a ver a Bety el verano siguiente. Su padre había muerto en mayo. En Navidad Bety preparó sus postres favoritos y arregló un enorme árbol. Junto con William, ofrecieron una fiesta para los amigos de los viejos. Compañeros de trabajo, parientes y viejos granjeros de la zona estuvieron presentes. Bety y su madre cantaron villancicos para los amigos, lo que hizo que su padre se sintiera muy orgulloso de "sus chicas".

Bety dijo: "Me alegra mucho haber hecho la fiesta de Navidad porque la primavera fue muy dura". Su padre sufrió varias trombosis antes de morir y cada una de ellas le iba robando un poco de vida. Al final estaba casi ciego, prácticamente no podía hablar y no podía caminar. Lo único que decía en sus últimos días cuando lograba articular palabras era "por favor mátenme".

Sólo hubo una cosa buena en la primavera y es que William pasaba a verlos con frecuencia. Después de la fiesta de Navidad sus prioridades cambiaron. De pronto encontró el tiempo para ir a visitar a sus padres dos veces por semana y los llamaba todos los días. Se ofreció a ayudar a Bety para llevarlos a distintos lugares y para adelantar algunas de las gestiones relacionadas con los servicios médicos. Su madre estaba especialmente conmovida con la ayuda de William, pues éste la trataba de tal modo que siempre lograba hacerla reír y olvidar sus problemas, aun cuando fuera momentáneamente. Bety, por su parte, pudo dejar de lado su resentimiento y encontró en William un apoyo real.

La parte más difícil fue que Samuel no volvió nunca al redil. "Cuando el final ya era inminente, papá experimentó una profunda necesidad de verlo. Cada vez que sonaba el teléfono empezaba a decir; 'Samuel, Samuel, Samuel': No perdió la esperanza ni un momento. Miraba hacia la puerta creyendo que iba a aparecer de un momento a otro; creía haberlo oído y se entristecía mucho al ver pasar un nuevo día sin que su hijo llegara. Al principio le mentimos, le dijimos que estaba fuera del país. Pero al final él sabía que Samuel había decidido no venir a verlo".

Aquí Bety empezó a llorar. "Nada había doblegado la fortaleza de papá, ni siquiera los accidentes cerebrales, pero eso sí lo destrozó. Nunca podré perdonar a Samuel". Me miró con los ojos muy abiertos y con cierta expresión de incredulidad. "No le negaría a nadie mi presencia en su lecho de muerte. Creo que yo habría ido a ver hasta a Hitler si él lo hubiese solicitado".

Lloró un largo rato. Después le pregunté cómo había sido el final.

"Mamá, William y yo estábamos con él. Esa última semana papá estuvo en una unidad de cuidados intensivos y nosotros prácticamente acampábamos en la sala de espera. Estuvimos allí cuando se necesitó que tomáramos las decisiones más duras y cuando le desconectaron todas las máquinas y su corazón dejó de latir". Lloró un poco más. Yo respiré profundamente y esperé.

Por último le dije: "Lo más triste es que Samuel nunca será capaz de despedirse. Dejó pasar su última oportunidad de crecer, de olvidar el pasado y de perdonar. Ahora tendrá que odiar a su padre por siempre para poder justificar su comportamiento. Será siempre la oveja negra, encerrado en una etiqueta que habría podido modificar. Necesitará recordar siempre todas las cosas malas que pueda para mantener su odio vivo. No podrá darse el lujo de dejarlo ir".

Bety dijo: "Sé que lo que merece es lástima, y quizá algún día logre experimentar ese sentimiento. Pero todavía estoy muy herida y enfadada. No puedo quitarme de la cabeza la imagen de mi padre inválido y repitiendo una y otra vez su nombre".

Para terminar, hablamos de lo que funcionó bien. Para William y para ella la experiencia había sido enriquecedora. Les permitió unirse no sólo entre ellos dos sino con sus padres. Bety pudo ser la hija cariñosa y madura que quiso ser. William se volvió más sereno y amable; dejó de organizar su vida en torno a un casino. Los dos pudieron darle a su padre el adiós definitivo como adultos amorosos, capaces de perdonar a un padre con defectos. Bety tenía la sensación del deber cumplido; su marido los apoyó a todos y además logró ganar las elecciones. Riéndose me dijo: "No sé si es buena o mala noticia. La política no es para los débiles".

Les había enseñado a sus hijos el sentido de familia. Ellos habían compartido muchos ratos duros y felices con su abuelo, que aún en los momentos más difíciles disfrutaba enormemente con la visita de los nietos. Sabía que tanto su madre como su padre habían sentido su apoyo y amor. Cuando besó a su padre por última vez, no experimentó ningún sentimiento de culpa. Lo que sintió fue una tristeza profunda y limpia.

José y Héctor

"Papá es amargado y dominante. No ha aprendido
nada durante su larga y malgastada vida. Sin embargo,
ejerce sobre mí un poder que odio".

José, un pintor muy apreciado en nuestra ciudad, vino a verme para hablar sobre su relación con Héctor, su padre, quien estaba muriendo en Alabama a causa de un enfisema. Héctor había sido jugador y mujeriego. En palabras de José: "Tenía todos los vicios posibles. La única cosa que no hizo con mi hermana y conmigo fue abusar de nosotros sexualmente, y se lo agradecemos".

Debido al comportamiento de Héctor, la familia había sido muy pobre y despreciada por los vecinos. Había sido uno de esos dictadores mezquinos que mantenía a todos los miembros de su familia callados y temerosos. Según la costumbre de 1950 en la ciudad de Alabama, las mujeres no se separaban de sus maridos. Por esta razón su madre se quedó con él, pero prácticamente ni se hablaban entre ellos. La mamá de José trabajaba en un almacén de la ciudad y era ella quien compraba la comida para la familia; esto cuando Héctor no le quitaba el dinero. Cuando José estaba en secundaria, Héctor los abandonó y se fue con una mujer que conoció en un bar. Dos años después, la mamá de José murió de cáncer de seno.

José recuerda haber pasado largas épocas pensando si la estupidez e incapacidad de relacionarse de su padre serían genéticas y por lo tanto él crecería siendo tan ruin. Sin embargo, resultó siendo el opuesto total. José pudo apoyar a su madre económica y emocionalmente durante su enfermedad y su muerte. Su decisión de ser diferente a Héctor era tan firme que llegó a ser una persona sensible, frugal y muy trabajadora. "La paradoja es que el mal comportamiento de mi viejo hizo de mí un hombre bueno", dijo José.

Hablamos acerca de la salud y situación actual de Héctor. José me dijo: "Me siento culpable porque no me gusta mi padre y por no estar a su lado".

No podía pedirle ayuda a su hermana. La última vez que ésta vio a Héctor, se enfermó. Le había dicho a José: "Por ti yo hago cualquier cosa menos volver a meterme con Héctor".

A sus veinte años, José había sacado a Héctor de su vida. "Sin embargo", dijo en tono lastimero, "su segunda esposa hizo igual que yo. Entonces pensé que él necesitaba a alguien y volví a acogerlo". Luego dijo: "Mi papá me robó mi infancia y ahora está tratando de robarme la felicidad en mi vida adulta".

José tenía cuarenta años y estaba casado con una mujer a la que conoció en Chicago, en una escuela de arte. Laura le había enseñado a nadar y a montar en bicicleta. "Yo no tenía modelo alguno para ser un buen compañero, pero Laura me ha enseñado". Me mostró su fotografía y me dijo: "En mi adolescencia yo había perdido la esperanza de tener una vida normal. Ahora soy un hombre feliz: la vida que llevo no habría podido ni soñarla".

Pero Héctor no quería desaparecer. Le escribía a diario quejándose de la atención que recibía y de la comida en el hogar en el que estaba y rogándole que le diera más dinero. Incluso allí jugaba y fumaba. Lo llamaba varias veces por semana y pedía lo mismo una y otra vez. Protestaba porque José y Laura no lo visitaban. Ella, que tenía una manera de ser cariñosa y amable con todo el mundo, no podía soportar a Héctor pues éste había intentado manipularla más de una vez. Aun cuando ninguno de los dos tenía mucho dinero, ella había accedido a enviarle un cheque mensualmente, pero cada vez que oía sonar el teléfono miraba a José con ojos de súplica y le decía: "De pronto es tu padre: es mejor que contestes tú".

José me dijo: "Odio el día del Padre. Me lleva horas encontrar una tarjeta, pues todas tienen frases y dedicatorias que no son apropiadas. 'Papá, eres mi mejor amigo', o 'Siempre he podido contar contigo', o 'Me enseñaste a ser hombre', o 'Vámonos de caza'. No hay ninguna que diga 'Papá, fuiste una serpiente egoísta y ruin, nos intimidaste al máximo y rompiste el corazón de nuestra madre'". Riéndose dijo: "Creo que ésas no tienen mucha demanda".

Si los sentimientos de José fueran negativos en un cien por ciento, quizá las cosas serían menos difíciles, pero no era tan sencillo.

José suspiró y miró por la ventana. "Papá es amargado y dominante. No ha aprendido nada durante su larga y malgastada vida. Sin embargo, ejerce sobre mí un poder emocional que odio". Sentía complejos de culpa por no visitarlo casi nunca, por no leer las cartas que recibía de él. Realmente lo que quería era que su padre muriera. Muchas personas le habían aconsejado perdérsele de vista. Incluso Laura había llegado a decirle: "No le debes nada". Sin embargo, José estaba aquí porque no quería huir. Necesitaba tener la seguridad de haber hecho lo que se podía.

Le di a José una primera tarea, le dije: "Escriba cuál piensa que podría ser la mejor situación entre ustedes dos. ¿Qué puede esperar dar y recibir bajo circunstancias óptimas?

SEGUNDA SESIÓN
José volvió dos semanas después y se veía bastante contento. Se había ganado un premio nacional de pintura y fue a escalar con Laura. Su padre no había

llamado en seis días y eso ya lo descansaba bastante. Sin embargo, pude observar que su respiración era entrecortada.

José sacó del bolsillo una hoja de papel y me dijo: "Fue muy útil escribir lo que yo quería". Me leyó la nota: le daría a su padre un cheque mensual y lo visitaría dos veces al año. Laura y él iban a comprar una máquina para rastrear las llamadas; de esta manera sólo hablaría con Héctor una vez por semana.

José no esperaba disculpas ni cambios considerables de última hora. Cuantas menos expectativas tuviera, mejor se iba a sentir si algo agradable llegaba a ocurrir con su padre. Sabía que nunca podrían tener una conversación seria, pero pensaba que quizá podría disfrutar compartiendo buenas noticias relacionadas con su pintura o con sus aficiones. Pensaba que existía la posibilidad de disfrutar algún rato con su padre, quizás hablando de deportes o jugando cartas.

No quería a su padre. Me dijo: "Si no tuviera ciertos sentimientos de culpa e ira hacia Héctor, no sé qué podría sentir. Héctor ha sido una rata. La gente no siempre recibe lo que merece".

Le hablé de los experimentos de Harlow con los monos. Harlow encontró que un mono bebé necesitaba tanto de un padre que podía llegar a establecer un vínculo con una polea de metal o una toalla. Le describí unas fotos profundamente conmovedoras de bebés mono aferrados a objetos inanimados, añadiendo luego que los humanos a veces nos vemos en la misma actitud.

José suspiró y dijo: "Lo que hago no lo hago de buena gana. La verdad es que yo lo estoy cuidando mucho mejor de lo que él me cuidó a mí".

Le pregunté si no tenía ninguna figura masculina que le hubiera dado algún tipo de apoyo, a lo que me respondió: "No tuve un buen padre, pero sí tuve un buen maestro". Me contó sobre su profesor de arte, un hombre que lo había acogido bajo su ala protectora. Además de enseñarle a pintar, le enseñó a relacionarse con los demás. Era un hombre capaz de dar mucha ternura y que sabía abrir su corazón a los demás. José mantenía contacto con él: ahora vivía en una comunidad de personas jubiladas en Arkansas.

Se nos estaba terminando el tiempo y yo animé a José para que trabajara en la construcción del mejor panorama posible y para que continuara pasándola bien junto a quienes amaba. Se lo veía optimista cuando iba a salir, y sin embargo me dijo: "Las cosas están funcionando demasiado bien".

TERCERA SESIÓN

José llegó totalmente descorazonado. Héctor estaba hospitalizado de nuevo con una neumonía y tenía que ir a verlo al día siguiente. Iba a perderse la inauguración de una exposición y un fin de semana con Laura. Si Héctor fuera agradecido, el viaje tendría sentido, pero estaba furioso con José porque no había ido antes y porque no se iba a quedar más tiempo. Además, y como era costumbre, Héctor necesitaba más dinero. Había jugado lo que le quedaba de su último cheque y estaba corto de efectivo, justo cuando se encontraba demasiado enfermo para poder maniobrar.

Discutimos la forma en la que podía enfrentar la solicitud de dinero y José decidió que no le daría un centavo más de lo estipulado. Después de todo, su padre estaba a salvo y bien cuidado. Enfermo como estaba, seguía pidiendo dinero para comprar cigarrillos, bebidas alcohólicas y billetes de lotería. José se rió: "Tengo que admitir que es un hombre de 'principios'. Seguirá siendo el mismo hasta la muerte".

Pero todavía le costaba estar junto a Héctor por vergüenza con el personal que lo atendía. "Como él mismo no se considera una buena persona, no tiene nada que perder si actúa como un desgraciado". Por otra parte, José quería ser amable, lo que lo ponía en gran desventaja cuando se metía con su padre. Me dijo: "Las personas que no juegan limpio como Héctor por lo general salen ganando cuando tratan con personas razonables y civilizadas".

Apretó los puños. "Odio tener que atender a Héctor y dejar a Laura. Algunas veces tengo pesadillas en las que Héctor logra agarrarme por completo y pierdo a Laura debido a esto". Aquí se derrumbó y empezó a llorar.

Esperé un rato y luego dije: "Usted es fuerte. Héctor es débil y ya no tiene el poder que solía tener sobre su vida. Tiene que tener esto presente. No le puede robar su vida de adulto".

"Un amigo me dijo que de pronto Héctor podría darme una sorpresa", dijo José. "Pero será una sorpresa desagradable".

Se limpió la nariz y se secó los ojos. Luego dijo: "Es difícil creer que mi buena suerte durará".

Le sonreí: "Su situación es estable ahora. Unos pocos días con Héctor no la van a destruir".

José decidió que mientras estuviera en Alabama iba a cuidarse a sí mismo. Cuidaría de Laura y sacaría tiempo para llamarla todos los días y para comer bien. También pensaba regresar lo más pronto posible. "Creo que esto será lo mejor para él también", dijo con cierta ironía. "Si me quedo mucho tiempo, corro el riesgo de asesinarlo".

"Trate de encontrar alguna distracción todos los días que pase allí", le sugerí. Él me preguntó: "¿Quiere que le traiga de regalo un poco de salsa para la barbacoa?"

CUARTA SESIÓN (SEIS SEMANAS DESPUÉS)
Héctor murió tres días después de la llegada de José, quien se quedó en Alabama una semana. Hizo los arreglos para el funeral y su hermana y Laura llegaron para acompañarlo. José dijo: "Los únicos que estuvimos allí fuimos nosotros tres, el director del hogar en el que vivía y el ministro que ofició las honras fúnebres. Héctor no dejó muchos amigos". Con una risa nerviosa recordó la dificultad que tuvo el oficiante para decir algo bueno acerca de ese hombre a quien nunca había conocido.

José se sentía satisfecho de haber ido a acompañar a Héctor en sus últimos días. Allí encontró, tendido en una unidad de cuidados intensivos, a un hombre de ochenta años que pesaba menos de 50 kilos y que ya no tenía un aspecto prepotente sino patético. Eso sirvió para borrar algunas de las imágenes que José tenía de su padre como dictador y buscapleitos; sin embargo, nunca abandonó su actitud irascible. En un momento Héctor le dijo que temía morirse mientras dormía. La respuesta de José fue un poco tonta pues le dijo: "Eso no sería tan malo". Héctor respondió con malicia: "Eso depende de quién estemos hablando".

José se rió al recordar las palabras de Héctor. "Me inspiró lástima. Para mí es mejor sentir lástima que rabia".

También experimentó un nuevo sentimiento hacia Héctor. Sintió curiosidad. Quería saber qué pensaba Héctor de sí mismo. José le preguntó sobre el cielo y Héctor le respondió: "No creo que sea de mi estilo. De todos modos, no me gustaría estar en un lugar lleno de beatas estiradas". José se rió. "Héctor fue el mismo hasta el último momento".

"También le pregunté qué había sentido cuando yo nací y me dijo que le hubiera gustado estar presente. Aceptó no haber sido un buen padre". Se rió con cierta sorna y dijo: "No es que dijera mucho, pero lo poco que dijo me ayudó".

Pasaron buenos ratos juntos, quizá los más largos de toda su vida. José incluso llegó a hacer un boceto de Héctor, quien estaba tan débil que no podía ni quejarse. Antes de la última recaída grave, alcanzaron a mirar unos partidos de básquet en la televisión y jugaron póker. "Lo dejé ganar unas manos, pero se dio cuenta de que le estaba haciendo trampa. Incluso casi muerto, era mucho más ágil que yo con las cartas".

José dijo: "Lo mejor de esta visita fue que logré deshacerme de algunas fantasías en las que abrigaba la esperanza de recibir amor o alguna prueba de honestidad de Héctor. Quizá logré hacerlo sentir cómodo. Logramos reírnos un poco".

Miró por la ventana. "Dejé de sentirme culpable con respecto a Héctor. Él había sido el arquitecto de su propia vida y yo no era responsable de su comportamiento, pues no era más que un niño cuando él nos dejó. Cosechó lo que sembró. Yo no quiero una vida como la de él, pero él se la buscó y no era mi deber protegerlo de sus propias decisiones".

José continuó. "Héctor estuvo conectado a un respirador artificial hacia el final y entonces ya no pudimos hablar mucho. Todo lo que hice fue cogerle la mano". Dejó de hablar por unos momentos y pude ver lágrimas en sus ojos. Esperé un rato y él continuó: "Maldición. Yo no pensé que iba a llorar por el viejo".

"Cuando murió me di cuenta de que nunca iba a conocer a mi padre. Tengo interrogantes sobre su vida y sobre la mía que nunca tendrán respuesta. Nunca pudo decirme quién era él porque nunca pudo verse a sí mismo".

Suspiró. "A pesar de todo, me alegro de haber estado allí. Creo que hice lo que debía".

Se lo veía muy triste al decir esto y me quedé sentada junto a él un rato.

Luego prosiguió: "Él no pudo darme casi nada de lo que yo necesité. Pero hay otras personas que sí me lo pueden dar. Laura, mi profesor de arte, mis amigos".

Le pregunté con suavidad: "¿Qué recibió de Héctor?"

Después de pensarlo durante un rato, me dijo: "Héctor se parecía al personaje de la canción popular que le puso a su hijo un nombre de mujer para que aprendiera a pelear. Precisamente por ser tan sinvergüenza, Héctor me dio la posibilidad de ser autosuficiente. Eso es lo que le debo".

Hablamos un poco más acerca de sus planes de ir a acampar con Laura y sobre su próxima exposición. En realidad ya no necesitaba más sesiones conmigo. Había venido buscando ayuda para enfrentar una situación difícil que había desaparecido junto con Héctor. Su forma de afrontar la muerte lo liberó de los fantasmas que hubieran podido seguir persiguiéndolo.

LA MUERTE DE UNO DE LOS PADRES nos proporciona una última oportunidad de reconstruir una relación; si no puede reconstruirse, al menos sí suavizarse un poco. Sin embargo, muchos adultos desperdician esta oportunidad de elaborar ciertas cosas con sus padres. Es posible que tengan razones suficientes para no estar con el moribundo pero, finalmente, ¿qué puede ser más importante que decir este último adiós?

Hoy en día estamos aislados de nuestros parientes ancianos y moribundos. Muchas culturas integran la muerte en el ciclo de la vida mucho mejor que nosotros. En Vietnam, antes de que un viejo muera, invitan a todos sus amigos y familiares a visitarlo. Se sientan a su lado durante una o dos semanas para hacer reminiscencias, para hablar de los verdaderos sentimientos, para tratar de comprender a sus enemigos, para perdonar y para despedirse. Los japoneses tienen el *Obon,* o ceremonia budista para los muertos. A mediados de agosto los vivos y los muertos se reúnen. Todas las personas regresan a casa para comer y reunirse con los parientes que ya se han ido. En México hay imágenes de la muerte por todas partes. La muerte riendo, la muerte montando en carretas, la muerte bailando. La muerte hace parte de la vida diaria, es un tema del que hablan con frecuencia tanto niños como adultos.

No obstante, la mayor parte de las sociedades occidentales tendemos a negar y a silenciar la muerte. Todos necesitamos oportunidades para el reconocimiento y la catarsis. Necesitamos más rituales y ritos de paso para los viejos y para los moribundos. Necesitamos tradiciones que ayuden a las familias a enfrentar la muerte, no sólo durante el funeral sino durante meses e incluso años antes y después.

Siempre animo a las familias a celebrar en grande cada década, con reuniones familiares, poemas y cantos en honor de la persona homenajeada. Es interesante que junto a todas las celebraciones se hagan charlas acerca de lo que esperamos de los próximos diez años y cuál sería la forma ideal de enfrentar diferentes situaciones. Las familias necesitan cierta estructura para poder hablar del pasado y del futuro. Programarnos para la muerte debería ser algo tan natural como prepararnos para entrar a la universidad, algo que sucede rutinariamente después de haber pasado por una etapa de investigación, reflexión y discusión.

Los hijos adultos y sus padres deberían dedicar un día al año para hablar sobre el futuro, sobre todo si los padres son viejos-viejos. Esta charla podría incluir los chequeos médicos rutinarios, los planes de financiación para la familia, las necesidades que van surgiendo y las angustias que se van enfrentado. Estas charlas les ayudarán a todos a conservar la calma y a estar preparados cuando la crisis se presente.

Se ha escrito mucho sobre la muerte y los moribundos. En *Dying Well*, Ira Byock dice que el final de la vida le permite al hombre lograr ciertas metas como la conclusión de ciertas tareas, la terminación de una relación y la aceptación de la finalidad de la vida. El movimiento de ayuda a una muerte digna ha desarrollado una buena filosofía de la muerte. Éste enseña que una muerte sin dolor y consciente, con los seres amados alrededor del lecho, puede ser la última oportunidad de la persona para encontrarle sentido a la vida. Los trabajadores de los hospitales para enfermos terminales han encontrado cinco tareas comunes para los moribundos. Deben decir: "Te perdono", "Perdóname", "Gracias", "Te quiero" y "Adiós".

Nuestra generación se destaca por saber satisfacer sus necesidades. Mi predicción es que en el futuro vamos a contar con nuevas ayudas como las enfermeras clínicas especializadas, que nos van a ayudar en nuestra ancianidad y a la hora de la muerte. Quizá nuestras instituciones van a estar mejor preparadas que las de ahora para acoger a los ancianos. Nuestra cultura quizá va a tener más rituales y más respeto por los viejos. Tendremos más posibilidades de elegir a dónde ir a vivir y es posible que los viejos no estén tan separados del mundo activo. Es posible que logremos tener los mapas que necesitamos para recorrer con tranquilidad nuestra ruta a casa.

La generación de nuestros padres nos está entregando este nuevo regalo: el tiempo y la experiencia que ganamos con su envejecimiento y su muerte. Pueden ayudarnos a ver las diferentes formas de encarar y manejar esos últimos y difíciles años. Pueden ayudarnos a pensar las cosas con más detenimiento, a crear rituales más apropiados, mejores instituciones y actitudes culturales y familiares más acertadas. Ellos son nuestros maestros incluso hasta el final. Por todo esto tenemos con ellos una inmensa deuda de gratitud.

Tercera parte

Camino
hacia el todo

CAPÍTULO 8

Un árbol viejo florece:
La fortaleza moral

No podemos evitar que los pájaros del dolor vuelen sobre nuestra cabeza,
pero podemos impedir que construyan sus nidos en ella.

— PROVERBIO CHINO

Has hecho que los poderes de los cuatro cuartos de la tierra se entrecrucen.
Me has hecho recorrer el buen camino y el camino de las dificultades.
Hay un lugar sagrado, allí donde se cruzan estos dos.

—BLACK ELK

EN ESTE CAPÍTULO SE HABLARÁ DE PERSONAS con una fortaleza especial
para enfrentar la adversidad. Son, utilizando la expresión del psicólogo Lois
Murphy, "los que saben enfrentar la vida". Su larga y complicada vida les ha
enseñado mucho sobre la supervivencia psicológica; saben seguir adelante a
pesar de todas sus pérdidas. Tienden a ser prácticos, sensibles y bien organizados; tienen intereses y relaciones que los ayudan a seguir adelante. No son
amargados ni resentidos; de hecho, saben apreciar los esfuerzos de los demás,

saben agradecer tanto un pan fresco como una llamada telefónica o una esplendorosa puesta de sol. Saben encontrar el placer en las cosas pequeñas. Consideran que como han perdido mucho, lo que les queda es aún más valioso. Los ancianos con gran fortaleza moral han aprendido, cada uno por su cuenta, las mismas verdades: que la aceptación es la clave de la serenidad, que la gratitud es la clave de la felicidad.

Quienes saben enfrentar la vida se mantienen ocupados y se ocupan de cada cosa en su momento. No se afanan por todo ni se dejan abrumar por la angustia. Generalmente recuerdan los buenos momentos y saben contrarrestar sus penas con humor. Nunca me reí tanto como en una ocasión en la que estuve en una boda con la abuela de Jim. Nos sentamos en la parte de atrás de la iglesia y reímos hasta llorar. Los ancianos con fortaleza recuerdan anécdotas divertidas de hace setenta años. Su lenguaje es pintoresco.

Éstos son viejos que tienen expectativas razonables. Han aprendido a tolerar las frustraciones y las limitaciones. Virginia Galligher, de 106 años, dijo: "Siempre he estado contenta con lo que he tenido. Me ha gustado, me ha dado placer y nunca creí que debería haber tenido algo mejor".

Éstos son viejos que asumen las responsabilidades de sus propias decisiones. En su gran mayoría, sienten que la vida es producto de sus acciones. No sienten lástima de sí mismos ni se culpan por lo que haya sucedido. La mayoría son buenos trabajadores, con un profundo sentido del orgullo. Han trabajado muy duro y muchos cuentan historias de viajes, fiestas, bailes y otro tipo de diversiones. Gracias a su capacidad de relacionarse con los demás han podido mantener una vida agradable. Todas las personas que saben enfrentar la vida tienen una larga lista de amistades duraderas con individuos de todas las edades. Como parte de un grupo son tolerantes y cariñosos. No se dejaron destruir por los comportamientos de los otros. En su opinión, la mayoría de las personas hacen lo que pueden. Se preocupan por sus propios asuntos y no tienen grandes expectativas sobre cómo deberían portarse los demás.

Quienes llegan a la vejez han pasado por muchos tipos de sufrimiento. Los viejos resistentes y con gran fortaleza moral reaccionan con comprensión y no con ira y desesperación. Como decía el rabino Abraham Joshua Heschel: "Cuando yo era joven, admiraba a las personas inteligentes. Hoy admiro a las personas amables". Henry James escribió: "Hay tres cosas importantes en la vida. La primera es ser bondadoso. La segunda es ser bondadoso. Y la tercera es ser bondadoso".

Todas las vidas son trágicas. No sólo nadie se libra de la muerte, sino que nadie llega a ella sin haber perdido a alguien y sin haber experimentado la desesperanza. Como decía Willa Cather: "Los momentos difíciles son los únicos que logran potenciar la bondad en la mayoría de las personas". Los viejos con gran fortaleza moral han logrado utilizar estas dificultades para que sus almas crezcan. Su vida les ha enseñado quiénes son ellos en verdad.

Todos los ancianos con gran fortaleza que entrevisté tenían convicciones espirituales muy profundas. Creían en algo más grande y trascendente que sus propios egos. Cather escribió en *My Antonia*: "Esto es la felicidad: disolverte en algo completo y grande". Ésas son las palabras que se leen en su lápida.

A medida que las personas envejecen, la verdadera riqueza es el tiempo y no el dinero. Para mí misma el tiempo adquiere más y más importancia a medida que me hago mayor. Cuando cumplí los cincuenta me inventé un juego mnemotécnico que me ayudaba a tomar decisiones acertadas relacionadas con el tiempo. Hay cinco cosas que necesito en la vida: respeto, relaciones, resultados, relajación y realización. Desde ese momento he tratado de pensar en las cinco erres para administrar mi tiempo. Cuando debo tomar decisiones, me pregunto: "¿Este proyecto me proporcionará lo que quiero? ¿Si hago esto ganaré más respeto o podré relajarme? ¿Producirá los resultados que espero o beneficiará a quienes amo?" Si la respuesta es negativa, trato de dejar de lado esa actividad o proyecto. Hago mucho esfuerzo para que todos los minutos de mi vida tengan sentido. Solamente hay tiempo para las cinco erres.

Estas cinco erres se presentan en forma circular, no vertical. No las clasifico por prioridades; considero que todas son igualmente importantes dentro de cierta moderación y equilibrio. Los contrastes son de gran importancia. Después de trabajar para obtener resultados, sentirse respetada es muy gratificante. Después de dedicar tiempo a los demás, es importante tener tiempo para uno mismo, para la autorrealización. Todas las cinco son necesarias para llevar una vida agradable y ninguna es más vital que las otras. Incluso la capacidad de relajación es importante para que podamos trabajar y a la vez estemos en condiciones de conservar nuestras relaciones.

La relajación tiene que ver con el vínculo. Las parejas no se mantienen unidas porque deciden quién lava los platos y quién gira los cheques. Se mantienen unidas porque se divierten. Como lo afirmó Margaret Mead ya hace mucho tiempo, las mamás no atienden a sus bebés porque lloran, los atienden porque se ríen y sonríen. También junto con la relajación viene la gratitud. Con ésta viene la risa y un cierto sentido de perspectiva.

Al pensar en las personas con gran fortaleza y resistencia, me di cuenta de que mis ayudas mnemotécnicas también son útiles para describir sus necesidades. Los humanos en realidad tenemos un conjunto de necesidades relativamente pequeño y sencillo. Aun cuando las estructuras superficiales sean diferentes, las estructuras profundas son las mismas. Queremos ser amados, respetados y útiles. Queremos divertirnos y desarrollar nuestros talentos. Los viejos con gran fortaleza y resistencia tienen amistades, maneras de ser útiles en sus comunidades, maneras de relajarse, de desarrollar su potencial y de sentirse respetados.

Relajación

MI TÍA GRACE SE CASÓ CON OTIS siendo los dos muy jóvenes y en una época muy difícil. Vivieron en distintos lugares y educaron tres hijos. Muchos parientes vivieron con ellos durante la Depresión y en los primeros años de su matrimonio. Grace siempre supo organizar su casa para que fuera bella y agradable. Alimentó a sus múltiples comensales con tartas de frutas, pescado frito, pollo, budines y ensaladas con aderezos hechos en casa. Cosía, trabajaba en el jardín, pescaba y administraba un almacén de abarrotes. Cuando el ritmo de su vida bajó un poco, aprendió a pintar.

Ahora Otis y Grace están viviendo una nueva época de dificultades. Grace sufrió una trombosis y Otis tiene la enfermedad de Alzheimer. Enfrentan estas situaciones tratando de echar mano de las mismas capacidades que les ayudaron a sobrellevar la Depresión. Se mantienen ocupados, pasan muchos ratos con la familia y al aire libre. Enfrentan el futuro con franqueza, pero con calma. Las mañanas no son buenas para Grace, pero en las tardes se siente mejor. Entonces aprovecha estas horas para hacer sus colchas, para cocinar o para atender a los pájaros. En las tardes de verano trabaja con Otis en el jardín. Grace da las órdenes y Otis las ejecuta. Justo al lado de la cocina tienen la pajarera en la que Grace cría canarios, pericos y otros pájaros cantores para la venta. Le encanta comprar jaulas antiguas. Hablando de sus pájaros dice: "Yo amo lo que amo".

Tiene una voz muy dulce y una forma muy especial de hablar. La última vez que estuvimos juntas me contó la historia de su viaje en tren por las Montañas Rocosas. A ellos les encanta viajar en tren. Aproximadamente dos veces al año hacen un recorrido por la parte occidental del país. Hablan con los viajeros del tren y caminan por las ciudades. Adoran la comida de los trenes y los paisajes que observan a través de la ventana. Cuando van a Los Ángeles, les gusta asistir al programa "El Precio es correcto". A los dos les gusta mucho Bob Barker.

SABER RELAJARSE ES MUY IMPORTANTE para quienes están experimentando alguna pérdida. Cuando Doris estaba en quimioterapia y radioterapia para su cáncer, solicitó dinero prestado para comprar una bañera. Había querido tener una bañera toda la vida, pero no había tenido con qué comprarla. Ahora, sólo la idea de poder sentir alguna comodidad la atraía enormemente. Me dijo un día: "Podía soportar esos días espantosos con el oncólogo pensando en que al llegar a casa me sumergiría en mi bañera con agua caliente. Pensaba en eso el día entero. En las noches, bajo las estrellas, encontraba un poco de esperanza".

En parte para compensar la pérdida de su capacidad física, los viejos necesitan experiencias sensoriales placenteras. Es importante para ellos tener sillas cómodas, disponer de un espacio soleado en el cual sentarse, de una chimenea, de habitaciones con vista agradable. A ellos les encantan las lociones, las buenas bebidas y los tejidos suaves. También la buena comida es esencial. Cuando mi madre estaba muriendo, ya no podía soportar la comida del hospital. Me pedía que le llevara uvas y un pastel alemán que le fascinaba. Ninguna de las dos era apropiada para su estómago enfermo, pero picar un poquito le daba placer; más aún, disfrutaba sólo con verlos y percibir su aroma.

Los caballeros del Bingo Colón

JIM Y YO LLEGAMOS TEMPRANO PARA EL BINGO de los lunes en la noche, pero la sala ya estaba totalmente llena. Nos acogieron unos señores mayores que nos dieron las fichas y los tableros para los primeros juegos. En una pequeña tarima ubicada a un extremo de la sala había un hombre que sacaba los números de una bola rodante y los cantaba. Tras él había un tablero electrónico en el que se encendía cada número que salía.

La mayoría de los jugadores tenían más de setenta años. Estaban comiendo perros calientes, bebiendo café y llenando sus tableros. Había viudos y viudas, madres acompañadas por sus hijas, parejas de esposos, abuelos con nietos. Los hombres llevaban chaquetas de trabajo, cuellos altos y tenían brazos delgados. La mayoría de las mujeres llevaban pantalones y camiseta.

Nos sentamos en una mesa grande. Marie y Howard se presentaron y nos informaron cuáles eran las reglas para el *blackout* y el doble bingo. Sólo teníamos dos tableros, número ínfimo si nos comparábamos con Bertie, nuestra vecina, que tenía veinte y fumaba sin parar mientras se afanaba como loca por llenarlos todos sin perder un solo número. Bertie tenía mala dentadura y daba la sensación de haber sido extremadamente pobre, pero hoy se estaba dando su gran fiesta.

Jugamos bingo corriente, bingo doble, *blackout,* el bingo de Mutt y Jeff y todas las modalidades de bingo que propusieron. Marie y Howard trajeron rosetas de maíz y coca colas gigantes. Conocían a la mayoría de los jugadores, que se visitaban unos a otros en los descansos y durante la rifa de tres pavos. El bingo me hizo pensar en la vida de los pueblos pequeños, con muchas bromas y charlas sobre la comida, el clima y los conocidos. No sucedía nada importante, pero todos, incluidos Jim y yo, nos divertimos por montones.

La música es una droga milagrosa para los viejos. Citando a Chejov: "La música desbloquea los ríos helados de los corazones". En el baile de la boda de mi hijo, mi tía Grace le solicitó a la orquesta que tocara su canción favorita, "El tema de Lara" de la película *Dr. Zhivago.* Cuando joven, Grace tenía una caja de música que tocaba esa canción y siempre que la oía lloraba. Me quedé observándola mientras sonaba esa pieza y parecía como si estuviera viendo rostros y escuchando voces de personas que habían partido hacía muchos años.

Mark Twain decía: "Cuanto más viejo me hago, recuerdo con mayor claridad cosas que nunca sucedieron". Los viejos disfrutan contando historias, recordando cosas que sucedieron y que nunca sucedieron. La memoria puede ser activada por canciones, libros e imágenes. Los viejos siempre quieren especificar los detalles. Algunas de mis tías viejas pueden pasarse horas con temas como los siguientes: ¿Cuándo fue que compraste el sofá verde? ¿Cuántos kilómetros llegaste a recorrer con el Studebaker? ¿Cuándo llevaste a los niños a Yellowstone? ¿La cerca que construimos juntos todavía está de pie? ¿Por cuánto vendió Lloyd los últimos cien acres de su finca? ¿Cuándo fue la helada que arruinó tu trigal?

Cuando la gente está sufriendo o cuando está muriendo, los recuerdos hermosos del pasado pueden ayudar. En una ocasión, antes de la muerte de su madre, Jim le ayudó a reconstruir mentalmente el recuerdo de su playa favorita en la Isla Sanibel. Juntos trataron de imaginar el cielo y el color de las nubes, de escuchar el romper de las olas, de percibir el olor salobre del aire tropical. Phyllis, tendida en su cama de hospital con más de un catéter en el brazo, recorrió la playa buscando conchas.

Cuando mi madre estaba muriendo, nos imaginamos que estábamos acampando en el bosque. Ella nació en Colorado y le encantaban las montañas. Su cama era un saco de dormir. El ruido del oxígeno era el arroyo de la montaña. Los ruidos que llegaban del corredor del hospital eran ramas de pino movidas por el viento. Eso le ayudaba a dormir.

Relaciones

Cada época de la vida tiene su amor particular.

— Tolstoy

La verdadera riqueza son la familia y los amigos. Las viudas suelen tener lazos de amistad muy fuertes con otras mujeres, lo que es muy importante en los últimos años de su vida. En *Crossing to Safety,* Wallace Stegner escribió que los recuerdos más gratos de su vida no estaban relacionados con su trabajo, ni con los libros que publicó ni con el reconocimiento profesional que tuvo sino con sus amigos. A medida que se fue haciendo viejo, la amistad era lo que lo sostenía y le proporcionaba recuerdos felices. Lo mismo les sucede a la mayoría de los viejos. Las personas necesitan amistades nuevas y viejas. Margaret

Mead dijo que la más profunda necesidad de una persona es tener a alguien a quien le importe si vuelve a casa en la noche.

Los viejos necesitan hablar, tener contacto físico y también necesitan niños y mascotas. Recuerdo a un viejo abogado en una reunión de la logia masónica. Cuando le otorgaron una condecoración por haber formado parte del grupo durante sesenta años, hizo mención expresa de agradecimiento a la pareja que lo llevó a la ceremonia. Habló de lo mucho que se preocupaban por él y de cuánto quería a sus hijos. Era claro que la felicidad de este hombre estaba profundamente ligada a esta familia y ellos lo sabían. Los dos sonrieron con orgullo.

La necesidad de afecto y contacto físico no se acaba nunca. Incluso antes de nacer, el contacto es importante. Unas gemelas fueron ubicadas en dos cunas diferentes al nacer, y poco después presentaron problemas de crecimiento. Los médicos decidieron colocarlas en la misma cuna y a partir de ese momento se estabilizaron y empezaron a ganar peso. El hermano mayor tiende a poner su brazo sobre los hombros del menor. La sanación tiene como requisito la imposición de las manos. Recuerdo a mi amigo John, llevando a su madre de la mano un día en que iban a un concierto en un campus universitario. Hacía poco tiempo había quedado viuda. Llevar la mano de su hijo en la suya era de gran importancia para ella.

Las mascotas son una maravillosa fuente de afecto y alivian el estrés. Un estudio realizado por Joseph Struckus demuestra que los residentes de hogares geriátricos que son visitados por mascotas se deprimen menos, son menos ansiosos y se confunden menos que aquéllos que no ven mascota alguna. Judith Siegal encontró que los dueños de mascotas visitan con menos frecuencia a los médicos. Los animales ayudan a los humanos a comunicarse unos con otros, nos enseñan a relajarnos y responden a nuestra necesidad de afecto y contacto físico. También le dan a la gente muestras de incondicionalidad y además son una buena razón para ponerse de pie en las mañanas.

Constance, una vecina nuestra, tenía una perrita llamada Cookie, que fue su compañera por muchos años. Le daba su alimento favorito, la sacaba a pasear y le tenía juguetes. Siempre que me encontraba con Constance le preguntaba por Cookie y ella me contaba sus hazañas con orgullo. A la muerte de Cookie, Constance la mandó cremar e hizo los planes necesarios para que las enterraran a las dos juntas. En la actualidad, las cenizas de Cookie están sobre la chimenea de la casa, junto a muchas fotos suyas.

Resultados

La mayor fortuna de un viejo es tener proyectos y ocuparse diariamente con trabajos útiles e interesantes; en otras palabras, no tener tiempo para aburrirse.

— Helen Nearing

Hoy en día tenemos actitudes bastante extrañas frente al trabajo. Hemos sido educados para creer que el lujo y el descanso son nuestra felicidad, pero eso es falso. Un descanso sin límites nos lleva a la apatía y a la desesperación. Lo que le da sentido a la vida es proyectarla hacia los demás. El descanso sienta bien en contraste con el trabajo. La vida es agradable cuando se lleva un ritmo adecuado. Lo que de veras nos estimula es el ciclo trabajo/descanso. El descanso permanente se hace monótono, tal como lo perciben las personas cuando se retiran de su trabajo.

El retiro forzoso puede producir efectos devastadores sobre los viejos. Cuando quienes no tienen ninguna actividad distinta a su trabajo se jubilan, encuentran que no tienen nada útil que hacer. Si tienen pocas amistades fuera del trabajo, se quedan sin amigos. Es posible que lleguen a enloquecer a su pareja. Una mujer me dijo en una ocasión: "Tuve que decirle a mi esposo: 'No tienes que trabajar, pero sí tienes que salir de la casa. Yo no puedo soportarte aquí desde la mañana hasta la noche'".

Conocí a un conductor de taxi que tenía suficiente dinero pero no resistía quedarse todo el tiempo en casa. Le gustaba encontrarse con la gente y salir a la calle. Mi hijo Zeke fue a donde un viejo peluquero que estaba experimentando dolores en el pecho. Zeke le dijo que cancelaran la cita y se ofreció a llevarlo al hospital, pero el hombre insistió en trabajar. Mientras le estaba cortando el pelo, sufrió dos nuevos espasmos. Después de terminar, Zeke lo llevó a casa y el peluquero le dijo que quería trabajar hasta desplomarse. "Es lo que he hecho toda mi vida".

Los viejos que amaban su trabajo son los que experimentan mayores problemas en su retiro. Pienso en un novelista muy popular de Minnesota que no dejó de escribir hasta bien entrados sus ochenta. Fred Manfred estaba acostumbrado a su vida de escritor y a dirigir y orientar a escritores más jóvenes. Compartía con ellos su experiencia, su talento y sus relaciones. Patrocinaba reuniones de lectura en su casa, que había construido con piedras recogidas en los campos de los alrededores.

Mi amiga Katherine me contó que su padre, un abogado de setenta y cinco años, no se quería retirar. Durante muchos años ignoró las insinuaciones de sus colegas. Finalmente y ya desesperados, le programaron una gran fiesta de despedida a la que fue con gusto: la pasó estupendamente. Bailó con todas las mujeres presentes y recibió la condecoración que le dieron, pero el lunes siguiente estaba de nuevo ocupando su escritorio como si nada hubiera pasado.

Los que no son empleados pueden seguir trabajando por su cuenta. Algunas personas mayores ofrecen sus servicios como voluntarios. Para muchos viejos enseñar lo que ellos saben es un gran placer. El padre de nuestra vecina disfruta mucho arreglándole la casa, lavando los autos, cuidando los niños y trabajando en su jardín. El tío Fred, después de retirado, construyó casas para sus parientes. Nunca visitaba a ninguno de ellos sin hacer alguna reparación.

Es bueno que los viejos enseñen lo que saben hacer. Ellos tienen habilidades y experiencias que la mayoría de los jóvenes no tienen. Los viejos saben distraer a los niños sin necesidad de la televisión y el nintendo. Muchos de ellos son hábiles narradores de cuentos. Con frecuencia saben otros idiomas, conocen otras costumbres, saben cocinar y son buenos conocedores de música. Saben de historia y conocen la naturaleza.

Muchos viejos escriben su autobiografía. Los parientes más jóvenes con frecuencia los animan a grabar relatos orales. Yo recomiendo el formato de entrevista. Mi experiencia es que la mayoría de los viejos se sienten incómodos hablando para una grabadora. Es mejor hacerles preguntas. Los mapas, las fotografías, la comida y algunos objetos suelen estimular la memoria.

Las personas afortunadas continúan realizando algún trabajo y siendo productivas. Un músico famoso dijo: "La música es mi amada de toda la vida y no pienso dejarla ir". Freud dijo que la felicidad reside en el amor y en el trabajo. Cuando desaparece alguno de los dos, la vida se ve enormemente disminuida.

Respeto

LAS PERSONAS CON GRAN FORTALEZA MORAL Y RESISTENCIA se sienten respetadas. Para ellas lo peor es perder la dignidad. En determinados grupos el respeto significa valorar a los mayores como personas sabias. Necesitamos que los medios nos muestren a los mayores como personas merecedoras de nuestro tiempo. Necesitamos menos chistes que ridiculicen a las personas de edad. Necesitamos relatos culturales que vuelvan a ubicar a los viejos como fuente de sabiduría, tanto por el bien de ellos como por el nuestro. En el plano personal el respeto implica darles más tiempo y atención. Significa no tratar de controlar sus conversaciones ni de sobreprotegerlos. Significa escucharlos con paciencia, pues muchos de ellos piensan con detenimiento lo que van a decir y también hablan más despacio.

Cuando pienso en el respeto por los mayores, recuerdo a John Harms, quien a sus noventa y dos años de edad vivía en una casa pequeña en el campus de la universidad de Okalhoma, donde había enseñado la mayor parte de su vida. Era ministro de su iglesia y había asistido al Primer Congreso Mundial de Iglesias en Amsterdam, en 1948. Ya en su vejez escribía seis horas diarias en su computadora. Todavía hacía viajes al exterior para realizar labores de la iglesia, dictaba conferencias y ejercía el ministerio en la congregación de su campus, el cual recorría en bicicleta y a pie. Para él la familia era su primer interés. Estaba escribiendo un libro sobre la historia de su familia. Todos los años organizaba una gran reunión familiar. Estas reuniones, que duraban más de una semana, tenían dos objetivos: uno social y el otro educativo. Se realizaban seminarios sobre cómo ser padres buenos y positivos, reuniones de negocios que recomendaban la frugalidad y la prudencia en las inversiones y, por supuesto, había ratos de diversión. Publicaba un boletín informativo sobre los eventos de la familia entre una reunión y otra.

Yo era amiga de una de las nietas de John, precisamente la que le ayudaba a preparar las actividades y a organizar las reuniones a las que venían familiares de todos los rincones del país. Mi amiga hacía una que otra broma acerca de la agenda del abuelo, pero le tenía muchísimo respeto. Él era una persona de gran importancia para la familia, muy amado y honrado por todos. Se reunían todos los años para escuchar sus ideas y disfrutar del encuentro. John logró que esa enorme familia desperdigada por todo el país se mantuviera unida tanto física como emocionalmente. Uno de los lazos de unión de la familia era el respeto por su patriarca.

Realización

> *Tenemos un Dios ahorrativo que no permite que lo bueno que hay dentro de*
> *cada uno de nosotros se desperdicie.*

— HERMANA WENDY BECKETT

> *¿No comprendes cuán necesario es un mundo de dolor y tribulación para*
> *educar la inteligencia y hacer de ella un alma?*

— JOHN KEATS

Los viejos se cuestionan permanente sobre el sentido de la vida puesto que están enfrentando pérdidas y dolor día tras día. A medida que se van haciendo mayores comprenden que no volverá a haber nunca nadie como ellos, constatación que es a la vez fuente de tristeza y de autoaceptación. La proximidad de la muerte ayuda a poner las cosas en su verdadera perspectiva. Lo que no tiene importancia va quedando relegado a la sombra. Los viejos necesitan sabiduría, filosofía, poesía y una fuerte sensación de relación con lo verdaderamente significativo. Su vida se va haciendo más sagrada, en el sentido de que se va acercando a la totalidad. La experiencia y la autenticidad abren paso a la fortaleza moral.

El objetivo final de los viejos es la realización o el crecimiento del alma. El alma, dentro del contexto en el cual utilizo la palabra, es sinónimo de carácter. Es el organismo rector del sistema, de las creencias que motivan y explican todos y cada uno de nuestros actos. El alma es aquello que permanece, aquello que da sentido. Cuando escribo sobre el alma pienso en Effie, una aprendiz incansable y permanente. Toda su vida se ha dedicado al crecimiento de su alma.

EFFIE BROWN (86 años)

"Creo en una presencia total y activa.
Ya no desperdicio más el tiempo".

LA INFANCIA DE EFFIE FUE MUY ACTIVA, caminaba sin parar pastoreando el ganado a pie. Su madre preparaba cuatro o cinco comidas al día y nadie se preocupaba por la gordura. Tanto ella como sus hermanas leyeron *Mujercitas* y *La Isla del Tesoro* y organizaban juegos basándose en esos libros. Effie recuerda muchas épocas felices, pero también vecinos que murieron siendo niños a causa de la influenza. En su familia sufrieron de forúnculos y de sabañones debido al frío.

Desde que nació, Effie tuvo muchos intereses. En 1935, cuando la Depresión estaba en su punto máximo, se ganó una beca para ir a la universidad en Chicago. Estudió idiomas y participó en la vida cultural de la ciudad. Durante todos esos años le tocó ver sobre el Lago Michigan los cuerpos de víctimas del hambre y del suicidio. Posteriormente se trasladó a Nueva York, donde trabajó como traductora. En 1941 conoció a Hal, quien había estudiado en la Universidad de California. Se casaron y trabajaron juntos para la Cruz Roja. Conocí a Effie cuando fui a dictar cursos en el Instituto Omega. Tenía ochenta años pero parecía mucho más joven. Se presentó como una "vieja izquierdista" y me contó historias relacionadas con su trabajo a favor de los derechos humanos en los años cincuenta y sesenta. Había viajado por el mundo entero y ahora se dedicaba a enseñar inglés a los refugiados. Nunca se perdía un recital de poesía, ni desperdiciaba ninguna oportunidad para ir a la ópera.

Effie era radicalmente honesta. Cuando me conoció, dijo: "En persona usted luce mucho mejor que en la foto: ahí se ve bizca y simplona". Tenía una agudeza mental enorme y le costaba mucho relacionarse con los necios. Hablando de un conocido, dijo que era una persona poco interesante con una vida muy interesante. Para referirse a uno de sus estudiantes hizo una cita del

Dr. Johnson: "Era como un pez a la luz de la luna: podía brillar y apestar a la vez". En una ocasión yo me puse un poco necia por un asunto no muy importante y ella me dijo que no hiciera una tormenta en un vaso de agua.

Effie también se ponía metas muy altas a sí misma. Hacía yoga en el lago al amanecer y era vegetariana. Con frecuencia reflexionaba sobre su vida para asegurarse de estar utilizando su tiempo correctamente y de estar prestando a los demás todo el servicio posible. Citó una frase del Talmud: "No te incumbe a ti concluir la labor, pero tampoco te está permitido abandonarla antes de tiempo". Me dijo: "Creo en la necesidad de estar presente. Ya no desperdicio mi tiempo. Quiero pasar cada minuto de mi vida caminando, estudiando o sirviendo a los demás".

Citó una frase de Andrew Carnegie, quien dijo: "El hombre que muere rico muere siendo desgraciado". Effie regaló su dinero y me dijo que la pregunta central de su vida era: "¿Será mejor el mundo gracias a que yo pasé por él?"

En Omega pasé con Effie todo el tiempo que me fue posible. Compartíamos una enorme admiración por los Roosevelt. Tenía el libro que escribió sobre ellos Doris Kearns Goodwin y juntas visitamos Hyde Park. Mientras caminábamos por allí, Effie me dijo: "Uno llega a una edad en la que todo lo que sucede a su alrededor es interesante". Luego añadió en tono apesadumbrado: "A medida que me voy haciendo más vieja, trato de desmenuzarlo todo".

Hablamos sobre la muerte de Hal en 1996, después de cincuenta y cinco años de matrimonio. Hubo un año en su vida en el que parecía que todo se había detenido. No podía leer, no podía escuchar música, y ni siquiera podía ver a los amigos. Todos los días paseaba junto al lago del Central Park, o se sentaba en su apartamento mirando fijamente hacia el vacío. Me dijo: "Padecí fuertemente la culpa del sobreviviente. ¿Por qué tenía que seguir viviendo cuando mi Hal, que merecía tanto la vida como yo, que amaba la vida tanto como yo, estaba ahora bajo tierra?"

Pero el tiempo fue pasando y Effie era demasiado saludable mentalmente para permanecer aislada. Había niños que necesitaban maestra, refugiados que necesitaban vestidos y alimentos. Empezó a estudiar de nuevo. Aún a sus ochenta años, tenía algunos pretendientes. Inicialmente había perdido el interés. Estaba decidida a no volverse a casar y ni siquiera pensaba en su intimidad. La pérdida de Hal la había lastimado tan profundamente que no quería exponerse de nuevo a otro dolor de ese calibre.

Unos seis meses después de habernos conocido, la vida de Effie dio un vuelco sorprendente. Estaba saliendo con un periodista retirado llamado Chuck, un hombre de su misma edad, amoroso y con un enorme sentido del humor. Disfrutaban con las mismas actividades y se sorprendieron al descubrir que sus vidas eran paralelas. Eran, como lo define Effie: "Dos personas que habían sido mecidas en la misma cuna".

La siguiente carta que recibí de ella anunciaba su matrimonio. "Nunca me habría casado por tener compañía. Tengo suficiente compañía y amo la soledad. Cada día me proporciona algo agradable, pero estoy enamorada. Miro el matrimonio con optimismo. Tenemos más de cien años de experiencia marital entre los dos".

Percibí una nueva dulzura en su personalidad. Su exacerbada agudeza parecía menos cáustica, miraba a los demás menos críticamente y parecía más relajada. Dijo que a veces se permitía dormir hasta las 7:00. Escribió: "La vida sigue adelante y he decidido que todos los años que me queden voy a vivirlos plenamente".

CAPÍTULO 9

Unidos cultivamos nuestras almas: Los abuelos

No estuve allí cuando tu cuerpo avizor te despertó,
ni cuando te sentaste con lentos movimientos y te pusiste en pie.
Por el calor sabías que era julio, pero te preguntaste qué hora era,
te erguiste y llamaste a mi madre.

Cuando ella llegó se podía percibir su impaciencia porque hacía calor
    y la olla en la cocina reclamaba su atención.
Cuando ella te ayudó a vestir
y preguntó qué vestido querías llevar.

Cuando tú misma te pusiste las medias y el liguero
y metiste los pies en los zapatos, y miraste al suelo ya sabiéndolo,
pero sin decir nada a mi madre de lo que ya sabías,
y le pediste por favor que arreglara tu peinado.

Cuando te sentaste a la mesa con mi madre y mi padre,
y mi padre te ofreció esto y aquello,
y levantaste el vaso mirando a través,
cuando bebiste trago por trago toda el agua.

Cuando abriste la servilleta sin levantar el tenedor
y doblaste la servilleta haciendo a un lado el plato,
y moviste hacia atrás la silla y te pusiste de pie sin ayuda de nadie
y te diste la vuelta para salir de la habitación sin decir una palabra.

Cuando ellos te llamaron y tú no respondiste,
cuando cerraste la puerta y te miraste el rostro en el espejo,
tu rostro, viejo rostro, ese hermano y confiable compañero,
y lo tomaste entre tus manos para decirle adiós.

Cuando dijiste quiero tenderme a descansar
y te acostaste, y te cubriste con una sábana diciendo
váyanse ya, es hora de comer, y ellos se fueron
porque habían trabajado mucho, tenían hambre
y todo esto ya había sucedido muchas veces.

Cuando tendida de espaldas te dejaste llevar,
sabiendo que aquello que habías esperado paciente e impacientemente,
aquello que habías anhelado y habías dejado de
    anhelar y de esperar,
aquello por lo que habías orado sin recibir respuesta, estaba aquí.

Cuando tendida de espaldas te dejaste llevar y escuchaste
el tintineo de la plata por última vez,
y dejaste caer la sábana deslizándose suavemente al suelo,
cuando tu aliento dejó de pertenecerte.

No estuve allí. Perdóname por no haber estado allí.

— MARILYN KRYSL,
"Abuela"

MARGARET MEAD RECONOCE EL VALOR UNIVERSAL de los abuelos. Afirma que entre los nietos y los abuelos hay lazos muy fuertes de unión, quizá "para luchar contra un enemigo común: los padres". Nietos y abuelos son "cómplices en el crimen".

Los roles de los padres y de los abuelos son totalmente diferentes. Los padres tienen la función de educar a los hijos para ser emocionalmente fuertes, responsables y capaces de asumir su independencia. A los abuelos les corresponde dar amor a sus nietos ahora.

Como abuelos, los abuelos son por lo general totalmente diferentes a lo que fueron como padres. Cuando les llegan los nietos, ya tienen menos responsabilidades y menos necesidad de afirmarse frente a los demás. Las prioridades cambian radicalmente. Los padres suelen maravillarse al ver lo pacientes que se vuelven sus padres. Esos progresos se deben a los estadios del desarrollo.

La relación abuelo/nieto tiende a ser calificada como sentimental. Un profesor de escritura les dijo a sus estudiantes el primer día de clase: "Nadie quiere leer historias sobre la muerte del abuelo". Los abuelos con frecuencia sienten que no es socialmente aceptable hablar de los nietos. Sin embargo, no lo pueden evitar. Hace poco me encontré con un amigo que me dijo: "Perdona que te moleste con las fotos de mis nietos". Y después, riéndose, añadió: "Pero tú sabes cómo somos".

Los medios tienden a pasar por alto la relación abuelo/nieto. Es poco común que esta relación sea el argumento central de una película, canción o programa de televisión. Sin embargo, hay culturas para las cuales no hay nada más interesante que las relaciones entre los viejos y los jóvenes, en las que las palabras abuelo y abuela llevan consigo una profunda carga de respeto. Los viejos transmiten el conocimiento a los niños quienes, a su vez, lo comparten con otros. En nuestra cultura esta historia de amor y respeto entre generaciones no encaja con el discurso dominante. Adoramos lo nuevo, lo joven, lo bello. En general, el tema de los abuelos no está relacionado con el poder, la fama, el dinero o el sexo, sino más bien con el amor, quizá el más puro y menos explotable de todos los amores que pueda experimentar un ser humano.

Aun cuando la cultura no propicie una relación estrecha entre las tres generaciones, familia tras familia, niño tras niño tarde o temprano descubren su profundo valor. Una reciente encuesta realizada por Gallup demostró que para la mayoría de los niños sus recuerdos más entrañables y felices no son un viaje a Disneylandia, ni el día en el que les regalaron una computadora, sino el tiempo que pasaron con sus abuelos.

Por otro lado, dada la calidez que suele primar en la relación abuelos/nietos, hay ocasiones en las que los nietos adultos pueden decirles a los abuelos cosas que sus padres no se atreverían a mencionar. También algunas veces los nietos son las personas más indicadas para hablar con el abuelo sobre lo peligroso de seguir conduciendo el auto, o con la abuela acerca de la conveniencia de darle a alguien un poder para el manejo de sus bienes. En ocasiones los abuelos confían más en los nietos y además sienten más deseos de complacerlos.

Hay una buena variedad de formas para lograr que se establezcan relaciones intergeneracionales. La costumbres familiares sencillas pueden ser importantes. En mi familia era tradicional que nos reuniéramos a cenar en la casa de la abuela. Cuando ya "Mamoo" estaba demasiado débil para hacer la mayor parte del trabajo, seguimos reuniéndonos en su casa: llevábamos la comida y ayudábamos con los platos y con el arreglo de la mesa. Mamoo fue la anfitriona de esta importante reunión familiar hasta su muerte.

En una ocasión una niña me contó muy orgullosa que ella acompañaba a su abuelo al grupo de apoyo de pacientes con colostomía. El abuelo, radiante, puso su mano sobre el hombro de la nieta y dijo: "Ella es la estrella del grupo".

Hace poco me encontré con un profesor a quien yo respetaba por su actitud escéptica y fría claridad mental. Se puso a sacar en la calle las fotos de sus nietos para mostrarlas y me decía: "Todo lo que le hayan dicho acerca de lo que significa ser abuelo es un pálido reflejo de la realidad". Herb duró hablando quince minutos seguidos sobre sus nietos. Me dijo que lo que más le gustaba era que podía disfrutarlos de verdad. "Cuando tuve a mis hijos estaba siempre cansado, trabajaba demasiado, me angustiaban el dinero y cosas tan nimias como el arriendo. Tenía que calificar exámenes. Ahora me llegó el tiempo de estar presente".

Los nuevos nietos son hermosos, tienen caritas frescas y son amorosos. No han tenido tiempo para desarrollar defectos notorios ni para decepcionar a nadie. Todavía no pueden faltar al colegio, ni cometer crímenes, ni tomar dinero prestado para no pagarlo, ni tampoco son aún adolescentes ariscos e incomprensibles. Los nietos son aire fresco y renovador para los abuelos.

Una amiga me habló hace poco sobre una reunión con su madre y su nieto. "Brandon está creciendo y mi madre se está achicando". Esto era cierto tanto literal como simbólicamente. El mundo se estaba abriendo para Brandon y cerrando para su madre. El uno estaba adquiriendo nuevas destrezas y la otra se veía enfrentada a nuevas limitaciones. Así como las pérdidas de su madre le producían dolor, el crecimiento de su hijo la reconfortaba.

Los bebés nos dan esperanza en el momento de la muerte. Una viuda me dijo en una ocasión: "He vuelto a disfrutar de los días festivos gracias a mis nietas". Precisamente anoche llevé un pastel a la casa de una amiga cuya madre había muerto. La sala estaba llena: casi toda la familia se hallaba allí reunida. Algunos venían de muy lejos y todos estaban tristes. Pero había un bebé rubio de ojos azules, que estaba dando sus primeros pasos y ocupaba el centro de la sala. Jugaba con todo, construía torres con bloques de plástico y pasaba de los brazos de unos a otros sin parar. Todo el mundo estaba pendiente de Calvin: él representaba la esperanza en esa noche oscura.

Hay una gran variedad de apodos cariñosos entre abuelos y nietos, en parte porque cuando los bebés están aprendiendo a hablar inicialmente se les dificulta pronunciar las palabras correctamente. Pero no se trata sólo de eso. También es la expresión del cariño que autoriza una cierta informalidad. Estos apodos son muy importantes porque les proporcionan a los abuelos un nuevo estatus cuando su poder social está en declive. Son palabras que dan nombre y consistencia a una relación única.

Mi abuela me llamaba "ojos de lince" porque yo podía leer las recetas de cocina y enhebrar una aguja. Recuerdo cuán orgullosa me sentía de ser útil y cuánto me gustaba ese nombre. Mi abuela murió hace ya treinta años y todavía pienso en ese nombre cuando estoy enhebrando una aguja o leyendo algo para una persona mayor.

LA MAYORÍA DE LOS ABUELOS COMUNICAN a los nietos una sensación de seguridad y de continuidad. Los nietos, al referirse a ellos, hablan de una cierta calidad de atención que no reciben de sus padres ocupados y acosados. La gran mayoría de nietos hablan con ternura de ciertos rituales —— galletas antes de ir a la cama, el dominó después de la cena, caminatas hasta la oficina de correo o hasta el estanque. Los abuelos le dan un cierto toque ceremonioso a las pequeñas cosas. Casi todos los eventos que se repiten con los abuelos llegan a convertirse en rituales.

Para muchos adultos la finca de los abuelos, el pueblo de los abuelos, su apartamento o cabaña cerca del lago, se convierten en lugares sagrados. Muchos adultos rechazan la idea de vender esos viejos lugares asociados con los abuelos queridos, cuyo espíritu sigue habitando allí.

Otro recuerdo permanente es la comida. No creo que se pueda hablar de las abuelas sin mencionar la comida. Hay hombres ya muy mayores a quienes se les hace la boca agua hablando de los fríjoles o de los tallarines de la abuela. Con el tiempo, la cocina de la abuela se convierte en la metáfora de su amor. Las comidas en su casa se convierten en una especie de comunión.

Una profesora me comentó que ella puede identificar entre sus alumnos a los que tienen contacto con los abuelos y a los que no. Son personas más tranquilas, más calmadas y confiadas. Sé de una mujer cuyos padres tenían muchos problemas que dijo: "Gracias a mis abuelos tuve infancia". Mi marido dice: "Mis abuelos me dieron un profundo sentimiento de confianza en que, al final, todas las cosas suelen tomar el rumbo correcto".

Los abuelos crecieron en un mundo que se movía más lentamente y ellos mismos tienden a disminuir el ritmo a medida que envejecen. Son los únicos adultos que tienen tiempo suficiente para los niños; tiempo para sentarse con ellos y observar el pájaro que construye el nido, la ardilla que recoge bellotas; tiempo para leerles cuentos, o para ayudarles con la colección de estampillas o con el equipo de radioaficionado. También pueden ir a los bailes, al teatro y a las presentaciones del colegio.

Los niños esperan mucho estímulo de la televisión, la radio, el Nintendo y las computadoras. Los viejos jugaban en su infancia en el campo. Lo que resulta completamente natural para un niño hoy en día, puede parecer un auténtico frenesí para una persona mayor. Algunas veces los viejos les enseñan a los jóvenes la satisfacción que produce reducir la marcha. Inicialmente los niños tienen problemas con este cambio de ritmo, pero eventualmente llegan a adorarlo.

Los abuelos de mi amigo Jerry le dieron un profundo sentido de pertenencia. Vivían en Kentucky, en una casa construida por el abuelo en 1920. La casa tenía un pórtico cubierto, en el que la familia jugaba Scrabble en las noches, bajo la luz amarilla de la entrada. Jerry dijo que todas las otras cosas de su vida iban cambiando, pero que ese pórtico iba a ser siempre el mismo. Incluso los mismos muebles permanecían allí.

La casa era un buen lugar para los niños. El lote tenía el tamaño de una manzana en la ciudad y allí tenían pollos, viñedos, un jardín, manzanos, una bomba herrumbrosa que siempre estaba llena de avispas y un garaje abandonado que olía a madera podrida y a gasolina. Jerry recuerda sus expediciones para escarbar las cosas que guardaban los abuelos.

La familia de Jerry iba a Kentucky todas las vacaciones. Como ellos vivían en el norte, los viajes al sur eran excursiones hacia otra cultura. En el camino les refrescaban a los niños las normas de educación. Era importante que recordaran volver a colocar las sillas en la mesa una vez terminaran de comer y tenían que responder siempre "Sí, señora" y "No, señor".

El abuelo medía un metro con noventa y era un hombre gordo. Siempre llevaba un sombrero de copa baja y los tirantes bastante templados, lo que hacía que los pantalones le quedaran cortos. En una ocasión Jerry fue con el abuelo y sus amigos a una excursión de pesca nocturna. Bebieron cerveza, fumaron cigarros y contaron cuentos sólo para hombres.

Jerry recordaba las galletas de Ninnie. Para prepararlas estiraba la masa con una botella y las cortaba con la lata vacía del tarro de polvo para hornear. También les preparaba pollo frito, rollitos de harina de maíz con tocineta, guiso picante, jamón, manzanas fritas y tomates. Hacían concentrado de jugo con las uvas de su viñedo. Todas las mañanas Ninnie le preparaba un vaso de jugo a Jerry para el desayuno.

El abuelo murió cuando Jerry estaba haciendo su primer año de universidad, y todavía guarda el equipo de cocina para campamentos y el viejo radio del abuelo. Ahora va a visitar a Ninnie, que ya está senil. Su madre le advirtió que posiblemente no lo iba a reconocer, pero él dijo: "No importa. Al menos sabrá que alguien que la quiere está visitándola".

Jerry me dijo: "El pueblo de mis abuelos es lo más parecido que tengo a un terruño propio. Aunque en verdad no era el mío, yo lo adopté. Aunque no hablo con frecuencia de mis abuelos, no ha habido nadie más importante en mi vida".

Los abuelos nos enseñan lo importante que es vivir el momento. Los viejos comprenden que contamos con un número finito de lunas llenas, de puestas de sol y de caminatas en la playa. Saber exactamente de cuántos de estos sucesos vamos a poder disfrutar podría ponernos en una situación difícil de llevar, pero a la vez nos obligaría a ser más cuidadosos. Si supiéramos que ésta sería nuestra penúltima luna llena estaríamos más atentos. Si supiéramos que después de este viaje a la playa sólo tendríamos otros cuatro, quizá lo disfrutaríamos un poco más.

El abuelo de mi marido siempre tenía mucho tiempo. Jim le debe su nombre al abuelo James, que murió en una casa para ancianos cuando Jim tenía ocho años. Sin embargo, él sabe que heredó del abuelo el optimismo y la confianza en el mundo.

James se casó siendo ya mayor. Su prometida estaba convencida de que tenía que permanecer en casa para cuidar de su madre enferma, y sólo se casaron después de su muerte. Tuvieron dos hijos, Bernie y Emmett, y acogieron en su casa a la tía Luise, que sufría de artritis reumatoidea. A medida que Luise iba reduciéndose a la inmovilidad, la abuela de Jim trasladó su dormitorio al piso bajo para cuidarla durante la noche. James compartía una habitación con sus hijos y les contaba cuentos a la hora de irse a dormir.

Cuando sus hijos tuvieron hijos, James ya tenía setenta y tres años y ser abuelo era una de sus grandes ilusiones. El día del nacimiento de Jim, el abuelo salió a recorrer el pueblo entero para contarles a todos las buenas noticias. Tanto él como su esposa siempre habían querido cuidar de esos bebés y como vivían sólo a una cuadra de distancia, Jim iba a su casa todos los días. La tía abuela Luise también estaba allí en su silla de ruedas y bebiendo Alka Seltzer con la ayuda de un pitillo.

A Jim le encantaba comer en casa de sus abuelos. Sus platos favoritos eran los fríjoles marineros con salsa de tomate y las papas a la francesa bien tostadas. Su abuelo pelaba una manzana con una navaja de bolsillo y le daba un trozo. Jim iba de un lado a otro en la casa y jugaba con las llaves viejas. Ahora Jim guarda llaves para que puedan jugar con ellas sus futuros nietos.

El abuelo solía invitarlo a montar con él en su Buick modelo 38 para ir al café del pueblo. Le dejaba dar arranque al auto. Siempre que llegaba a casa, James decía: "A las buenas, buenas, Nellie". Cuando Jim aprendió a hablar, hacía coro con el abuelo.

Los días eran importantes por lo que sucedía en cada uno de ellos y no por los resultados obtenidos. Se sentaban en una banca en la plaza, el abuelo hablaba con un "grupo de viejos amigos" y Jim los escuchaba. Le hacían unas cuantas bromas, pero principalmente hablaban entre ellos de sus temas. Jim recuerda que le molestaban esas reuniones porque lo que él quería era estar con su abuelo; mientras ellos hablaban, él jugaba con las piedras de la calle. Un poco más tarde, ya en el café, Jim comía helado de vainilla mientras el abuelo bebía café fuerte.

En una ocasión, siendo Jim todavía muy pequeño, sus abuelos le dieron un regalo de Navidad que no le gustó y no sólo les dijo que no le había gustado sino que se resistió a jugar con él. Su padres trataron de intervenir, pero Jim no dio su brazo a torcer y se negó rotundamente a pedirles disculpas a los abuelos. Todavía siente remordimientos cuando piensa en la forma como hirió a los viejos esa vez.

Afecto incondicional

LA GRAN MAYORÍA DE LOS ABUELOS QUIEREN a sus nietos por lo que son y no por lo que hacen. Los rostros de los abuelos se iluminan cuando oyen mencionar a sus nietos, y se emocionan al contar sus aventuras. La voz suena más llena y enérgica cuando hacen esos relatos.

Para casi todos los abuelos hasta los detalles más pequeños del comportamiento de sus nietos son importantes o adorables. Una amiga mía llegaba incluso a decir que su nieto se veía encantador cuando hacía una rabieta. Todos necesitamos al menos una persona que nos adore y piense que somos maravillosos.

La principal tarea de los abuelos es amar a los niños, pero también ayudan a que sus hijos no pierdan la perspectiva. Una abuela puede tranquilizar a una madre que se preocupa mucho por el comportamiento de su hija adolescente diciéndole: "Tú también fuiste muy difícil". Un abuelo puede decirle a su hijo: "A ti tampoco te gustaba acostarte temprano".

El amor de los abuelos brinda una intensa sensación de estabilidad. Los niños saben detectar quién los quiere y también saben responder con amor. En mi calidad de profesora de psicología en la universidad he leído muchos trabajos acerca de los abuelos. Para muchos de mis estudiantes, la palabra abuelo es hasta cierto punto sinónimo de amor y de seguridad, particularmente en los casos de hogares conflictivos, cosa muy común por estos tiempos. Los abuelos representan los rituales, la continuidad y la serenidad.

La relación abuelo/nieto puede ser una de las más puras. Adultos endurecidos suelen enternecerse cuando se les menciona a sus abuelos. Muchos adultos cuentan entre los momentos más tristes de su vida la muerte de un abuelo o abuela muy especial.

Conozco a un psicólogo cuyo padre era alcohólico y lo maltrataba cuando era pequeño. Patrick buscaba refugio y protección en la casa de los padres de su madre, que vivían muy cerca. Su abuelo era carpintero y estaba siempre trabajando en el taller. En caso de tener problemas, Patrick siempre podía ir a buscarlo. Un día que su padre llegó a casa borracho y le dio una paliza sin ninguna razón, Patrick logró escapar y salió corriendo al taller del abuelo. Agarró un madero y empezó a clavar y clavar puntillas lo más rápido posible. El abuelo lo miró sin decir ni una palabra. Más tarde, Patrick se dio cuenta de que el madero que había utilizado era muy fino y costoso. Más aún, su abuelo lo había estado guardando para un proyecto especial. Empezó a llorar y se disculpó con el abuelo y éste le dio unas palmaditas cariñosas en la cabeza y le dijo: "Qué cantidad de clavos los que pusiste en esa tabla".

LA TRIBU OMAHA CREE QUE "cuando muere una persona mayor, perdemos nuestra historia. Ellos son quienes nos enseñan nuestras canciones y cuidan nuestro idioma". Los abuelos son historiadores de la familia. Si llegan a ser bisabuelos y además conocieron a sus bisabuelos habrán conocido siete generaciones de la familia. Son los depositarios de la memoria colectiva y la fuente de información de los sucesos familiares, es decir, el hilo con el que se tejen los vínculos entre generaciones. Este sentido de pertenencia a una familia es fundamental para nuestra propia identidad. Los recuerdos construyen a las familias y cuanto más memoria viva haya más profunda y rica es la relación familiar.

Las reuniones con frecuencia son fuente de historias y relatos familiares. Unos amigos me contaron su experiencia en un funeral al que asistieron. Fueron a pasar unos cuantos días con sus parientes y sus hijos escucharon historias durante horas y horas. Al final, mis amigos decidieron volver a enviar a sus hijos todos los años para que pudieran escuchar más historias.

Como lo dijo Studs Terkel: "La sociedad entera sufre de Alzheimer". Estamos perdiendo nuestra memoria cultural. Sólo podemos concentrarnos cortos períodos de tiempo, vivimos inmersos en el "ahora" eterno de la publicidad. Los abuelos prestan una gran ayuda pues además de transmitir los relatos familiares de más de cien años, también pueden personalizar la historia contando los relatos que conectan a la familia con la cultura. Son ellos quienes pueden proporcionarnos cierta perspectiva en estos tiempos modernos.

Mi abuela Glessie vivió en un mundo en el que todavía no existían los servicios sanitarios dentro de las casas; en un mundo con epidemias de influenza y de cólera. Dirigió una casa en la que se alojaban trabajadores del ferrocarril y después vendió cosméticos puerta a puerta en las montañas Ozark.

Se acordaba de los veteranos de la Guerra Civil, con sus piernas amputadas y sus rostros destrozados. También se acordaba del primer automóvil que llegó a Christian County, de la siembra de pinos en el Parque Nacional Mark Twain y de la pavimentación de la carretera a Sparta. Gracias a sus relatos tengo imágenes de ciertos personajes de principios de siglo. Sé de parientes de cinco generaciones anteriores a la mía.

Sabiduría y valores morales

La sabiduría de los abuelos es concreta. En una ocasión, en medio de una caminata, oí a una abuela decirles a sus nietos que estaban enormemente cansados: "No importa qué tan lejos sea el punto de llegada, tienen que lograrlo". También he oído a mi amiga Paulette decirle a su nieto, cuando lo ve holgazanear: "¿No quieres que te pise los talones, ¿verdad?" Una vez que un muchacho se quejaba de la monotonía del paisaje en Nebraska, el abuelo le dijo: "¿Por qué no traes un mejor par de ojos?". Mucha gente tiene recuerdos muy vivos de los dichos de los abuelos.

Molly Davis escribió sobre el asalto perpetrado a su padre por un adolescente en un estacionamiento. Su padre es un hombre de ochenta y un años. Lo golpearon con un objeto pesado y le robaron tres dólares. Le hicieron añicos varios huesos de la cara y le lesionaron un ojo. Molly me escribió: "Mi padre le habría dado dinero, hasta lo habría llevado a un cajero automático para darle más, pero el atacante nunca se lo pidió y habría podido salir ganando si sólo hubiera hablado con mi padre".

Una de las cosas que podemos aprender de los viejos es a relacionarnos con los demás de forma cortés y justa. Bernie, mi suegro, ha sido un gran profesor. Cuando era niño, su padre se desempeñaba como empleado de los correos rurales. Un día de verano Bernie lo acompañó. Una señora prácticamente ciega los invitó a comer algo en su casa. Había estado haciendo conservas de durazno y les sirvió con orgullo a cada uno de ellos un plato de duraznos cortados y todavía tibios. Al mirar su platito, Bernie vio unos gusanos flotando en el jugo del durazno. La mujer no los había podido ver mientras cocinaba. Él, asustado, miró a su padre como preguntándole con la mirada qué debía hacer. Su padre agarró su cucharita y le dijo: "Hijo, comámonos los duraznos".

El escritor Mark Gerzon sugiere que es más apropiado decir estamos "volviéndonos más auténticos" que decir estamos "volviéndonos viejos". Plantea que lo central es el espíritu humano y no el cuerpo. Con la edad el espíritu se depura y se hace más auténtico. Los abuelos nos enseñan valores. Un hombre en Pennsylvania cuenta que sus hijos le habían relatado que cuando tenían la tentación de hacer algo incorrecto, se preguntaban qué pensarían sus abuelos y esto les ayudaba a tomar la decisión acertada. Una amiga me contó que cuando su padre la llevaba por las mañanas al colegio, al despedirse le decía: "Recuerda quién eres y cuáles son tus valores". Ahora lleva a la nieta y le dice lo mismo. Una clienta me dijo que su hijo mayor tuvo mucha más oportunidad de disfrutar a los abuelos que el menor, y cree que por esta razón el mayor es una persona mucho más idealista.

Yo adopté muchos de los valores de mi abuela materna. Cuando iba a visitarla, la acompañaba a la iglesia. Sin embargo, la mayoría de las lecciones las aprendí desgranando arvejas o regando el jardín con ella. Todavía me parece escucharla diciendo: "Escoge tus libros con el mismo cuidado con el que escoges a tus amigos" "Utiliza sabiamente tu tiempo y tus talentos" "No juzgues a nadie sin haber recorrido una milla calzando sus zapatos".

Los abuelos tienen entre sí diferencias de edad, de salud, de cercanía física con sus nietos y de maneras de ser. No siempre son iguales las relaciones con ellos. Algunos abuelos odian el ruido y el nivel de actividad de los niños. Otros están demasiado enfermos, tanto física como mentalmente, para poder relacionarse con ellos. Algunos prefieren las urbanizaciones en donde no hay niños. Hay personas que se quejan de que sus padres pueden hablar de cualquier cosa, de las compras, de los amigos, de los programas de televisión, de cualquier cosa que no sean los nietos. Hay otros abuelos que prefieren mantenerse lejos de sus familias, "bailando mambo al atardecer", como lo expresó uno de mis clientes.

Mauricio tenía una maravillosa relación con su madre, que vivía en una cabaña en la parte trasera de su casa. Era una buena abuela pero criticaba constantemente a Clara, su nuera. Clara trató durante años de complacer a su suegra, pero luego renunció a ello. Ya no quería que viniera más a su casa, ni participara en las comidas familiares. Esto dio lugar a muchas dificultades entre Clara y Mauricio, y entre Clara y sus hijas. Mauricio vino a la terapia para hablar sobre cómo lograr que las mujeres de su familia fueran felices, tarea que para él era una "misión imposible".

Por otra parte, también conozco a muchos abuelos que se han hecho cargo de la educación de sus nietos. Dora ha cuidado de sus dos nietos desde que sus padres se fueron a "buscarse a sí mismos" y no regresaron jamás. Beatriz, a sus sesenta años, trabaja como vendedora y es responsable de la educación de su nieta de nueve años, cuya madre tiene problemas de adicción. Me dijo: "No puedo ser abuela-abuela pues me toca ser madre-padre-abuela. Somos demasiados en una sola".

Laura se fue a vivir con su hija y su yerno cuando nació el cuarto hijo de ellos. Laura era viuda y la familia de su hija era su vida. Mientras los dos padres trabajaban, ella se encargaba de los niños. Cuando los nietos llegaron a la adolescencia, su hija murió en un accidente aéreo. Su yerno, que no había sido nunca un padre muy involucrado en la vida doméstica, ahogó la pena trabajando más. Laura pasó a ser el amparo de los niños y la persona que en realidad los crió.

La familia Arias

"Lo obligamos a botar sus aretes,
pero los tatuajes son indelebles".

NELLY ME LLAMÓ PARA PEDIR UNA CITA para ella, su marido Carlos y su nieto Luis. Me explicó que su nieto pasaría con ellos las vacaciones. Él vivía en Los Ángeles con su madre y lo habían arrestado por robar en un almacén. Camilo, el hermano mayor de Luis, estaba en la cárcel por vender drogas y la hija de Nelly estaba aterrorizada de pensar que Luis fuera a terminar también en la cárcel o asesinado. Nelly y su esposo querían orientación para saber qué hacer ese verano y para ayudar a Luis a tomar el buen camino antes de que fuera demasiado tarde.

Nos encontramos la semana siguiente. Nelly era una ama de casa de edad media; Carlos, un empleado del ferrocarril, que venía de un turno de veinticuatro horas y llevaba aún su vestido de trabajo y botas; y Luis un muchacho delgaducho con pantalones negros y camiseta blanca, con los brazos llenos de tatuajes. Nelly dijo: "Lo obligamos a botar sus aretes, pero los tatuajes son indelebles".

Como de costumbre, lo primero que hice fue preguntarles por qué habían venido a la terapia. Carlos puso su mano sobre el brazo de Luis y dijo: "Estamos aquí porque nos hemos hecho cargo de nuestro nieto. Queremos que pase el verano sin tener problemas". Nelly dijo: "Sabemos que Luis es un buen muchacho, pero ha estado metido en un mal ambiente. Ha adquirido algunas costumbres que esperamos logre corregir".

"¿Como cuales?", gruñó Luis.

"Como fumar y maldecir", dijo Nelly. "Ésas no son buenas costumbres".

Miré a Luis, pero él bajó la mirada y no dijo nada. Le pregunté por qué había venido él y, sin mirarme, dijo entre dientes: "Me obligaron a venir". Yo le pregunté: "¿Has estado en terapia antes?" Él respondió: "Con mi hermano, en la cárcel, pero no sirvió para nada".

Nelly dijo: "Luis, vinimos antes de que te metas en más problemas. Esto es como una vacuna".

"Amamos a Camilo, pero ya tiene una mentalidad criminal. Dice mentiras incluso cuando no hay necesidad alguna. Roba cosas que no necesita. No le importa herir ni a su familia ni a ninguna otra persona", explicó Carlos. "Luis es diferente. Está un poco confundido, pero es básicamente un buen muchacho".

"Luis tiene la cáscara dura", prosiguió Nelly. "Es como la cubierta de un pastel inmediatamente después de enfriarse, pero su interior es muy suave".

Se notaba que a Luis le fastidiaban los comentarios de sus abuelos, pero tuve la sospecha de que éstos tenían razón. Había tenido muy pocos problemas a pesar de vivir donde vivían y de la falta de supervisión permanente. Bajo la apariencia de hombre rudo se percibía un muchacho atento, que escuchaba cada una de las palabras que decían los abuelos. Tuve la sensación de que el muchacho anhelaba tener quién lo guiara y lo orientara, quién lo amara y le ayudara a estructurarse, quién le enseñara a jugar ajedrez y a decir "por favor" y "gracias". Aun así, las cosas no iban a ser fáciles. Luis tenía quince años, estaba acostumbrado a hacer lo que quería y a vivir en un ambiente agresivo. Sus abuelos no habían tenido gente joven a su alrededor en unos veinte años y el mundo había cambiado demasiado desde la época en que educaron a su hija.

Hablamos acerca de las reglas. Nelly y Carlos anunciaron su política en relación con los medios: solamente películas para adolescentes, nada de música fuerte y sólo una hora de televisión al día. Los amigos eran bienvenidos en casa, pero Luis no podía salir con nadie que ellos no conocieran. Nelly lo llevaría a la piscina todos los días y lo iba a inscribir en el curso de natación. "La natación es para los bebés", dijo Luis.

"¿Crees que Carlos era un bebé?", le preguntó Nelly. "Él formaba parte de un equipo de natación y tu madre también".

"Lo que pasa es que estás nervioso", le dijo Carlos. "Pero yo te voy a ayudar con tus brazadas".

Irían a la iglesia todos los domingos y los tres cenarían juntos. Para Nelly la comida en familia era muy importante. Le hizo un guiño a Luis, y le dijo: "Te gusta la comida que yo preparo, admítelo". En los labios del muchacho se delineó una sonrisa.

Nelly dijo: "Luis no sabe cómo hacer muchas cosas. Carlos tuvo que enseñarle a bañarse pues no sabía cómo lavarse el cuello. Necesita ayuda en la lectura y en las matemáticas. Cosas básicas. ¿Tendremos que hacerlo estudiar?"

"Ni lo sueñen", gruñó Luis.

"Si haces tu parte, te llevo a pescar", dijo Carlos. "¿Te acuerdas cuando fuimos con tu hermano al río?"

Por primera vez Luis levantó la mirada y dijo: "¿Pescar? Eso sí que me gustaría".

Yo le dije: "No nos preocupemos por el trabajo escolar por el momento. Es verano. Pueden enseñarle a Luis muchas otras cosas. Esperemos a ver qué pasa".

Nelly preguntó: "¿Podemos volver la semana que viene?"

QUINTA SESIÓN (FINAL DEL VERANO)

No había visto a la familia Arias en un poco más de un mes. Después de unas cuantas sesiones en junio, les sugerí que tomaran vacaciones de la terapia. Luis estaba muy ocupado con su equipo de natación y con sus nuevos amigos. Había dejado de fumar y las cosas iban bastante bien, aunque no habían llegado a abordar el tema de las tareas escolares. La curación de Luis era bastante simple y explicable: estaba con personas que lo amaban y que esperaban mucho de él. El muchacho había crecido muchísimo en el mes de julio.

Nelly había pedido esta sesión para hablar acerca del otoño. Su hija iba a venir a recoger a Luis en una semana y de repente se habían dado cuenta de que ninguno de los dos quería que Luis se fuera. Ya los tres habían asumido un ritmo y una rutina, tenían bromas y rituales. Luis tomaba su avena todas las mañanas y rezaba con sus abuelos en la noche. Tenía en donde guardar sus cosas y ya conocía a todos los vecinos.

Nelly y Carlos se veían parecidos a la primera sesión. Carlos llevaba su ropa de trabajo y Nelly tenía una camiseta de publicidad del parque de diversiones al que habían llevado a Luis el fin de semana anterior para celebrar el magnífico verano que habían pasado juntos. Luis sí parecía un muchacho diferente, estaba más robusto y era más abierto. Me miraba a los ojos y hablaba claramente. Si el volumen de su voz era un reflejo de lo que había ganado en confianza en sí mismo, yo diría que había progresado un cien por ciento.

Tuvimos una charla como las que me gustan: sobre los triunfos. Luis formó parte del equipo de natación todo el verano. No ganó muchas competencias, pero sus tiempos eran mucho mejores y además hizo algunos amigos. Luis y Carlos salieron de pesca todos los fines de semana, y Luis atrapó muchos peces. Tenían muchas bromas relacionadas con los señuelos que usaban.

Carlos dijo con orgullo: "Ya sabe todo lo que necesita saber acerca de los señuelos, y además sabe cómo limpiar y preparar el pescado". Nelly interrumpió diciendo: "Incluso le gusta comerlo", y todos nos reímos. "Cuando llegó, sólo tomaba gaseosa, y comía papas fritas y chocolatinas. Casi ni sabía qué eran las verduras. Nunca había probado el apio".

Hablamos luego sobre el jardín. Éste había sido el año de los tomates y Luis pasó mucho tiempo recogiendo y enlatando tomates con su abuela. Ella le ayudó a montar un pequeño quiosco en el que vendió las verduras que producían en la huerta. "No produce tanto como la venta de drogas, pero no lo llevan a uno a la cárcel", bromeó Carlos.

Hoy hablaríamos sobre los estudios y el regreso a Los Ángeles. Le pregunté a Luis qué quería hacer y me respondió: "Estoy contento aquí, pero mi mamá me necesita".

"Ha sido duro para nuestra hija estar separada de él. Le alegra mucho saber que pasó un lindo verano, pero lo extraña", dijo Carlos. "Hemos hablado de la posibilidad de trasladarse a vivir aquí, pero ella no quiere dejar solo a Camilo. Ahora tiene permiso para visitarlo dos veces por semana y él necesita de sus visitas".

"Los colegios de la zona en la que viven son malos", dijo Nelly. "A mí me preocupa que Luis no pueda ir a la universidad si se queda en Los Ángeles".

"Puede ser difícil, pero podríamos pagarle un colegio privado", dijo Carlos.

"De eso ni hablar", renegó Luis. "Ésos son para niños ricos y presumidos".

Hablamos del dinero, de los colegios y de las lealtades familiares: lo difícil que es tomar una decisión que puede herir a un miembro de la familia y ayudar a otro. Pensé que de pronto Luis era lo suficientemente fuerte como para defenderse aquí o en Los Ángeles, pero no estaba segura. Nadie estaba seguro. Yo podía entender el deseo de su madre de tenerlo cerca, pero también pensé que no había visto la transformación. ¿Qué pensaría ella cuando viera al nuevo Luis? Respetaba su lealtad con Camilo, pero ¿tenía Luis que pagar por ello? ¿Debemos aceitar sólo la rueda que hace ruido?

No logramos solucionar nada en esa sesión. Decidimos volvernos a reunir la semana siguiente, cuando ya la hija hubiera llegado. Cuando iban saliendo, les dije: "No importa lo que decidan para el otoño: el verano ha sido estupendo. Pueden estar orgullosos de sí mismos. Carlos y Nelly, ustedes le dieron a Luis un regalo de verdad: su tiempo y su conocimiento. Luis, tú hiciste mucho más que evitar problemas: te deshiciste de algunas malas costumbres y adquiriste unas buenas".

Carlos se tocó la cabeza. "Es un magnífico pescador. Espero que se pueda quedar con nosotros, pero también tengo entendido que hay un océano cerca de Los Ángeles, en el que también hay peces".

CUANTO MÁS TRABAJO con familias, más respeto y valoro aquéllas que deciden hacer todos los sacrificios necesarios para poder vivir cerca los unos de los otros. La distancia física determina una diferencia clara en la calidad de las relaciones. Hace poco conocí a un taxista italiano que creció cerca de su abuelo, quien conocía todos los detalles relacionados con el equipo de los Phillies. Mi taxista y su abuelo leían las páginas de deportes e iban juntos a todos los juegos. Su relación se construyó alrededor del béisbol. El taxista, por el contrario, sólo ve a su nieto una vez al año. El muchacho vive en Florida y mi taxista vive en Filadelfia. Al nieto también le gusta el béisbol, pero sólo han ido juntos a dos partidos.

Mi primo Steve tuvo una relación muy estrecha con mi abuela Glessie. Durante todos los años de escuela, iba a su casa a almorzar y al salir de la escuela en las tardes. Él me contó que siendo adolescente, le era imposible engañarla. En una ocasión intentó fumar, pero Glessie olía los cigarrillos desde cualquier rincón de la casa. Se rió y dijo que hasta olía los que se fumaban en la televisión.

Annie, una amiga mía que está divorciada, vive cerca de sus padres; ellos le ayudan con los niños después de que Annie sale a trabajar, a las seis de la mañana. Su hijos caminan una cuadra hasta la casa de los abuelos y allí desayunan los días de colegio. En las tardes, el papá de Annie va a buscarlos al colegio y los lleva a clase de piano o a practicar básquetbol. Los martes, la abuela les prepara a todos una comida especial.

Hay ciertas distancias que son manejables. Sharon lleva a sus hijos a la granja de sus padres, que está a cuatro horas de camino. Allí los niños recogen huevos, juegan en el río y ayudan a los abuelos a cuidar los animales. Todos sus parientes viven en la zona. En la ciudad todo el mundo conoce a los abuelos y charlan y bromean con los nietos. El hijo de Sharon siempre se despide llorando de los abuelos cuando tiene que regresar a Lincoln.

Cuanto mayor sea la distancia que hay de por medio, más difícil es mantener una estrecha relación familiar. Hay formas de superar los problemas de la distancia, pero para mantener una relación se necesita realizar un trabajo concienzudo. El teléfono, las cartas y el correo electrónico ayudan. Muchos viejos aprenden a manejar las computadoras para poder mantenerse en contacto con los nietos. Sin embargo, el encanto del contacto permanente es muy difícil de mantener.

Tengo una amiga que se graba a sí misma leyendo cuentos y semanalmente le envía las grabaciones a su nieto que vive lejos. Otra pareja de amigos compró una cabaña junto a un lago para que sus nietos tuvieran un hogar maravilloso durante los veranos. Los padres de otra amiga suelen hacer un largo viaje con cada uno de sus nietos cuando cumplen los diez años.

Una de las ironías de esta época es que como los adultos viven cada vez más años, un mayor número de chicos tienen vivos a sus abuelos. Sin embargo, estos abuelos están cada vez más lejos y juegan un papel menos importante en la vida de los nietos. Mi amigo Jim me escribió hablándome de lo importantes que son sus padres para sus hijos. Me decía que un problema de tener los hijos un poco más tarde en la vida es que los niños gozan menos de los abuelos. Como él y su esposa tuvieron hijos siendo muy jóvenes, éstos llegaron a conocer a todos sus abuelos y bisabuelos. Si se hubieran esperado diez años más, sus hijos se habrían perdido treinta años de abuelos. Tenía la satisfacción de que sus hijos eran "ricos en abuelos".

AUNQUE LOS NIÑOS QUE TIENEN ABUELOS son muy afortunados, nunca es demasiado tarde para encontrar un abuelo. Los indios Oneida tienen un sencillo plan de adopción. Cuando muere un pariente, uno adopta a otra persona para que cumpla su función. En el proceso de entrevistas para escribir este libro, encontré nuevos abuelos para mí. Mi sobrino encontró un abuelo a través de la iglesia y él lo lleva a sus clases de talla en madera y a festivales de música en el parque.

Los niños pueden hacerse amigos del experto en ajedrez que vive al lado, o del hombre que hace carpintería en su garaje. Conozco a una mujer que encontró una abuela en un accidente de tránsito. Al intercambiarse las direcciones, se dieron cuenta de que vivían cerca.

También podemos heredar abuelos cuando nos casamos. Yo tuve la suerte de heredar a la abuela materna de mi marido, que durante treinta años, es decir hasta que murió, fue la única abuela que tuve.

CAPÍTULO 10

Construyendo una aldea

No es posible retribuir exactamente a quienes nos aman y se ocupan de
nosotros.
En absoluto. Sin embargo, les damos a muchas otras personas que,
a su vez, les darán a otras totalmente diferentes. No precisamente a ti.
Ésta es la particular economía del dar y el amar.

— LORRIE MOORE

El tiempo lo es todo y no es nada.
Todos estamos relacionados y todos estamos solos.

— BILL KLOEFKORN

COMO YA LO DIJE, PARA LOS INDÍGENAS LAKOTA la cultura se desintegra si
los viejos pierden el contacto con los jóvenes. Estamos empezando a percibir
señales de esta desintegración en nuestra cultura. Los niños ven televisión en
lugar de escuchar historias. Están atemorizados y son inmanejables; la prisa y
la sobreestimulación a veces los paraliza. Los adolescentes se agrupan en pan-

dillas sin supervisión alguna. Los padres se sienten aislados y confundidos; los mayores pasan días enteros sin hablar con nadie. No se atienden adecuadamente las necesidades de las distintas generaciones. Las sociedades segregadas se estancan intelectualmente y se envenenan emocionalmente. Una cultura sólo es saludable cuando las diferentes edades se encuentran en el gran círculo de la vida.

En general somos más parecidos unos a otros de lo pensamos. Todos buscamos las cinco erres: respeto, resultados, relajación, realización y relaciones. Nuestro reto es crear una cultura que permita que nuestros mayores disfruten de todas ellas. Necesitamos ayudar a nuestros viejos a superar sus traumas para que sus almas puedan crecer. Necesitamos comprender los conflictos relacionados con las zonas de tiempo, saber interpretar los mensajes generados por los diferentes lenguajes y saber que en un nivel de estructura profunda todos nos parecemos.

Nuestros mayores tienen necesidades y dones especiales. Si somos capaces de reducir nuestra velocidad y de escucharlos, podemos aprender mucho de ellos. Nos pueden contar historias acerca de la vida comunitaria y recordarnos qué nos pueden brindar las comunidades humanas. Para Freud, el objetivo de la psicoterapia era ayudar a dar salida a las necesidades y los sentimientos reprimidos. Irónicamente, lo que más hemos reprimido en la segunda mitad del siglo xx es nuestra profunda necesidad de hacer parte de una comunidad, de pertenecer a un grupo en el que sus integrantes se conozcan bien unos a otros.

Como dije antes, sin comunidad no hay moral. Nos comportamos bien si estamos entre personas que nos importan. Nuestros mayores pueden ayudarnos a restablecer las relaciones con nuestros vecinos. Ellos tienen toda la sabiduría colectiva que necesitamos para reconstruir nuestras aldeas.

Cinco de mayo

EL CINCO DE MAYO ESTUVE OBSERVANDO la visita que los niños de un grupo de actividades extracurriculares les hacían a sus "socios" en el hogar geriátrico Shady Lane. Era un día precioso: el césped lucía maravillosamente verde y brillante gracias a las lluvias de abril, y los manzanos silvestres, los peros los magnolios estaban en plena floración. Al entrar en el hogar geriátrico pasé por un aviario lleno de canarios, pinzones y periquitos. Algunos de los residentes estaban rodeando a una mujer que tenía con ella a un cocker spaniel. Nan, la directora de actividades, me condujo hacia una habitación soleada, llena de libros, discos y material para trabajos manuales.

Un grupo de viejos esperaba la llegada de los niños. Max, un granjero tan delgado que parecía un zancudo, estaba sentado en la puerta esperando a Mandy. Me presentaron a Charlotte. Tenía cien años y había sido maestra; a Lillian, una mujer regordeta que había sido jefe de cocina en una fraternidad y llevaba un vestido de terciopelo morado; y a Susie, cuya cabeza estaba totalmente blanca y tenía unos aretes con forma de tableros de bingo. Nan me habló de Susie y me dijo: "Cuando llegó aquí, no participaba en ninguna de las actividades, pero cuando vinieron los niños se abrió". Por último teníamos a Doogie, que trabajó en una tienda de alimentos durante veinticinco años. Sus ojos no se despegaban de la ventana pues estaba esperando a Ashley, que ahora estaba en quinto grado pero había sido su amiga desde kínder.

Debido a una celebración en el colegio, los niños estaban un poco retrasados. Mientras los esperábamos, Nan me contó que la primera vez los niños estaban un poco nerviosos, pero se tranquilizaron cuando ella les explicó que la mayoría de los residentes eran abuelos de otros niños. Luego les dijo que cada uno de ellos debía entregar su abrigo a uno de los residentes para que éste se lo cuidara. Esto les permitió establecer el primer contacto físico y además tener alguien en quien confiar.

Las simpatías mutuas se dieron de inmediato. Nan se rió. Señalando a Lillian, me dijo: "Ella y Tania, su socia, son como dos arvejas de la misma vaina". Lillian dijo: "Nos entendemos de maravilla. Nos comunicamos muy bien".

Nan dijo que el mayor problema de su programa era la logística. La edad promedio de los residentes era ochenta y cinco, y con frecuencia estaban enfermos o tenían cita con el médico. Un residente podía faltar varias semanas y luego estar pendiente de la llegada de su "socio", quien no podía asistir ese día porque tenía una cita con el dentista. "En ocasiones tenemos lágrimas cuando los niños no llegan".

Algunas veces se rompían relaciones muy estrechas. La madre de Brandon tenía dos trabajos y un novio con problemas de alcoholismo. Brandon era un chiquillo regordete al que le habían hecho cirugía para corregirle el labio leporino. Según Nan, "es un niño escurridizo que necesita afecto; los otros niños lo rechazan". Pero durante los últimos tres años había hecho una gran amistad con Charlotte. La llamaba los domingos por la noche antes de irse a la cama y la visitaba los días de fiesta. Nan dijo: "Charlotte de veras le ha dado a este chico el afecto que necesitaba". Sin embargo, al final del año escolar la madre de Brandon y su novio se iban a vivir a Oklahoma. Brandon sólo vendría tres veces más a visitar a Charlotte y luego se despedirían para siempre.

Las risas y las voces de los niños anunciaron su llegada. Entraron corriendo y fueron directamente hacia sus socios. Tania, una niña afro-americana, regordeta con sandalias de todos los colores y brazaletes en el tobillo, corrió hacia Lillian y la abrazó con fuerza. Ashley, una niña tranquila de cabello rubio y suelto con un hoyuelo en la barbilla, le sonrió a Doogie. Brandon se acercó a Charlotte y ésta le dio un abrazo diciendo: "Por fin llegó mi niño". Él se acercó mucho a su silla de ruedas y se notaba el gusto que le daba verla. Chad, con su pantaloneta marrón y su camiseta grandota, fue a saludar a Susie, su socia, después de decirle a Max que Mandy no podía venir. Nan le dijo a

Max: "Vamos al campo de mini-golf; ven con nosotros para que disfrutes de los otros niños".

Los niños ya sabían cómo funcionaban los caminadores y las sillas de ruedas y las empujaban suavemente para ayudar a sus socios a evitar sobresaltos con las imperfecciones del terreno. Chad le pasó a Susie su bastón y Brandon llevó a Charlotte en su silla hacia afuera. Nan le ayudó a Max, que se veía desconsolado y adolorido.

Una vez fuera de la casa, los niños, exceptuando a Brandon, organizaron el mini-golf bajo el sicomoro. Todos se veían felices de ser útiles y de hacer algo por estos adultos que no podían valerse por sí mismos. Brandon empujó la silla de Charlotte hacia el sol y le cubrió las piernas con una cobija. "Vete a jugar con los otros", le dijo ella, pero él le respondió: "Creo que me voy a quedar contigo".

Nan dijo cuáles eran las reglas: "El terreno no es parejo, así que cada uno de ustedes tiene que ayudar a sostener a su socio cuando ya no estén caminando sobre el cemento. Se pueden sentar si están cansados. No importan los puntajes. Lo que queremos es divertirnos".

Ashely y Doogie salieron de primeros. Pronto oímos a Ashley gritar: "Doogie hizo hoyo en uno". Ella jugó luego y Doogie le hizo un gesto de aprobación por su buena puntería. Lillian, de la mano de Tania, caminó hacia el césped. Tania le iba contando sobre su clase de ciencias y Lillian le respondió: "Dios bendito, eso es increíble". Tania dijo luego: "Yo no sé jugar golf", y Lillian le respondió: "Yo tampoco, pero, ¿qué importa?"

Brandon le contó a Charlotte que le habían dado varios dolores de estómago. Su conejita no parecía estar bien. Tenía la esperanza de que estuviera preñada porque estaba demasiado gorda, pero su mamá pensaba que tenía un tumor. Charlotte lo escuchó, le acarició el brazo e hizo un gesto cariñoso cuando el niño hizo una pausa. Al terminar Brandon su relato, Charlotte le preguntó: "¿Has consultado a un veterinario?"

La última pareja en salir fue la formada por Susie y Chad. Chad le sostuvo a Susie su bastón mientras ésta hacía su tiro. De pronto me di cuenta de que los dos tenían el pelo rebelde, sólo que el de Chad era marrón y lo llevaba al estilo "punk". Le oí decir con suavidad: "Vamos Susie, tú puedes. Bien, bien, ése fue un buen tiro". Lillian le mostró a Tania sus uñas y le contó que acababan de hacerle la manicure y la pedicure. Examinó las uñas de Tania y le dijo que iban a ser muy lindas. Susie le dijo a Chad que hacían un equipo estupendo. Siempre había gritos de regocijo cuando alguien hacía hoyo en uno. Había muchas personas mirando el partido desde el edificio.

El partido continuó sin un orden muy preciso. Los mayores apoyándose en sus socios, los niños moviéndose muy despacio. Todos elogiaban los buenos tiros y se reían de los fallidos. Lillian casi se cae y Tania y Nan corrieron a ayudarla. Doogie hizo un gesto de profunda satisfacción y orgullo cuando Ashley anunció: "Doogie hizo tres hoyos en uno". Lillian le preguntó a Tania si el rizado de su pelo era natural y cuando ella hizo un gesto afirmativo, Lillian dijo: "El Señor ha sido muy bueno contigo".

Charlotte le pidió a Brandon que la llevara a donde no hubiera brisa. Le estaba contando que cuando era pequeña su familia se fue a vivir a la ciudad. Le dijo: "De verdad temía que los niños de la ciudad pensaran que yo era una campesina ordinaria".

Ashley encontró un diente de león que medía casi doce pulgadas y Lillian dijo con admiración: "Éste podría ir al *Guinness Record*". Lillian pidió la atención de todos pues tenía que hacer un anuncio importante: la clase de Tania había sido escogida por la NASA para que todos firmaran un papel que se llevaría al espacio John Glenn; se escuchó un murmullo de admiración general. Ashley y Doogie se sentaron en una banca a descansar.

Yo charlé un rato con Nan, Charlotte y Brandon. La nieta de Charlotte era la presentadora de un programa de televisión y Charlotte le preguntó a Brandon si lo había visto esta semana; él le dijo que sí y que le había gustado mucho.

Nan me contó que el hijo de Susie era uno de los actores secundarios de una telenovela y que la hija del primo de Max estaba casada con un piloto que había participado en el Indy 500. Luego dijo: "Formamos una familia y todos estamos orgullosos de nuestras estrellas".

Doogie y Ashley siguieron jugando, pero Lillian y Tania hablaban bajo el árbol, tomadas de la mano. Lillian estaba contándole cómo preparar chile para cien personas; Ashley y Doogie estaban observando el hueco de una ardilla; Susie le preguntaba a Chad algo sobre la camiseta que llevaba. Yo estaba maravillada con la amabilidad de los niños con sus socios; eran atentos y cuidadosos no sólo para proteger su cuerpo sino para hacerlos sentir bien.

Nan llevó un jugo de frambuesa en vasos de plástico. Brandon tomó uno para él y otro para Charlotte, quien le agradeció diciendo: "Eres un joven extraordinariamente amable". Doogie miraba con orgullo a Ashley. Lillian dijo: "La próxima vez haremos un proyecto culinario". Susie parecía un poco más encorvada y se apoyó fuertemente sobre su bastón para regresar a su silla. Nan le dijo: "Vas a dormir muy bien esta noche". Tania y Ashley se encargaron de repartir unas galletas y Tania nos dijo con coquetería: "¿No quieren dañar su cena?" Charlotte tomó una galleta pero se la pasó a Brandon: "Cómetela por mí, cariño".

Nan me dijo que había venido a trabajar en Shady Lane hacía diez años debido a una crisis familiar. "Este lugar me sedujo". Dijo que la mayoría de los empleados decían lo mismo que ella. "Reciben lo que necesitan trabajando aquí. Los viejos les permiten conservar la calma y la salud mental". Pensé en las ironías de la vida, pues estos viejos a pesar de todos sus traumas, penas y enfermedades terminan siendo los grandes sanadores en nuestra cultura. Nan hizo un gesto con la cabeza y dijo: "Los jóvenes y los viejos son los que se encargan de que los demás sigamos adelante".

Allí sentada, con el sol ya cayendo, observé al grupo. Por primera vez en la vida, al ver este juego de golf sin reglas precisas y sin puntajes, comprendí algo muy importante: a los viejos les interesan los procesos, no los resultados. En contraste con todos nosotros, que hemos sido educados para tener nuestros ojos puestos en los premios, para ellos el premio es el momento que están viviendo. Saben que no hay nada que dure demasiado; ni los momentos de éxito ni los de fracaso, ni los logros ni las fallas. Todo lo que les queda al final son los recuerdos.

Las metas no son atractivas para los miembros de este grupo. Para ellos la meta es la muerte y la mayoría no tienen prisa por alcanzarla; les gusta permanecer donde están. Enamorarse del proceso es prueba de una gran sabiduría en este punto de la vida. El secreto de la vida es valorar el presente, o como dice Ram Dass: "Saber estar aquí, ahora". Es saber "apoyarte en tu socio, sentarte cuando estás fatigado, sin importar los puntajes. Lo importante es divertirse".

El autobús regresó y los niños se despidieron. Nan anunció: "La próxima semana prepararemos helado casero. Lillian y Tania serán las encargadas de esa sesión". Lillian y Tania se abrazaron y Lillian dijo: "Ten cuidado cuando firmes, hazlo con letra muy linda. No sabemos si algún extraterrestre llegará a leer esa hoja". Ashley le dijo a Doogie: "No hagas nada que yo no haría" y él se rió con ganas. Todos los niños, exceptuando a Brandon, salieron corriendo hacia el autobús. Brandon no quería ir, abrazada a Charlotte y no se desprendía de ella. "Vamos, vamos", le dijo ella. "Llama a mi exalumno esta semana. Él es un veterinario estupendo. Dile que me envíe a mí la cuenta. Todo se va a arreglar". Brandon no se movió hasta que Nan con dulzura le indicó que tenía que irse. Charlotte le acarició el brazo y le dijo: "Eres mi niño. No lo olvides".

Como dijo mi amigo Carl: "Los viejos nos ayudan a madurar y nos enseñan lo que necesitamos saber". Robert Bly describe con gran elocuencia cuánto necesitan los jóvenes a los viejos, no sólo para que les enseñen a ser hombres sino para que les enseñen a escuchar. En una sociedad de niños sin padres, los hombres viejos pueden convertirse en "padres" que les enseñan a atarse los cordones de los zapatos, a pescar, a arreglar un automóvil o a tirar un balón.

UNO DE LOS CUENTOS MÁS BELLOS DEL MUNDO es la historia de la Navidad. En un invierno frío y oscuro nace un niño que nos trae luz, calidez y una gran riqueza. Los bebés tienen un poder sorprendente para reconfortarnos y sanarnos. En una ocasión estaba en un hogar geriátrico, cuando llegó una visitante con un bebé en brazos. Los residentes la rodearon de inmediato. Incluso algunos cuyo estado era casi comatoso se despertaron para mirar el bebé; otros que no se habían levantado de la cama en toda la semana de repente estaban timbrando para que les llevaran la silla de ruedas. Los que tenían alguna enfermedad infecciosa acercaban sus rostros a la ventana para poder mirarlo.

Un día, después de haber trabajado durante muchas horas dictando una conferencia y firmando libros se me acercó una madre con su hija recién nacida. Se había dado cuenta de lo cansada que me veía y pensó que de pronto me gustaría cargar a su bebita. Al tenerla en mis brazos, sentí que una corriente de salud y energía me recorría todo el cuerpo. Experimenté una sensación de relajación similar a la que siento después de nadar o de contemplar un atardecer.

Los viejos pueden reanimarse con los niños y además llenar los vacíos de su corazón. Pueden recibir ayuda práctica y ganar contacto con nuevos puntos de vista. Todos nos beneficiamos de tener niños a nuestro alrededor. Alguien me contó una anécdota sobre una mujer que tenía que llevar a su bebé al trabajo. Según la mujer, el arreglo no sólo fue bueno para ella y para el bebé, sino en general para la oficina. A veces, cuando estaban en alguna reunión estresante, el bebé hacía algún ruido, eructaba o gritaba, lo que los hacía reír a todos, rompía la tensión que reinaba en el grupo y les ayudaba a poner de nuevo las cosas en perspectiva. Dice que desde que está llevando el bebé al trabajo ha subido la moral de la oficina. El jefe está de acuerdo con ella.

Ya hay muchos grupos que empiezan a darse cuenta de la importancia de los lazos intergeneracionales. Se reconoce la sinergia que resulta de la mezcla de edades diferentes. Cada vez más frecuentemente, las iglesias están formando "familias" que rompen las barreras de los grupos por edades. Ésta ha sido una mejor manera de organizar los grupos. Conozco a una profesora de piano que hace poco formó un grupo intergeneracional de teoría musical y me cuenta que los participantes están encantados. Una nueva energía parece surgir cuando los de diez años, los de cincuenta y los de catorce están trabajando en el mismo grupo. Todos ríen y hablan. A veces lo difícil es terminar la clase.

Los niños suelen necesitar orientación para tratar a los viejos. Por ejemplo, es posible que sea necesario explicarles a los adolescentes que cuando la música está muy fuerte los viejos tienen muchas dificultades con sus audífonos. Que ellos necesitan de ambientes tranquilos para conversar. Con unos pocos días de contacto y una buena educación, los niños se relajan rápidamente. A mi hija, por ejemplo, le encantaba tocar violín. Cuando mi madre pasó su último año en el hospital, Sara iba a verla los sábados y tocaba su violín. Algunos pacientes pedían que los llevaran en sus sillas de ruedas hasta la puerta de la habitación de mi madre para poder escuchar a "la pequeña que tocaba tan bonito".

Golden View

UNA MAÑANA DE MAYO fui a una ciudad pequeña a visitar el hogar Golden View. El paisaje era muy agradable: pasé por fincas abandonadas cuyos graneros estaban semidestruidos y se podían ver algunos lirios todavía retoñando alrededor de sus cimientos; también pasé por enormes cultivos de trigo y junto a casas de campo blancas y hermosas. Al atravesar una pradera recién podada respiré profundamente. Las alondras cantaban en los postes de las cercas.

Justo detrás de un cementerio, sobre una colina, se divisaba Golden View, con el cielo azul como telón de fondo.

Era una institución que contaba con residencias para ancianos, una unidad para recién nacidos y un jardín infantil en el que había doce bebés y cuarenta niños un poco más grandes. Janet, la directora de recreación, me llevó primero a la unidad de atención diurna. Cuatro bebés con trajes de colores primaverales iban en sus caminadores a su paseo matinal. Janet me explicó que los niños permanecían en un patio rodeados por los mayores.

Dijo también que Golden View era una comunidad. A los bebés los cuidaban en el jardín infantil; también tenían programas para las tardes y cursos de verano para los que estaban en la escuela elemental. Los adolescentes trabajaban como voluntarios. Como adultos también podían regresar a Golden View a trabajar. Los padres de algunos niños que estaban en el jardín trabajaban allí y con frecuencia podían pasar a darles un vistazo a sus hijos.

Los muchachos crecían cerca de los mayores y no les temían. Habían sido educados para ser amables y receptivos. Cuando llegaban a la edad escolar, Janet les ponía algodones en los oídos para que tuvieran una idea de cómo percibían los sonidos las personas que no oían bien. También los hacía caminar con los ojos vendados para comprender la importancia de los ojos. Janet se rió y dijo que había ciertas cosas que eran muy fáciles. Por ejemplo, a los niños les gusta ayudar a conducir las sillas de ruedas eléctricas y observar a los mayores cuando se ponen la dentadura y los audífonos. A los viejos les gusta darles regalos a los niños y sentarlos sobre sus rodillas.

Janet, señalando a Rosie, una de las bebitas con vestido primaveral que estaba en el coche caminador, dijo que su bisabuela era residente. "Pronto las verá a las dos juntas". Ya había una fila de niñitos que iban caminando alegres hacia el patio. Llevamos los coches con las bebitas de trajes primaverales tras de ellos.

Afuera, mujeres de cabeza blanca esperaban a los niños. Janet y yo sacamos a los bebés de los coches y Rosie salió corriendo hacia su bisabuela, que le hacía señales con las manos. Una de las asistentas tomó en sus brazos a una bebita que lloriqueaba y se la pasó a Aletha. Aletha la recibió y le dijo: "Tú todavía no me conoces bien. Juguemos a las palmitas".

Los niños iban de un lugar al otro en el patio y los residentes mayores los miraban y se reían. Una señora estaba adormilada pero se despertó cuando un niño que jugaba a los vaqueros y montaba en un caballito chocó contra su pierna. Algunos niños jugaban a la pelota con los viejos. Derek, un niño de unos dos años, pasó frente a la fila de sillas de ruedas saludando de mano a todos los presentes.

Los asistentes ayudaban a los ancianos a subir y bajar a los bebés de sus piernas y también verificaban que ninguno tuviera frío. Una enfermera salió de la casa y después de abrazar a su abuela recogió a su bebé para alimentarlo. El vaquerito ahora era un auto que, con el dedo en la boca, iba marchando hacia atrás. Aletha bromeó: "Ahora está dando reversa".

Una de las asistentas le cambió el pañal a Derek. Mientras tanto, Rosie estaba tratando de comerse una petunia y Miranda, una bebita de un año, llegó gateando hasta el regazo de Miriam. El más viejo de todos, que no estaba totalmente en sus cabales, vio mi bolso negro sobre la grama y exclamó: "Yo creo que ese perro está muerto".

Una señora que tenía una colcha tejida a mano sobre las piernas, llevaba en sus brazos a un bebé y lo arrullaba diciéndole: "Yo no te voy a devolver. Puedes dormir sobre mi almohada". Su vecina le dijo: "Pero sus padres se van a poner muy tristes", y ella respondió: "Ellos pueden hacer otro". Todos se rieron y el bebé sonrió y dio muestras de estar complacido.

Los residentes estaban pendientes de los cambios, observaban los nuevos peinados y si alguien estrenaba zapatos. También veían los adelantos de los niños: aquél ya camina más seguro, el otro ya dice más palabras, a éste le salió otro diente. Los niños iban y venían alegremente, y sabían que muchos pares de ojos estaban pendientes de ellos. De vez en cuando se detenían frente a alguno de los adultos, que por lo general le daba un beso o le decía alguna palabra cariñosa. Rosie se desprendió de su bisabuela pero volvió más de una vez para que le hiciera una caricia. La mamá volvió al trabajo y Miranda le pidió a Miriam que le contara un cuento.

El tiempo pasaba lentamente. El viejo estaba controlando el récord del vaquerito. Las bebitas primaverales jugaban con balones en el suelo. Aletha dijo: "Nos encantan nuestros niños. Les ayudamos a crecer. Se portan mucho mejor que la mayoría de los niños pequeños".

Salí al medio día y volví a recorrer el mismo camino hacia la ciudad. Disfruté del heno fresco y del canto de las alondras. En Lincoln el firmamento seguía azul, pero parecía menos abierto y estaba empequeñecido por las sombras de los edificios y el humo de la ciudad. Pasé frente a centros comerciales y licoreras, almacenes de variedades y condominios. Ya empezaba a añorar la paz y la tranquilidad del lugar donde había pasado la mañana.

Golden View es un buen ejemplo de una solución creativa al problema de la interrelación entre generaciones y cómo hacer comunidad en esta época. En nuestra cultura tenemos problemas grandes que exigen soluciones; como la medicina moderna está aumentando los promedios de vida de los individuos, estos problemas se multiplicarán. Es imposible pensar que habrá solución a ellos si continuamos con una actitud xenófoba. Tenemos que trabajar juntos para crear rituales, comunidades, instituciones y un lenguaje que nos permita amarnos y cuidarnos los unos a los otros, que nos permita mezclar las zonas de tiempo y mejorar nuestra forma de vida.

Como lo sugerí antes, necesitamos nuevas palabras del estilo de *interdependencia* y *reciprocidad* para terminar con la marginación de los ancianos. Una buena salud mental para todos no implica ni la independencia ni la dependencia; simplemente una aceptación digna y elegante de la etapa de la vida que estamos viviendo.

Necesitamos examinar cuidadosamente nuestro lenguaje y las prevenciones profundamente arraigadas que tenemos con respecto a los viejos. En pocas palabras, lo que necesitamos es una cultura más amable para con nuestros mayores. Necesitamos modificarlo todo, desde la iluminación de los restaurantes hasta el tamaño de la letra en los libros. Una cultura amable exige una reorganización del sistema de salud, una mejor organización del transporte público y unos medios de comunicación más conscientes.

No soy más que una hoja del gran árbol de la humanidad.

— PABLO NERUDA

Mi vida se ha enriquecido gracias a los años que pasé cerca de mis mayores. Al escribir este libro aprendí mucho sobre las profundas diferencias entre los viejos-jóvenes y los viejos-viejos. Vi los estragos que producen el estrés y las pérdidas; también aprendí la importancia de las relaciones y del control. Fui testigo de la enorme sabiduría de los mayores: cuanto más perdemos, mayor amor experimentamos hacia lo que nos queda. La lección más importante en este último estadio del desarrollo es la aceptación. Bien aprendida, esta lección nos proporciona serenidad. Finalmente, todo tiene que ver con el amor.

En las casas de mis cinco tías escuché relatos familiares, vi fotografías y disfruté de las comidas hogareñas. En sus rostros y expresiones vi los rasgos y las expresiones de mis hijos. Al hablar con ellas comprendí mejor a mis padres y aprendí mucho de mí misma. Entendí más la historia de nuestro país y recibí enseñanzas importantes sobre cómo envejecer.

Las personas que entrevisté me enseñaron lo que más necesitaba saber. Mi amiga Sally me dio esperanzas para mi vejez y Effie me hizo ver el valor terapéutico de la poesía. Alma, cuya alegría proviene de una vida dedicada al servicio de los demás, me ayudó a ver las limitaciones de una psicología basada en el logro individual, a costa de las relaciones con los demás. George fue un ejemplo de la fortaleza y la comprensión de una persona claramente ubicada en las culturas pre y postfreudianas. Demostró con su vida la posibilidad de hacer una síntesis admirable de las ideas viejas y nuevas acerca de la salud mental.

Aprendí de mis clientes que mi generación puede enseñarle algo a los mayores. Me ha producido un enorme placer ayudar a mis clientes viejos-viejos a elaborar algunas de sus penas. Sin embargo, yo fui quien más aprendió de todos. De Gladys aprendí la posibilidad de conservar el valor en situaciones de gran presión. Carlos y Nelly me mostrarón cómo rescatar a un chico que está al borde del desastre.

Hace muchos año, abuelos y nietos dormían unos al lado de los otros. Esto impedía que los representantes de ambas generaciones se congelaran. También es una buena metáfora de lo que las generaciones hacen unas por otras. Nos preservamos del frío. Los viejos necesitan nuestro calor y nosotros necesitamos su luz.

Para aprender más acerca de los viejos, necesariamente tenemos que amarlos y no sólo en forma abstracta sino concreta, en nuestros hogares, en nuestros negocios, en nuestras iglesias y en nuestras escuelas. Queremos que las generaciones se mezclen para que los jóvenes puedan darles alegría a los viejos y los viejos puedan transmitirles a los jóvenes su sabiduría. A medida que nos vamos haciendo mayores percibimos la importancia de relacionar a los viejos con los jóvenes, la familia con la familia, los vecinos con los vecinos e incluso los vivos con los muertos. En las relaciones está la verdad, la belleza y, por último, la salvación. Las relaciones son las que nos hacen soportable la vida a los humanos.

Un tango

———————

ME DESPERTÉ PENSANDO EN FRANK BRAY, MI PADRE, QUIEN HOY TENDRÍA ochenta años. Han pasado ya treinta desde que sufrió la primera trombosis y veintiuno desde que murió. Estaba pensando en lo triste que fue su vida, tan corta y tan marcada por cosas como la locura de su padre, la pobreza durante su niñez, la vergüenza y el caos familiar, la guerra, la separación de sus queridos Ozarks y, ya al final de su vida, esos años de incapacidad producida por la lesión cerebral. Su vida fue solitaria, agitada y en realidad nunca pudo tener un verdadero hogar.

Tuve una mañana muy ocupada. Bebí café con mi marido y corriendo preparé una torta utilizando una mezcla instantánea especial. Les arreglé el almuerzo a mi hijo y a su novia. Zeke había invitado a Jamie al parque de atracciones y le había propuesto matrimonio en una forma muy original. Ella aceptó. Nos abrazamos y nos besamos y les tomé una fotografía. Lloré por ellos, por la importancia que tenía el paso que estaban dando, y por mi padre a quien ese día, en el que habría cumplido sus ochenta años, no le fue dado saber que su nieto se había comprometido.

Un poco más tarde bajé con Sara, mi hija, a caminar en la nieve. Le relaté una conversación que había tenido con mi abuela treinta y cinco años atrás. Cuando supe que mi prima Karleen se iba a casar me angustió mi falta de éxito con los hombres. Me preguntaba si alguien llegaría a amarme, si algún día llegaría a casarme. Glessie, una mujer enorme que había tenido muchos maridos, me dijo: "Tienes que jugar con las cartas que tienes en la mano. Casi nadie recibe una mano perfecta, pero tú sí tienes cartas suficientes para ser amada". En realidad tenía razón. No fui nunca tan bonita como mis mejores amigas, pero logré arreglármelas para conseguir novios y para que me amaran.

Hablé con Sara acerca del semestre que estaba por empezar. Iba a estar fuera varios meses, viviendo en las montañas del norte de Tailandia y visitando un campo de refugiados. Me sentí orgullosa de su valor y de su espíritu de aventura, pero también tenía temores no sólo por ella sino por los meses de soledad que se avecinaban para mí. Su viaje me despertaba sentimientos similares a los que experimentó mi tía cuando papá se fue para la guerra, sesenta años atrás. La tía Grace me había dicho: "Cuando Frank se fue, todos lloramos en la estación. Nadie de nuestra familia se había ido tan lejos antes".

Un poco más tarde fui con Jim y con Sara a la casa de unos amigos en la que había un concierto con Dan Newton. Atravesamos la ciudad en nuestro auto, en medio de la nieve, hablando y haciendo bromas sobre el matrimonio de Zeke. Cuando llegamos, encontramos un ambiente muy agradable, risas, música y suficiente comida. Había fuego en la chimenea y todas las lámparas estaban encendidas. Dan había venido desde Minneapolis con su esposa y su

hijo menor. Su padre estaba allí. La última vez que yo había visto al señor
Newton, su esposa acababa de morir de cáncer. Cuando Dan tocaba, él no era
capaz de quedarse en el salón. Pero esta noche estaba sonriendo y mimando a
su nieto, que jugaba sentado en sus rodillas.

Dan es uno de los mejores acordeonistas del país, es musicólogo y compositor. Llevaba jeans, una camisa negra desteñida y botas de trabajo. Realmente
puede tocar cualquier cosa. Esa noche tocó tangos, valses, musettes y, en general, música de los años 20 y 30 que evocaba la Europa de entreguerras. Era
toda música muy emotiva, casi visual y evocadora. Con los ojos cerrados, podía imaginar los salones enormes de aquella época, bellamente decorados y
alumbrados. Imaginé a una mujer con un traje de seda bailando con un hombre en esmoquin y polainas. Mantuve los ojos cerrados; a mi alrededor las
voces de los amigos, el ruido del fuego, el aroma de la comida fueron desapareciendo, y yo me quedé sola con la música.

Imaginé aquella primera pareja, y luego otras que fueron haciendo círculos y acercándose a la luz. Vi a algunos judíos con su cuerpo delgado y su pelo
oscuro bailar con elegancia y alegría. Vi soldados heridos en la guerra, que se
iban curando a medida que danzaban. Vi a la tía Betty, una joven campesina,
sacar a bailar a su marido, un sencillo leñador que al principio se resistía. La
tía Margaret, con un traje blanco, se movía rítmicamente en los brazos de su
esposo. Las tías Agnes y Claire, con su cabellera negra, bailaban dentro de un
círculo de luz.

La tía Henrietta, con su mejor vestido y sombrero de flores, bailaba un
vals con Max, su atractivo amor. El tío Otis llevaba a la preciosa tía Grace,
cuyos ojos negros relucían con la vivacidad de sus catorce años, con una luz
que iluminaba a todos los demás.

Mi padre, cuya ceguera y limitaciones habían desaparecido, también se
dirigió a la pista. Se veía fuerte y sonriente. Bailó muy grácilmente y la luz de
las lámparas hacía relucir su cabellera negra; vi luego a mi abuela Glessie, con

sus cien kilos, bailar orgullosamente con él. Y allí estaba también su esposo Max, mi abuelo loco. Su rostro denotaba calma y los huesos fracturados se habían curado. Abrazó a mi padre e invitó a Grace a bailar con él. Luego condujeron la silla de ruedas de la abuela Lee hacia los bailarines. Se puso de pie, recuperada totalmente, y se movía al ritmo de la música.

Mi madre entró rápidamente a la pista haciendo sonar sus tacones al bailar con mi padre. Sus padres bailaban tras ella, mi abuelo con su mono y sombrero de fieltro, mi abuela Agnes con su traje de diario y su delantal. Los movimientos de éstos últimos eran un poco torpes puesto que no habían bailado nunca antes. Luego Zeke, Sara y Jamie. Tomaron de las manos a mis abuelos y formaron un círculo en el que estaban los vivos y los muertos, Jim, yo, mis adorados tíos y tías, y todos los bailarines de la pista. Hicimos un círculo en la sala de baile. Las luces parecían estrellas sobre nuestras cabezas. Nuestros pies sabían qué hacer y nuestras caderas se movían con libertad. El tango seguía oyéndose sin parar.

Agradecimientos

A mis lectores, Pam Barger, Henrietta Isbell, Margaret Nemoede-Harris, Jamie Pipher, Jim Pipher, Sara Pipher, Marge Saiser, Karen Shoemaker, Theo Sonderegger, y Jan Zegers.

A todos aquellos que me ayudaron con este libro, los Bray, los Pipher y los Page, a mis amigos que me contaron sus historias, a mis clientes y específicamente a Randy Barger, Rowena Boykin, John y Beatty Brasch, Leola Bullock, Joette Byrd, Jim Campbell, Jim Cole, Laura Cravens Wertz, John y Sylvia Darling, Rose Dame y Gertrude Fischer, Laura Freeman, Sarah Gordon, Dr. George y Chiyo Hachiya, Sherri y George Hanigan, Tom y Twyla Hansen, Herb y Sue Howe, Max Isbell, Jane Jarvis, Jerry Johnston, Ted Jorgensen, Karen

Larsen, Pat Leach, Scott Long, Agnes y Clair Loutzenheiser, Calor McShane, Pat Mielnick, Nancy Nemmick, Randall Nemoede-Harris, Lucy Nevels, Bonnie Newell, Elaine Peters, Jim y Susie Peterson, Reynold y Jill Peterson, Bernard y Phyllis Pipher, Zeke Pipher, Natalie Porter, Betty Robinson, Linda Roos, Crystal Sato, Carl Schreiner, Rich Simon, Joe Starita, Jan y Neal Stenberg, Grace y Otis Teague, Janet Trout, y Kathryn Watterson.

También a Susan Petersen, Wendy Carlton, Mih-Ho Cha, Marilyn Ducksworth, Cathy Fox, Joanne Wycoff, Rachel Tarlow-Gul, y mis queridas Susan Lee Cohen y Jane Isay.